*LES
POUVOIRS
INCONNUS
DE
L'HOMME*

JEAN-FRANÇOIS AUBARBIER

LE SAVOIR ANTÉRIEUR

JEAN-FRANÇOIS AUBARBIER

LE SAVOIR ANTERIEUR

Clairvoyance | Précognition | Don des langues | Sixième sens | Psychométrie
Rêves prémonitoires | Vision extra-rétinienne | Connaissance de l'avenir

E. Bozzano — S. Freud — C. Richet — L. Leshan — E. Meric — J.E. Orme
J.B. Rhine — A. Leprince — D.S. Rogo — J. Romains — J.R. Smythies
E. Osty — L.E. Rhine — W.H. Tenhaeff — R. Thouless — R. Tischner

Les pouvoirs inconnus de l'homme
Collection dirigée par Michel Mélieux et Jean Rossignol

Textes de ce volume
réunis et commentés par
Michel Damien

Tchou
Laffont

Sommaire

INTRODUCTION

PREMIÈRE PARTIE
Clairvoyance et prémonition

DEUXIÈME PARTIE

Les nouvelles énigmes du cerveau

L'être humain n'est pas une machine. Il est plus qu'il ne paraît être, et sa solitude pourrait être en partie illusoire. La parapsychologie rénove les vieilles questions :
« Qu'est-ce que l'homme? D'où vient-il? Où va-t-il? »

Pourquoi la parapsychologie est importante

Que nous l'appelions « parapsychologie », « recherche psi », « étude du paranormal » ou « recherche ESP », la recherche psychique recouvre un domaine infiniment plus vaste qu'il n'y paraît de prime abord. Au sens le plus profond, il s'agit de l'étude de la nature essentielle de l'homme. Afin de démontrer ce que signifie pour nous, aujourd'hui, cette étude, qu'il nous soit permis de commencer en examinant comment du point de vue culturel nous concevons ce qu'est l'homme actuellement. Nous pourrions débuter par une citation :

« Qu'est-ce que l'homme pour que l'on s'intéresse ainsi à son bonheur? Un singe qui ne cesse d'évoquer sa parenté avec les archanges tandis qu'il gratte le sol à la recherche de glands de terre. Et pourtant, je me rends compte que ce même homme est un Dieu mutilé. Il est condamné sous peine de sanctions à mesurer l'éternité à l'aide d'un sablier, et l'infini à l'aide d'un mètre et, qui plus est, il y arrive presque » (James Branch Cabell).

Nous demandons : « Qu'est-ce que l'homme? » et, dans notre siècle antimétaphysique, nous considérons cette question comme mineure. Il s'agit pourtant de celle qui est la plus décisive. La manière dont nous traitons les autres et dont nous nous traitons nous-même dépend de notre réponse. Si nous croyons que l'homme est bon par essence, nous le traitons comme s'il l'était et, ainsi que Gœthe l'a indiqué il y a longtemps, nous le rendons vraisemblablement par là même un peu meilleur. Si nous croyons que l'homme est mauvais et que nous le traitons en fonction de cette idée, non seulement cela le rend pire mais, comme nous savons que nous participons d'une même humanité, notre être intérieur a tendance à être étouffé par la perte de joie et de spontanéité qui en découle.

Une modification de notre conception de l'homme entraîne des modifications dans notre comportement. Par exemple, le point de vue

*nouveau que nous a donné Freud dans les récentes décennies a modifié
une partie de notre conception. Savoir que l'homme possède un inconscient qui l'influence fortement a entraîné des changements considérables dans l'enseignement, la médecine, l'art, l'éducation des
enfants, le droit et dans une foule d'autres domaines.*

*Lorsque nous considérons l'image culturelle que nous nous faisons
présentement de l'homme, elle nous apparaît comme celle d'un être
« rationnel » et « sensé ». L'homme est fait de chair, d'os et de nerfs.
Il est un matériau terrestre qui possède une forme d'une complexité inhabituelle, et rien de plus. Dans ce cadre, chacun d'entre nous est vu
séparé des autres, tout comme une bicyclette est distincte d'une autre.
Nous sommes perçus comme séparés du monde et des autres hommes
par les limites de notre corps. (Ce qui, en soi, influe très fortement sur
la manière dont nous nous traitons mutuellement. Si je vous vois distinct et différent de moi, il y a de grandes chances pour que je ne vous
traite pas comme je me traite moi-même. Si j'ai le sentiment que vous
et moi participons l'un de l'autre, je vous traiterai vraisemblablement
comme je me traite moi-même.) C'est seulement dans les moments
d'amour, de pitié, d'émotion religieuse, d'extase, de folle gaieté, ou les
moments solennels, que nous pouvons combler le vide et participer l'un
de l'autre. Chaque homme est unique, bien que le type d'atomes, de
molécules qui le composent, ainsi que sa structure physique, soient
semblables. « Ne saignerai-je pas, si tu me poignardes? » demande Shy-
lock* [1]. *Même si notre ossature est semblable, nous voyons chaque
homme enfermé dans sa peau, ne connaissant du monde que ce qu'il
peut en voir à travers les fenêtres étroites de ses sens et ne touchant
les autres que par l'intermédiaire de ceux-ci.*

Comment définir la parapsychologie?

*Les faits scientifiques que nous connaissons semblent indiquer la
validité du point de vue qui veut que l'on puisse comprendre l'homme
en fonction des concepts physiques de base auxquels nous faisons
appel pour comprendre les voitures et les ordinateurs. Il existe, nous
en convenons tous, d'autres détails à comprendre, mais nous connaissons les grandes lignes. Les outils conceptuels essentiels dont nous
avons besoin sont du même genre et du même ordre que ceux qui sont
décrits ci-dessus.*

Est-ce que tous *les faits que nous connaissons viennent à l'appui de
ce point de vue, ou seulement* presque tous? *Si nous examinons les choses honnêtement, nous voyons qu'il s'agit de* presque tous, *mais que
certains ne le font pas. Il est des faits qui ne cadrent pas.*

1. Personnage de l'usurier dans *Le marchand de Venise*, de Shakespeare.

12

La parapsychologie est l'étude scientifique de ce que Charles Fort appelait « ces sacrés faits » : ceux qui ne cadrent pas. Ces faits ne peuvent pas se concilier avec les concepts que nous utilisons habituellement pour expliquer l'homme et le monde qui l'entoure. Mais s'il est une chose que nous avons apprise de la science, c'est que le cas atypique, l'incident inhabituel, est celui, si on le regarde sérieusement, qui nous renseigne sur tous les autres.

C'est la substance qui luit dans l'obscurité du laboratoire de Mme Curie qui nous enseigne la structure fondamentale de toutes les autres.

Les faits les plus importants ont souvent été, dans l'histoire des sciences, éclairés par d'autres apparemment inhabituels ou accessoires. (Pasteur dans son laboratoire.)

Dans le laboratoire de Fleming, c'est cette boîte de Pétri, dans laquelle les germes meurent inopinément, qui nous conduit à la découverte des antibiotiques. Dans l'expérience de Pasteur, c'est cet ensemble de fioles dans lesquelles la vie n'apparaît pas qui nous apprend l'origine de la vie dans les autres fioles. C'est la paralysie atypique, où la neurologie n'arrive pas à découvrir de lésion, qui mène Freud à la découverte de l'inconscient. C'est ce problème de physique – l'addition des vitesses – que les méthodes traditionnelles ne parviennent pas à résoudre qui entraîne la révolution einsteinienne, et nous permet une compréhension plus profonde des problèmes que nous avions essayé de « résoudre » de manière classique.

13

Presque tous les faits cadrent avec l'image que nous nous faisons de l'homme, mais il existe des exceptions. Il est des faits qui ne cadrent pas avec l'idée précise que nous nous faisons de notre unité ou avec le fait que nous soyons faits de matière ordinaire, tout comme les pierres, les avions et les ordinateurs. Il est des faits qui ne peuvent se concilier avec nos idées préconçues.

Il y a environ trois ans, un médecin d'une ville située à plus de 1500 kilomètres de New York où j'habitais se rendit à un congrès médical qui devait durer cinq jours. Ce congrès se tenait dans un État très éloigné de son domicile. A 9 heures du matin, il arriva à la réception de son hôtel; il ressortit de l'hôtel à 5 heures de l'après-midi et il disparut. Je n'avais jamais ni rencontré, ni parlé à cet homme ou à aucun membre de sa famille. Plusieurs semaines plus tard, on n'avait toujours pas retrouvé sa trace et il figurait sur la liste des personnes disparues de toutes les polices des États-Unis. Par l'intermédiaire d'une chaîne assez complexe de relations, l'épouse de ce médecin apprit que je me livrais à des recherches avec Eileen Garrett, l'une des clairvoyantes les plus douées et les plus pénétrantes de tous les temps. La femme du médecin m'écrivit, me demandant si je pouvais l'aider à retrouver son mari; elle joignait à sa lettre un morceau de tissu de 6 centimètres carrés provenant d'une chemise qu'avait portée son mari la veille de son départ pour le congrès.

Le matin où je reçus cette lettre, je téléphonai à Mme Garrett pour lui demander un rendez-vous, sans lui en donner la raison. Elle me dit de venir la voir à 2 heures cet après-midi-là. Lorsque j'arrivai chez elle, nous passâmes dans la pièce où avaient lieu ses séances, sans avoir abordé le sujet. Elle entra en transe, comme à son habitude dans ces cas, et je lui dis alors deux phrases : « Un homme a disparu; sa femme s'inquiète beaucoup. Pouvez-vous l'aider? » Elle palpa le morceau d'étoffe et dit bientôt : « Il est à La Jolla. Il est allé là-bas à cause d'une blessure psychique qu'il reçut à quatorze ans quand son père partit ».

Ce soir-là, je téléphonai à la femme du médecin et lui demandai : « Est-il arrivé quelque chose à votre mari entre quatorze et quinze ans? » Elle me répondit : « Quand il avait quatorze ans, son père a abandonné sa famille et nul n'en a plus entendu parler pendant vingt-cinq ans. » Trois semaines plus tard, quand on eut retrouvé le médecin, il apparut qu'il s'était bien trouvé à La Jolla le jour de la séance.

Voilà un fait qui ne cadre pas avec l'image que nous nous faisons de l'homme et de ses relations avec les autres hommes. Pas plus qu'il ne cadre avec toute science fondée sur l'idée de l'unicité des individus au sens normal du terme.

« Mais, » dirons-nous, cherchant à préserver la belle image matérialiste de l'homme et de son monde à laquelle nous sommes habitués, « peut-être s'agit-il de quelque chose qui ressemble aux ondes radio? Il en a émis qu'Eileen Garrett a reçues, et le morceau d'étoffe a peut-

être servi à les capter. Il s'agirait alors simplement du fait qu'elle reçoive ses signaux. Une station émettrice et un poste de radio sont distincts, et aucun d'eux n'a besoin de savoir où est l'autre pour que l'un reçoive les signaux qu'a émis l'autre. Quel est le problème ? »

Ce n'est pas du tout cela. Afin de montrer pourquoi cette explication ne convient absolument pas, prenons l'un des cas les plus anciens que présente la littérature sur la recherche psychique. (Je donnerai bientôt un exemple typique, en laboratoire, plus récent, mais un exemple plus ancien permettra peut-être utilement de saisir le « bouquet » d'un aspect de ce domaine.)

Une autre relation de l'homme avec le cosmos

Mrs Verrall (l'un des sujets sensitifs les plus brillants et les mieux étudiés de tous les temps) nota dans son journal, à la date du 11 décembre 1911, la perception paranormale suivante :

« Le froid était intense et une bougie unique donnait une faible lumière. Il était étendu sur le canapé ou sur un lit et il lisait Marmontel à la lumière d'une seule bougie... Le livre lui avait été prêté; il ne lui appartenait pas. »

Le 17 décembre, elle poursuivit : « Le nom, Marmontel, est juste... Un livre français; ses Mémoires, je pense. Passy peut l'aider à se rappeler. Passy ou Fleury. Le livre était relié en deux volumes, la reliure était ancienne et le livre lui avait été prêté. Le nom, Marmontel, ne figurait pas sur la couverture. »

Le 1er mars 1912, l'un de ses amis, Mr Marsh, dit à Mrs Verrall qu'il avait lu les Mémoires de Marmontel, les 20 et 21 février 1912, à Paris, par une nuit glaciale, à la lueur d'une bougie. Un soir, il avait lu au lit, et l'autre, il s'était installé sur deux chaises. Il avait emprunté l'ouvrage (qui comportait trois volumes) et, le 21 février, il avait lu le chapitre dans lequel Marmontel décrit la découverte d'un tableau peint à Passy, découverte associée à un certain M. Fleury.

Vous pourrez vous livrer à toutes les recherches qu'il vous plaira sur les ondes radio et toutes les autres découvertes de notre science et de notre monde quotidiens, mais jamais vous ne parviendrez à obtenir que les ondes radio précèdent le temps et soient reçues avant d'avoir été émises. Pour expliquer des « faits damnés » tels que ceux-ci, il vous faut adopter un point de vue nouveau, une nouvelle définition de l'homme et de sa relation au cosmos.

Je signale en passant que, pour chaque exemple d'expérience psi ou paranormale que je citerai ici, il en existe des centaines d'autres, tout aussi intéressantes sinon plus, qui ont été rapportées par des gens sérieux.

Nos « sacrés faits » possèdent quatre sources principales. Nous bap-

tiserons celles-ci « *expériences de laboratoire* », « *cas spontanés* », « *cas médiumniques* » et « *cas psychothérapiques* ». *Étudions maintenant un exemple caractéristique de chacune.*

1. Expériences de laboratoire

Le Dr Gertrude Schmeidler, psychologue, a répété à maintes reprises l'expérience suivante, avec quelques modifications. On demande à un groupe de sujets (par exemple, un groupe d'étudiants) : « Croyez-vous (ou ne croyez-vous pas) que la perception extra-sensorielle puisse exister ? » Ils écrivent leur réponse, et elle donne à chacun d'eux un formulaire comportant des blancs destinés à recevoir un certain nombre de réponses. On leur explique ensuite qu'on battra le lendemain un jeu de cartes spéciales, et que l'ordre dans lequel ces cartes apparaîtront sera inscrit sur un formulaire semblable. Ils doivent deviner l'ordre dans lequel les cartes apparaîtront le lendemain et noter ce qu'ils ont deviné le jour même. Après que chacun a noté ce qu'il a deviné, on ramasse les formulaires qui sont rangés en lieu sûr. Le lendemain, les cartes sont battues soigneusement et l'ordre dans lequel elles apparaissent est comparé aux résultats obtenus la veille. On peut démontrer scientifiquement que le groupe d'étudiants qui croyaient à une existence possible de la perception extra-sensorielle a deviné plus justement que l'autre groupe.

Ce type d'étude n'est pas seulement la démonstration scientifique de l'existence du phénomène psi, mais il permet également de nous aider à commencer à comprendre la relation entre la perception extra-sensorielle et la personnalité. Des expériences parapsychologiques de ce genre (ici expérience de précognition) sont parmi les plus faciles à faire. On trouve dans la littérature des centaines de témoignages sérieux de précognition, recueillis en laboratoire.

2. Cas spontanés

Une petite fille de dix ans se promenait dans un chemin creux, non loin de chez elle mais suffisamment pour ne pas voir sa maison. Elle apprenait sa leçon de géométrie. Brusquement, elle eut la vision de sa mère malade, et prévint un médecin sans l'intervention duquel la mère serait morte [1].

3. Cas médiumniques

Les deux cas précédemment décrits, celui de « l'homme qui avait disparu », et celui de « Marmontel », représentent des exemples assez caractéristiques de ces cas.

---

1. Ce cas est étudié plus loin par le Pr J.B. Rhine dans le Chapitre premier.

4. Cas psychothérapiques

Plusieurs années avant l'incident que je vais citer, j'avais travaillé avec une patiente nommée Marla. C'était une artiste, experte en art moderne. Évidemment, un psychothérapeute ne mentionne jamais le nom d'un patient à un autre patient.

A l'époque où l'incident se produisit, je travaillais avec une patiente que je traitais depuis un temps relativement assez court. Elle peignait en amateur et m'apporta un jour l'un de ses tableaux. Nous en parlâmes un moment puis, lui expliquant que je n'étais pas très connaisseur, je lui demandai si je pouvais montrer son tableau à l'une de mes amies qui s'y connaissait, et avoir ainsi un avis autorisé. Ma patiente répondit : « Bien sûr », et, pendant un instant, elle sembla curieusement déconcertée. Ensuite, elle me demanda : « Dites-moi, une personne nommé Marla s'est-elle jamais assise sur cette chaise ? » Lorsque, abasourdi, je lui demandai pourquoi elle avait posé cette question, elle ne put que me répondre qu'il fallait qu'elle pose cette question. Elle m'affirma ne connaître, quant à elle, personne de ce nom.

Il importe, une fois encore, de remarquer que nous venons de parler de quelques exemples caractéristiques parmi les centaines de cas soigneusement étudiés et les expériences de laboratoire précises qui ont été publiés dans la littérature professionnelle dans ce domaine.

Un héritage intellectuel périmé

Indépendamment du fait que la perception extra-sensorielle (télépathie, clairvoyance, précognition) existe, que veut dire tout cela ? En premier lieu, cela nous indique que l'homme est infiniment plus complexe que nous ne le pensons. Nous disposons de faits solides et nets, mais ceux-ci ne pourraient pas exister si l'homme n'était autre chose que ce que nous pensons qu'il est. S'il n'était fait que de chair et d'os, s'il fonctionnait selon le même genre de principe qu'une machine et s'il était aussi distinct des autres hommes que nous le pensons, il lui serait impossible d'accomplir les choses que nous savons qu'il accomplit parfois. C'est une nouvelle conception de l'homme, un point de vue nouveau sur les autres et sur nous-mêmes, la certitude que l'homme est plus complexe que ne l'affirment nos idées traditionnelles, que démontrent ces faits de manière scientifique. Et c'est là que réside l'importance véritable de la perception extra-sensorielle.

La modification de notre point de vue concernant la nature de l'homme que ces faits impliquent représente quelque chose de formidable. Et nous ne devons pas sous-estimer la nécessité où nous sommes d'une nouvelle conception de l'homme. L'héritage philosophique du XIIᵉ siècle, sur lequel notre civilisation occidentale a vécu, est épuisé. La métaphysique matérialiste qui nous vient de la révolution industrielle est en train de nous détruire. Nos institutions s'effondrent les unes après les autres; notre mode de vie devient impossible. La manière dont nous nous comportons les uns à l'égard des autres entraîne notre espèce sur la voie de l'extinction et fait de notre unique planète une décharge d'ordures invivable.

En 1969, le Secrétaire général des Nations Unies, U Thant, déclarait :

« Sans vouloir dramatiser à outrance, en fonction des informations dont je dispose en qualité de Secrétaire général (des Nations Unies), je ne peux que conclure qu'il reste aux membres des Nations Unies peut-être dix ans pour dominer leurs vieilles querelles et lancer une coopération globale pour mettre fin à la course aux armements, pour améliorer l'environnement humain, limiter les conséquences de l'explosion démographique et apporter l'impulsion nécessaire aux efforts de développement de l'humanité. S'il n'est pas possible de parvenir à une telle coopération globale, alors, je crains fort que les problèmes que j'ai cités n'atteignent des proportions tellement vertigineuses qu'il ne sera plus en notre pouvoir de les dominer. »

De nombreux écologistes et de nombreux chercheurs qui se sont attachés aux effets de la pression démographique sur le comportement nous donnent entre vingt et trente ans pour accomplir des changements avant qu'il ne soit trop tard pour sauver l'humanité. Ce qui situe la période cruciale entre 1979 et 1999, c'est-à-dire qu'il nous reste extrêmement peu de temps pour modifier nos manières traditionnelles d'agir et de réagir en sorte que nous nous sauvions.

Une chose est claire : nous ne pouvons espérer modifier la manière dont nous nous comportons envers nous-même et les autres sans qu'il y ait une modification de notre perception de nous-même et des autres. Il nous faut impérativement parvenir à une conception nouvelle et plus exhaustive de ce qu'est l'homme, ou nous disparaîtrons.

La recherche psychique nous a fourni des indices, des indications quant à une conception nouvelle, une image plus précise, fondée sur une meilleure compréhension. Cette image nouvelle, nous ne parvenons pas encore à la voir avec netteté. Elle défie toutes nos idées préconçues et ce que nous considérons comme notre expérience. Elle les défie ainsi que l'avaient fait les affirmations suivantes : « La terre tourne autour du soleil ». « Ridicule, répondait-on, qui n'a pas vu le soleil se lever, traverser le ciel et se coucher? »

« La terre est ronde, et non pas plate. » « Stupide. Ceux qui sont en dessous tomberaient. »

« Les émotions peuvent contribuer à la naissance d'un ulcère. » « Absurde! chacun sait que l'esprit est une chose et que le corps en est une autre. »

On a abandonné aujourd'hui ces idées, et accepté les nouvelles conceptions. Mais les anciennes idées possédaient une grande force et étaient acceptées comme « marquées du coin du bon sens » à l'époque où apparurent les nouvelles.

Parce qu'ils vont à l'encontre de toutes nos idées préconçues, la plupart d'entre nous ont de grandes difficultés à évaluer objectivement les « faits impossibles » de la perception extra-sensorielle, ceux qui ne peuvent pas se produire, mais qui se produisent pourtant. Ainsi que le fit remarquer le Dr Gardner Murphy : « Si, dans tout autre domaine scientifique, nous avions le dixième des preuves que l'on possède en parapsychologie, on accepterait ces preuves sans discussion ».

Le rêve de Coleridge

Pourquoi est-il donc si difficile d'obtenir que les phénomènes psi soient reconnus? Cela tient, en partie, au point où ils semblent nous entraîner du point de vue théorique. Les « faits impossibles » semblent nous placer dans une position absurde du point de vue logique. On peut exposer cette position ainsi :

1. Si les connaissances que nous possédons concernant la manière dont le monde fonctionne sont fondamentalement vraies, certaines choses (par exemple voir dans l'avenir) sont alors impossibles.

2. Ce que nous connaissons sur ce sujet est en général vrai. Nous agissons beaucoup trop efficacement dans notre vie quotidienne pour qu'il soit possible que ce soit sur la base d'un ensemble de suppositions erronées.

3. Mais ces choses arrivent pourtant réellement.

Exprimée de cette manière, qui est celle que l'on a généralement employée, cette position est vraiment illogique, et un esprit raisonnable ne peut que considérer (malgré les preuves écrasantes) que l'affirmation numéro 3 n'est pas vraie, que ces choses n'arrivent pas. De nombreux individus (et la plupart des savants) se dérobent devant ce fatras contradictoire en refusant tout simplement de regarder les données, et il leur est donc possible d'ignorer totalement le problème.

Cependant, il existe une autre réponse qui s'accorde bien avec les preuves et qui semble surgir avec clarté si l'on approche le problème de manière scientifique. Cette réponse consiste à dire que ce que nous savons est vrai, mais que l'homme et sa relation au cosmos sont plus complexes que nous ne le pensions. Ce « plus complexe » entre dans une catégorie et dans un ordre qui sont différents de tout ce que nous connaissons. Cette réponse ne défie qu'une idée préconçue, à savoir que nous savons vraiment tout ce qu'il importe de connaître à propos de l'homme. Et il s'agit là d'une idée préconçue que nul esprit rationnel n'accepterait consciemment à quelque propos que ce soit. C'est cette idée préconçue particulière qui a paru rendre si vains les efforts que nous avons faits pour empêcher la race humaine de suivre le chemin des dinosaures. La preuve est faite que cette préconception est sans valeur et qu'avoir le courage de suivre les indices dont nous disposons déjà peut nous apporter des réponses nouvelles.

Coleridge écrivait : « Et après, si vous dormiez? Et si, dans votre sommeil, vous rêviez? Et si, dans votre rêve, vous alliez aux cieux et que vous y cueilliez une fleur aussi étrange que belle? Et si, à votre réveil, vous teniez cette fleur à la main? Ah! Et après? »

L'humanité a rêvé. Nous avons rêvé à des hommes semblables aux anges et, à notre réveil, nous tenions à la main les longues plumes dorées des ailes des anges. Les « faits impossibles » de l'ESP sont ces plumes. Ils nous parlent d'une part de l'homme, longtemps masquée par les brumes de la légende, de l'art, du rêve, du mythe et du mysticisme, dont nos explorateurs du réel des quatre-vingt-dix dernières années ont démontré qu'elle possédait une certaine valeur scientifique. Du moins avons-nous appris que l'homme est plus qu'il ne paraît être, plus que ce que le philosophe matérialiste avait jamais pensé qu'il fût. Il peut être en relation avec les autres, et il le fait, d'une manière qui échappe encore à notre entendement, mais c'est une manière qui obéit à des lois très différentes de celles de ses sens; son unicité par rapport aux autres et sa solitude au monde sont, du moins en partie, illusion.

La recherche psychique permet une nouvelle appréhension, bien meilleure, de l'éternelle question cruciale : « Qu'est-ce que l'homme? » La compréhension de cette question nous attend de l'autre côté de l'horizon. Essayons d'y parvenir à temps.

DOCTEUR LAWRENCE LESHAN

PREMIÈRE PARTIE

Clairvoyance et prémonition

La parapsychologie cherche à discerner ce qui existe au-delà du point le plus éloigné que nos regards physiques et notre bon sens peuvent atteindre.

Chapitre premier

Une histoire
de l'invisible dévoilé

La clairvoyance et la télépathie sont deux phénomènes différents. Le premier est la perception d'un événement réel ou d'un objet sans utilisation de nos sens ordinaires. Le second est la perception directe de la pensée d'un autre individu, également sans l'usage des sens.

Ces définitions simples sont en fait discutées par les chercheurs. Est-il certain qu'il n'y ait jamais dans la clairvoyance d'information émise par un sujet que l'on ne voit pas, mais qui existe peut-être? Si l'on perçoit par exemple immédiatement un incendie se déroulant à mille kilomètres de distance, est-ce l'incendie qui est perçu ou la pensée des témoins qui y assistent? La télépathie pourrait-elle s'exercer si le percipient, c'est-à-dire l'individu receveur, était totalement privé de l'usage de ses cinq sens [1]?

La multiplication des expériences depuis un siècle permet d'affiner les questions et les réponses, mais aussi d'entrevoir que derrière la subtilité des définitions existent des phénomènes dont on ne comprend pas les mécanismes. Le professeur J.B. Rhine, fondateur avec William McDougall du laboratoire de parapsychologie de Duke University (Etats-Unis), retrace le début de ses recherches.

Un exemple de clairvoyance spontanée éclairera le sens de ce mot. Les *Fantômes de vivants*[2] rapportent l'histoire d'une enfant qui eut la vision de sa mère malade à la maison. C'était une fillette de dix ans

---

1. Cette question a été examinée dans *Les pensées communicantes*, ouvrage collectif, Éd. Tchou-Laffont, 1976.
2. *Phantasms of the living*, vaste enquête de Gurney, Myers et Podmore, 1886; traduction abrégée en français sous le titre *Les hallucinations télépathiques*.

qui suivait un sentier à la campagne en lisant un livre de géométrie quand soudain tout ce qui l'entourait s'évanouit et elle vit sa mère gisant, morte en apparence à la maison, sur le sol d'une chambre condamnée. La vision était très claire; l'enfant remarqua même un mouchoir bordé de dentelle qui était sur le plancher à peu de distance de sa mère. L'expérience était si réelle que la fillette, au lieu de rentrer tout droit à la maison, se rendit chez le médecin et le décida à venir avec elle. Elle ne pouvait lui donner aucune raison car sa mère paraissait en bonne santé et devait être absente du logis ce jour-là. Le médecin et l'enfant rencontrèrent le père sur le seuil. Voyant le médecin il demanda aussitôt qui était malade. Sa fille lui dit que c'était maman et les conduisit tout de suite dans la chambre où l'on n'allait plus. Là sur le parquet gisait la mère, exactement comme l'avait montrée la vision. Le mouchoir à dentelle était tout près. La mère avait eu une crise cardiaque. Le médecin déclara que s'il n'était pas arrivé immédiatement, elle ne s'en serait pas remise. Après l'événement le père apprit que sa femme s'était sentie malade dès le départ de la petite. Aucun des domestiques ne s'en était aperçu et personne n'avait vu l'événement. La télépathie semble donc une explication improbable et il faut invoquer la clairvoyance, c'est-à-dire la connaissance extra-sensorielle d'événements objectifs. Il est cependant plus prudent de regarder tout fait non expérimental de ce genre comme plus suggestif que concluant.

Les cas de clairvoyance spontanée sont à peu près aussi fréquents que ceux de télépathie. Mais au début la clairvoyance inspirait moins la recherche. A vrai dire en Angleterre et en Amérique, où fut entreprise la majeure partie de la recherche télépathique, on ignora presque la clairvoyance. En revanche dans certains pays du Continent, on fit des expériences sur les prétentions des clairvoyants. Et comme cette voie latérale mène éventuellement à la grande artère que nous suivons, l'histoire sommaire de ces premiers travaux mérite d'être rapportée.

Comme pour la télépathie on crut d'abord que la clairvoyance était en rapport avec l'hypnose. Mesmer lui-même avait souvent rencontré des faits de ce genre dans ses sujets en transe. En parlant d'un sujet plongé dans ce que nous appellerions aujourd'hui l'état hypnotique il écrivait : « Parfois, grâce à sa sensibilité interne, le somnambule peut voir distinctement le passé et l'avenir ». Dans un des incidents relatés par Mesmer il mentionne la découverte d'un chien perdu appartenant à une de ses malades qu'il avait mise en sommeil « mesmérique ». Le sujet ne se consolait pas de cette perte. Un jour, étant en somnambulisme, elle appela sa domestique et lui commanda d'aller chercher l'agent de service au coin de la rue. Lorsqu'il arriva elle lui dit d'aller tout de suite dans une certaine rue, à un quart d'heure de là. Il y rencontrerait une femme emmenant un chien qu'il devait réclamer comme le sien. L'agent obéit. Il trouva en effet une femme portant un petit chien qu'il ramena à la femme endormie et elle le reconnut.

Certains des successeurs de Mesmer se servirent des pouvoirs clairvoyants de leurs sujets endormis pour diagnostiquer les maladies. Il y eut aussi des « voyages de clairvoyance » dont quelques-uns étaient d'ordre expérimental. Par exemple sir William Barrett, physicien anglais, le Dr Alfred Backman, médecin suédois, et beaucoup d'autres avaient été capables d'induire un sujet hypnotisé à se projeter mentalement vers des lieux éloignés et à en rapporter le récit d'événements ou autres informations qui plus tard étaient vérifiés. Comme les renseignements obtenus étaient inconnus de toutes les personnes présentes à l'expérience, ils étaient attribués à la clairvoyance et non à la transmission de pensée.

Il y eut un autre genre d'expérience de clairvoyance avec les sujets hypnotisés. Le Pr Richet prenait une carte au hasard dans un jeu, la glissait dans une enveloppe opaque et demandait à sa somnambule Léonie de la deviner. Richet s'assura, par une série d'expériences de ce genre, que Léonie pouvait dans l'hypnose deviner une carte que personne n'avait vue auparavant.

Mais finalement la clairvoyance se sépara aussi de l'hypnose. Comme dans le cas de la télépathie l'association avait été purement accidentelle. Au cours du temps les démonstrations de la clairvoyance se succédèrent avec le sujet dans l'état de veille normal. Des expériences de ce genre furent faites par Naum Kotik, en Russie, Rudolf Tischner en Allemagne, Mlle Ina Jephson en Angleterre et Upton Sinclair en Amérique. En Pologne aussi on étudia la clairvoyance extraordinaire du fameux Stephan Ossowiecki. Dans toutes ces expériences, sauf celles de Mlle Jephson, le sujet essayait de décrire ou de reproduire des dessins ou autres objets matériels entièrement cachés et qui étaient inconnus des personnes présentes. Avec Mlle Jephson c'étaient des cartes à jouer.

Dans chaque cas l'expérimentateur était convaincu que les résultats ne pouvaient s'expliquer complètement par des coïncidences de hasard et qu'aucune hypothèse, sauf celle de la clairvoyance, ne pouvait être invoquée. Dans le cas de Mlle Jephson il était possible d'évaluer les résultats par la statistique tandis que les succès très nets constatés avec Ossowiecki par Theodore Besterman de la S.P.R. n'avaient pas besoin d'estimation mathématique. Dans une de ces expériences, Besterman dessina une bouteille d'encre et écrivit sur le papier SWAN INK, un mot de chaque côté de la bouteille. Il traça une ligne bleue sous le premier mot et une rouge sous le second, puis il plia le papier deux fois. Il l'enferma dans trois enveloppes opaques, dont chacune fut spécialement cachetée et marquée de façon à déceler toute tentative de fraude. Au cours de trois séances, Ossowiecki alla jusqu'à décrire et reproduire presque parfaitement le contenu; aucun des assistants ne le connaissait, excepté Besterman qui en revanche ignorait la marche des expériences.

Il est un autre genre d'expérience de clairvoyance qu'on a appelé improprement « psychométrie ». On donne au sujet un objet qui a une histoire. Le sujet essaie alors de dire quelque chose qui soit en rapport avec les événements associés à l'objet. Un exemple célèbre est rapporté par le Dr Gustave Pagenstecher, un médecin de Mexico, qui conduisit des expériences avec une Mexicaine, Mme de Z. Walter Franklin Prince, de la S.P.R. américaine, fit plus tard une étude du sujet et il confirma les dires de Pagenstecher. Le Dr Eugène Osty, de Paris, et le Pr Oskar Fischer de Prague entre autres firent aussi des expériences de psychométrie et tinrent leurs résultats pour des preuves de la clairvoyance. Chaque clairvoyant employait une technique différente. Le sujet de Fischer avait un don particulier et comme Ossowiecki c'était un homme connu. Il s'appelait Raphaël Schermann. On le considérait comme un « métagraphologue » parce qu'il demandait pour se concentrer un échantillon d'écriture. Selon les rapports il indiquait des faits qui ne pouvaient pas provenir de l'interprétation graphologique ordinaire. Il renseignait par exemple sur le lieu et les actes de celui qui avait écrit.

Percer le voile des apparences, découvrir les mécanismes qui animent notre monde, est depuis toujours une ambition inscrite au fond du cœur humain.

La télépathie déconcerte moins la raison que la clairvoyance

Tels étaient les principaux genres de démonstrations. En 1930, les preuves étaient en général bien meilleures et plus abondantes pour la télépathie que pour la clairvoyance, malgré les manifestations impressionnantes dans ce dernier cas. Nombre d'investigateurs scientifiques qualifiés avaient atteint des conclusions favorables mais ils étaient moins nombreux que ceux qui étaient prêts à accepter la télépathie. La clairvoyance ne fut pas étudiée de façon suivie. Les expériences sont en réalité plus faciles que celles de télépathie. Il n'y a qu'une seule personne à diriger alors qu'en télépathie il faut tenir compte de l'agent et du percipient. Il faut aussi trouver de bons agents et de bons sujets pour recevoir les messages. Mais la forte préférence qu'on avait pour la télépathie faisait oublier ces inconvénients.

On concevait mieux la transmission de pensée comme étant au-delà du physique. La relation d'esprit à esprit semblait transcender les principes mécaniques impliqués par la communication sensorielle. D'autre part la clairvoyance impliquait nettement une interaction avec la matière. Pour rendre le phénomène intelligible il fallait supposer une opération de l'esprit portant sur l'objet perçu. La clairvoyance ressemblait plus à un sens complémentaire qu'à une fonction entièrement non sensorielle, ce qui semblait le cas de la télépathie. Par conséquent ceux qui recherchaient des manifestations exceptionnelles de l'esprit trouvaient la télépathie plus significative et plus riche de promesses.

Lorsqu'en 1930 nous commençâmes nos travaux à l'Université Duke, la clairvoyance et la télépathie étaient pour nous d'un égal intérêt, mais cela ne dura pas longtemps. De bonne heure au cours des investigations, la clairvoyance l'emporta en intérêt et cette prééminence se maintint. Au moment de la publication, en 1934, du premier rapport sur nos expériences de télépathie et de clairvoyance, l'œuvre accomplie était bien plus grande sur cette dernière que sur la première. Dans les années qui suivirent, pendant lesquelles le genre de recherches inauguré à Duke s'étendit à d'autres institutions, la même prépondérance expérimentale de la clairvoyance sur la télépathie s'affirma. C'est pourquoi il nous paraît préférable de rendre compte tout de suite de nos recherches principales quitte à revenir plus tard sur nos progrès dans l'étude de la télépathie.

Les expériences furent d'une conception très simple, au moins en ce qui concerne leur appareillage mécanique. Nous essayâmes de simplifier et d'uniformiser les expériences au point où elles n'exigeraient en soi que peu d'attention. La meilleure méthode nous sembla de deviner des cartes cachées, et nous inventâmes pour cela un jeu réduit. Le paquet était composé de 25 cartes en cinq groupes pareils dont les cartes représentaient une étoile, un rectangle, une croix, un cercle et des lignes ondulées. De légères modifications étaient faites de temps en temps à ces symboles.

Pour commencer on employait souvent la procédure suivante. On montrait au sujet le paquet de cartes et on lui expliquait la nature de l'expérience. Puis on brassait, on coupait et on mettait le paquet face en bas sur la table à laquelle il était assis. (Nous mentionnerons plus tard les précautions qui étaient prises contre les inférences sensorielles.) L'expérimentateur était assis en face du sujet, son carnet de notes sous la main. Il demandait au sujet de deviner la carte du dessus et sa réponse était inscrite puis la carte était enlevée sans qu'il la regardât. La carte suivante était de même devinée, inscrite et enlevée, ainsi de suite jusqu'à épuisement du jeu. On comparait alors les cartes aux réponses inscrites pour compter le nombre de succès. Après avoir prodigué les encouragements au sujet on recommençait l'épreuve non sans avoir battu et coupé le jeu.

Par l'effet seul du hasard la moyenne attendue était 5 divinations sur 25 cartes. Si un sujet en avait plus de cinq en moyenne, l'écart, c'est-à-dire le nombre de succès au-dessus du hasard, était mesuré au moyen d'un étalon mathématique appelé « unité d'écart ». Cette mesure, depuis longtemps en usage dans des sciences diverses, donne les probabilités pour que le hasard seul n'ait pas produit les résultats obtenus. Si par exemple 4 épreuves avec le paquet de cartes entier ont donné 7,5 succès par épreuve, le nombre total des succès sera 30, soit un écart absolu de 10. Or la théorie évalue à 1/150 la probabilité que cet écart soit produit par le hasard [1].

Naturellement plus une moyenne se maintient et mieux cela vaut. Avec 8 séries d'épreuves, il faudrait seulement une moyenne de 6,5 succès, soit un écart de 2,5 par série, pour obtenir la même probabilité de 1/150 qui serait le produit du hasard. D'ordinaire une probabilité de 1/100 au moins est admise scientifiquement comme la garantie que les résultats ne sont pas dus au hasard; en termes techniques ils sont « statistiquement significatifs ». Cette expression, ou plus simplement le mot de « significatif », est employée fréquemment pour dire que, par un accord général entre tous les savants, il est légitime d'expliquer les résultats autrement que par le hasard; en un mot ils relèvent d'une loi et ne sont pas incertains.

On pense bien que, dans une recherche d'avant-garde comme celle de la clairvoyance, nous n'avons pas voulu compter outre mesure sur nos mathématiques. Nous savions qu'il y a une tendance populaire à se défier de la statistique, survivance des temps où les trois degrés de fiction étaient « le mensonge, le sacré mensonge et la statistique ».

---

1. La probabilité que l'écart réel soit supérieur à un nombre donné est donnée par une fonction bien connue en mathématiques et que l'auteur n'a pas cru devoir introduire ici pas plus qu'il ne l'a fait dans son ouvrage de 1934 où il rendait un compte détaillé de ses expériences. L'écart réel étant proportionnel à la racine carrée du nombre des parties et sa probabilité diminuant avec ce nombre on comprend que la conviction d'un « antihasard » dans les expériences de Rhine puisse s'établir, avec des écarts assez faibles pourvu que le nombre des expériences soit grand. – T.

Aussi dès le début nous sommes restés en contact avec les experts mathématiciens et de temps en temps nous leur avons fait approuver les procédures mathématiques que nous suivions. Aucune voix dissidente ne s'est jamais élevée de chez les mathématiciens contre ces appréciations concordantes.

Passons aux résultats acquis. Le meilleur sujet fit plus de 700 fois l'expérience du jeu de cartes pendant les trois premières années de nos travaux dont le compte rendu a paru en 1934 dans l'ouvrage *Perception extra-sensorielle (Extrasensory Perception)*. Il eut en moyenne 8 succès par épreuve de 25, soit 3 succès au-dessus de ce qu'aurait donné le hasard. La probabilité d'avoir 8 succès ou davantage pour 3 épreuves de suite par le hasard seul est 1/100. Mais la probabilité d'obtenir par le hasard seul cette moyenne de succès sur 700 épreuves s'exprime par une fraction dont le dénominateur exigerait tout un paragraphe de chiffres. Cette performance d'un seul individu est si significative et exclut si complètement le hasard que celles des autres sujets importent peu. Quels que soient leurs résultats ils ne peuvent annuler le caractère « antihasard » de cette démonstration individuelle.

Cependant nous avons publié les résultats de toutes les expériences. En fait dans le compte rendu de 1934 nous avons tenu à les enregistrer tous pour bien montrer que nous n'avions pas fait de choix dans nos données. Il n'est donc pas question d'invoquer la sélection dans l'interprétation des résultats. La moyenne des réponses justes dépassa 7 sur 25. Certaines des expériences qui entrèrent en ligne de compte dans le total général étaient en réalité faites pour abaisser le taux des succès. Les unes étaient purement préliminaires, sur des sujets qui n'étaient pas connus pour posséder un don. Elles furent toutes comptées, quoique certaines d'entre elles fussent restées au niveau du hasard (5 réponses justes), ou même fussent tombées au-dessous. Disons pourtant que la majorité furent conduites avec un groupe de sujets choisis qui, dans les expériences préliminaires, avaient deviné juste en général 6 à 11 fois sur 25. Mais comme il a été dit, les résultats de tous les sujets qui furent rejetés dans les expériences de longue durée entrèrent dans le total général. Les résultats représentent une moyenne générale de 7 réponses justes dans plus de 85 000 épreuves particulières faites avec nos cartes spéciales.

Le maintien de cette moyenne sur une suite aussi longue est une démonstration magnifique d'un facteur différent du hasard. Les mesures mathématiques lui donnent une signification qui ne laisse aucun doute sur l'intervention d'autre chose. Une simple série de 6 épreuves avec une moyenne de 7 succès serait déjà significative. Un total de plus de 3 400 de ces épreuves a une signification beaucoup plus grande que ne le suggérerait le rapport de 3 400 à 6.

Le hasard peut aussi s'estimer d'autres façons. La première fois que nous avons rencontré une suite de 9 succès dans une épreuve, à l'époque des premières expériences de clairvoyance, nous avons compris que nous n'avions pas affaire au hasard seul. La probabilité contre une telle suite est représentée par 5^8 soit à peu près 2 millions. Quelques jours plus tard le même sujet eut 15 succès de suite et finalement un autre sujet enregistra 25 succès sur 25, soit la réussite parfaite. Ces performances sensationnelles furent rares mais lorsqu'elles se produisaient elles balayaient complètement de nos esprits tous les vagues soupçons qu'il pouvait s'agir du hasard.

Il est évident que dans une expérience quelconque tout dépend des précautions prises. Jusqu'ici je n'ai fait que décrire les expériences préliminaires de nos travaux de clairvoyance. Nous avions à nous assurer complètement qu'aucune sorte d'inférences sensorielles ne pouvait affecter les résultats. Une des premières mesures fut d'intercaler un écran opaque entre les cartes et le sujet. Parfois nous transportions les cartes dans une pièce adjacente ou dans un autre bâtiment. Un autre moyen de soustraire les cartes à la vue était de les enfermer chacune dans une enveloppe opaque qui était cachetée et marquée d'un signe. Dans certaines expériences tout le paquet était conservé dans une boîte pendant l'épreuve. Diverses autres précautions étaient prises dans des expériences spéciales. Il y eut aussi des changements dans la façon de marquer. Non seulement on écrivait les déclarations du sujet mais aussi on notait les cartes une à une après coup. Finalement il fut de règle de faire les deux enregistrements sur des feuilles séparées pour éviter les erreurs.

Un contrôle sévère

Certaines des précautions employées étaient des plus insolites. Par exemple dans les expériences avec Pratt et Woodruff, exécutées à Duke en 1938 et 1939, les expérimentateurs étaient toujours présents, des enregistrements indépendants étaient faits en double sur des feuilles numérotées par série, timbrées officiellement avec le cachet du laboratoire et les doubles étaient enfermés à clé avant d'avoir été comparés à l'original. Seul le préposé aux enregistrements avait la clé. Nous imaginâmes encore d'autres conditions expérimentales pour répondre à la tension et à l'anxiété des années de controverses qui suivirent la publication de notre monographie de 1934. Il est probable qu'aucune expérience comparable n'a été faite avec un tel luxe de précautions. Je n'en connais pas en psychologie. Il serait fastidieux d'en raconter tout le détail. Disons seulement qu'on tenait le paquet de cartes derrière un écran pendant le cours de l'expérience. On employait des sujets tout venant, non choisis (y compris un psychologue incrédule). Le taux des divinations fut, dans la moyenne de la série entière, très peu au-dessus du hasard : 5,20 au lieu de 5. Mais cette moyenne représente un total de 489 succès au-dessus de ce qu'aurait donné le hasard pour les

2 400 épreuves de la série, ce qui est très significatif. Selon les mathématiciens ce résultat ne pourrait être attendu du hasard qu'une fois dans un million de séries semblables.

Les précautions raffinées se paient. Les expérimentateurs qui ont travaillé longtemps ces questions ont remarqué que la proportion des réussites s'abaisse à mesure qu'on rend l'expérience compliquée, lourde et lente. Les mesures de précaution causent en général un trouble. Une des choses aperçues par Pratt et Woodruff fut que le taux des succès s'abaissait d'une façon prononcée pour le sujet moyen sans que les conditions de l'expérience fussent changées. Ils l'attribuèrent au manque de nouveauté, à la perte d'intérêt. Quiconque tient à s'assurer que toutes les contre-explications ont été dûment envisagées au point de vue des garanties expérimentales peut se reporter à l'article de Pratt et Woodruff dans le *Journal of Parapsychology* de 1939.

C'est une opinion populaire que la question de la clairvoyance dépend des recherches faites à l'Université Duke. Mais cette opinion est loin d'être vraie. L'œuvre de Duke peut être entièrement écartée sans altérer sérieusement le caractère impératif des preuves de la clairvoyance. S'il est vrai que plus de travaux ont été faits à Duke qu'ailleurs, il en reste une quantité qui sont indépendants de notre laboratoire de parapsychologie. Pendant nos premières expériences un jeune psychologue allemand de l'Université de Bonn, le Dr Hans Bender, en exécuta des séries d'autres sur la clairvoyance en faisant usage des lettres de l'alphabet. Il concluait que son sujet, une jeune étudiante, avait une faculté de clairvoyance pour les lettres cachées. Sauf avec G.N.M. Tyrrell, un chercheur anglais, qui employa une machine de son invention mue électriquement, nos cartes furent utilisées dans toutes les expériences de clairvoyance. Le Dr C.R. Carpenter, qui était alors psychologue au Collège Bard, et son collègue mathématicien le Dr H.R. Phalen firent la comparaison avec des cartes à cinq couleurs dans le paquet de 25 et ils obtinrent un pourcentage élevé de succès qui était à peu près le même dans les deux cas.

On introduisit également de nouvelles techniques dont certaines le furent à Duke même. Un de nos expérimentateurs, J. G. Pratt, travaillant avec le Dr Gardner Murphy qui était alors à l'Université Columbia, inventa une méthode qui lui donna des résultats significatifs dans ses expériences de New York. L'expérimentateur tenait le paquet face en bas derrière un écran opaque placé sur la table entre lui et le sujet. L'écran était percé d'une ouverture qui permettait à l'expérimentateur de voir se déplacer un index mû par le sujet. Ce dernier pointait un des cinq symboles sur des cartes-types quand il pensait que c'était celui de la carte du dessus du paquet tenu par l'expérimentateur. Celui-ci posait alors sur la table la carte face en bas en la faisant correspondre à la carte-type désignée. Avec cette méthode il devint de règle de ne masquer les cartes que dans un seul sens, c'est-à-dire que le sujet ne pouvait pas les voir sous n'importe quel angle, alors que l'expérimentateur apercevait l'index et les cartes-types.

La question des meilleures méthodes à employer fut beaucoup à l'ordre du jour de 1930 à 1940. J. L. Woodruff et le Dr R. W. George, du Collège Tarkio, Missouri, comparèrent les deux principaux genres d'expériences, celle de l'appel et celle de l'index. Dans le premier cas le sujet appelait ou écrivait la carte devinée; dans l'autre il indiquait sa position soit en déplaçant un index soit en plaçant la carte à identifier en face d'une des cartes-types à laquelle il l'estimait devoir correspondre. Ces deux grandes techniques étaient à peu près équivalentes.

Le succès de toutes ces expériences ne fut pas universel. Mais les échecs peuvent être hautement instructifs. Une des découvertes de ces années-là fut la grande infériorité des expériences de groupe comparées aux expériences individuelles. Vernon Sharp et le Dr C. C. Clark, de l'Université de New York, comparèrent des expériences faites en classe avec des expériences privées et ils trouvèrent, comme nous à Duke, que les tests individuels donnaient de bien meilleurs résultats. En fait les expériences collectives restèrent peu au-dessus de la moyenne attendue du hasard seul. A Columbia Ernest Taves et Gardner Murphy firent en série les différents genres d'expériences et ils obtinrent aussi les résultats du hasard tant qu'on se bornait à des moyennes. Cependant en analysant mieux les rapports ils constatèrent que lorsque dans un certain genre d'expérience un sujet était très bon à une séance donnée, il tendait à être aussi bon dans une autre, et inversement. Cette covariation convainquit Murphy et Taves que quelque chose autre que le hasard intervenait et que la clairvoyance était la seule explication valable. Plus d'une fois on a ainsi constaté la clairvoyance en révisant les données de l'expérience.

Les recherches les plus importantes de perception extrasensorielle seule eurent lieu à l'Université du Colorado. Ce fut peut-être le travail le plus considérable entrepris en parapsychologie. Il est dû à une jeune psychologue, Mlle Dorothy Martin, et à une mathématicienne, Mlle Francès P. Stribic, et il se poursuivit pendant trois ans. Il fut précédé d'expériences sur 332 étudiants volontaires mais finalement les expérimentatrices décidèrent de travailler avec un seul sujet remarquable, un jeune homme. Non seulement il conserva sa forme mieux que les autres mais il parut s'améliorer à chaque année de scolarité alors même que sa moyenne tombait d'une année à l'autre. Les expérimentatrices firent 12 000 épreuves avec leurs sujets en se servant des cartes Duke; sur ce nombre 3 500 furent l'œuvre du sujet principal. C'est une série vraiment énorme quand on considère en outre que non seulement le paquet de cartes était contrôlé deux fois à chaque appel, mais qu'on renversait l'ordre du contrôle pour obtenir la comparaison avec la théorie du hasard. Cela fit plus de 300 000 épreuves individuelles pour un seul contrôle de cette série monumentale.

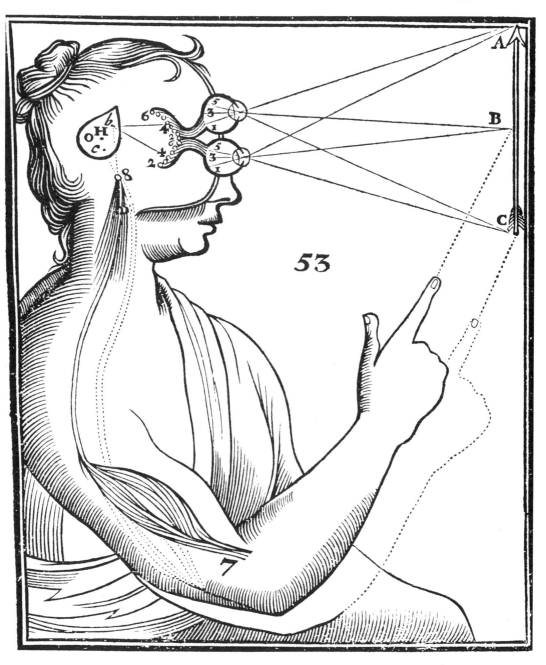

Les représentations anciennes du processus de la perception visuelle sont peut-être aussi insuffisantes que nos théories actuelles du mécanisme de la clairvoyance et de la prémonition.

Mais il y eut des récompenses stimulantes. Le principal sujet marqua une moyenne de 6,85 succès par épreuve pour plus de 3 500 épreuves. La série entière de 12 000 épreuves donna en moyenne 5,83 succès par épreuve alors que la série de contrôle inverse en donna 4,98, très près du nombre théorique du hasard 5. La moyenne de 5,83 est extrêmement significative. La probabilité qu'elle soit due au hasard est une fraction dont le dénominateur est un nombre astronomique et c'est aussi le cas pour la performance principale du sujet considérée seule. En face de tels nombres le hasard est une explication ridicule.

Les résultats de cette expérience sont même plus remarquables lorsqu'on considère que la méthode employée au Colorado apparaissait comme la plus rigoureuse pour le sujet qui ait été inventée. On l'appelle la méthode DT (*down through*). Pour chaque épreuve le paquet de cartes était brassé, coupé et posé face en bas sur la table. On demandait au sujet de faire ses 25 appels en s'efforçant de deviner l'ordre des cartes tout le long du paquet. Les cartes étaient laissées en place jusqu'à la fin de l'épreuve. Alors, après quelques épreuves préparatoires, on plaçait un écran opaque entre les cartes et le sujet. La grande majorité des épreuves se faisait dans ces conditions.

Parfois cependant une petite recherche peut avoir un grand mérite. C'est le cas d'une investigation faite un soir par le Dʳ Lucien Warner et son assistante Mme Mildred Raible. Il avait fallu des années d'expériences pour la rendre possible et des expériences anciennes de Warner avaient fait découvrir la clairvoyante remarquable qui s'y soumit. Les deux expérimentateurs occupaient une chambre d'étage dans une maison privée alors que leur sujet était au rez-de-chaussée, pas immédiatement au-dessous d'eux. En allumant une lampe électrique elle devait annoncer qu'elle était prête. Les expérimentateurs coupaient le paquet de cartes Duke, choisissaient une carte sans la regarder et la tournaient face en bas sur la table jusqu'à ce que le sujet signalât qu'elle avait inscrit ce qu'elle avait deviné. Alors les expérimentateurs regardaient la carte et la notaient.

L'expérience comporta 250 épreuves sans arrêt. C'était l'équivalent de 10 épreuves avec le paquet, avec cette différence que chaque carte était remise dans le paquet après avoir été notée et que celui-ci était brassé et coupé. Au lieu de 5 succès par 25 attribués au hasard, on obtint une moyenne de 9,3. Ce résultat, même pour une série relativement courte, est extrêmement significatif : il implique une probabilité d'un contre plusieurs millions. Warner, comme Pratt et Woodruff, avait combiné cette expérience pour répondre aux critiques qui avaient été faites contre les travaux de perception extra-sensorielle. Personne n'a encore trouvé de faute sérieuse dans un des deux ensembles.

J'ai seulement mentionné quelques-unes des expériences confirmant le phénomène de clairvoyance, soit une partie de celles qui furent faites à Duke et une partie de celles qui furent menées ailleurs en grand nombre après 1934. Si je voulais être complet, je mentionnerais aussi toutes les expériences qui ne donnèrent pas de résultats significatifs. Il y eut plusieurs de ces échecs, en particulier dans des cas où l'on était peu familiarisé avec ces problèmes spéciaux et leurs exigences expérimentales. Il y a aussi un nombre considérable de résultats favorables que les auteurs n'ont pas pu se décider à publier à cause de la fâcheuse réaction qu'ils escomptaient chez les psychologues professionnels.

Mais nous en avons dit assez, j'espère, pour montrer que la position de la clairvoyance est à présent forte. Les travaux qui ont contribué à l'établir, surtout entre 1930 et 1940, l'ont portée à un point incomparablement meilleur que la télépathie et la clairvoyance n'avaient atteint au commencement de cette décade. L'établissement de la clairvoyance est une seconde étape, une énorme avance vers la solution du problème de l'homme. Les recherches ont montré que l'esprit peut agir de façon directe ou extra-sensorielle avec l'objet matériel perçu et cela en dépit des divers obstacles physiques destinés à exclure tous les contacts sensoriels.

PROFESSEUR JOSEPH B. RHINE

Chapitre II

A la recherche
de psi

Les Grecs antiques faisaient des expériences de parapsychologie qui ne portaient pas ce nom, qui ne s'effectuaient pas non plus dans des laboratoires, mais aboutissaient en définitive à poser des questions analogues à celles d'aujourd'hui à partir de phénomènes identiques [1]. *Leurs observations des prodiges et les interprétations qu'ils en donnaient étaient marquées souvent par un contexte religieux. Des interrogations portaient sur la survie, le surnaturel et la communication avec les morts.*

Il en a été de même il y a quelques dizaines d'années avec le spiritisme qui est une forme de foi religieuse. Scott Rogo relate au début de ce chapitre comment le Pr J.B. Rhine se posa lui-même la question de la communication éventuelle avec les défunts, avant de reprendre sur d'autres voies l'étude de la perception extra-sensorielle, et d'aboutir aux résultats purement statistiques qui caractérisent son œuvre.

Une étape cruciale de cette recherche fut le passage de l'étude de sujets supérieurement doués à celle de foules d'individus quelconques. Des chercheurs pensent maintenant que les différentes catégories de perception extra-sensorielle, clairvoyance, télépathie, prémonition, rétrocognition (ou connaissance paranormale du passé) se rattachent toutes au même phénomène qui se manifesterait sous des formes différentes.

1. Un résumé de cette question est présenté par Aimé Michel à l'article « Antiquité classique » dans le dictionnaire des *Pouvoirs de l'esprit*, ouvrage collectif sous la direction de Roger Masson, 512 p., Éd. C.A.L., Paris, 1976.

◄ *Mettre en évidence un fait psi est souvent une gageure comme développer une pellicule à la lumière du jour. Le chercheur doit se faufiler dans des dédales, éviter les impasses et les chausse-trapes. (Ruelle à Stockholm.)*

Quand J.B. Rhine et sa femme arrivèrent à l'Université Duke, à Durham en Caroline du Nord, ils ne songeaient pas à faire passer la parapsychologie dans une nouvelle ère d'expérimentation. Passionnés par la physiologie des plantes, ils avaient obtenu respectivement des doctorats de biologie et de botanique. Mais en 1925, ils commencèrent tous deux à s'intéresser au paranormal et à la possibilité de l'aborder scientifiquement. A l'époque, le spiritualisme, les médiums et les esprits faisaient encore rage. Le grand drame de la Première Guerre mondiale avait, en fait, donné un nouvel élan au mouvement. Ce fut la possibilité avancée que les morts pouvaient communiquer avec les vivants qui décida de la carrière des Rhine.

En 1926, ils firent la connaissance de William McDougall qui était depuis longtemps un champion de l'audace en psychologie, et de la recherche psychique. S'il avait effectué peu de travaux dans ce dernier domaine, il avait écrit plusieurs articles revendiquant pour celui-ci la reconnaissance scientifique. Lorsqu'il quitta Harvard pour occuper une chaire à Duke, les Rhine le suivirent et consacrèrent leur carrière à la parapsychologie, comme on commençait à appeler la nouvelle science de l'ESP.

Au début, leurs études s'orientèrent vers la médiumnité et la question suivante : quand un médium reçoit des informations véridiques sur un défunt, est-ce qu'il est renseigné par le défunt lui-même ou par les vivants au moyen de l'ESP (un terme que Rhine inventa et popularisa)? Après avoir analysé d'innombrables rapports et procédé à des expériences avec le célèbre médium Eileen Garrett, les Rhine comprirent que le problème était insoluble. Si un médium faisait une description exacte d'un mort ou donnait même un de ses surnoms qu'il n'avait aucun moyen de connaître, cela pouvait être le fait d'une combinaison de télépathie et de clairvoyance, et n'avoir rien à faire avec une entité de l'au-delà désirant communiquer avec les vivants. Les Rhine consacrèrent alors leurs recherches à l'étude expérimentale de l'ESP.

Ces travaux débutèrent à l'Université Duke en collaboration avec McDougall, le Dr Helge Lundholm et le Dr Karl Zener. Lundholm s'intéressait surtout à l'emploi de l'hypnose pour provoquer l'ESP, mais il n'obtint guère de succès et finit par abandonner le programme. Zener, expert en perception, fut consulté par Rhine pour savoir quel type de cible serait le plus neutre et le plus propre aux tests d'ESP. Cela aboutit à la création des cartes Zener, ou cartes ESP, qui sont communément utilisées depuis dans ces recherches. Il s'agit d'un jeu de vingt-cinq cartes, chaque groupe de cinq portant la même figure géométrique simple : étoile, cercle, croix, lignes ondulées et rectangle (plus tard remplacé par un carré). Zener se retira lui aussi du programme pour se consacrer à la recherche psychologique pure. Finalement, J.B. Rhine resta seul pour assumer toute la tâche. La technique expérimentale était simple : un agent essayait d'envoyer à un sujet le symbole de la carte. Sur vingt-cinq « envois », cinq en moyenne étaient devinés par hasard. Mais si un sujet pouvait à plusieurs reprises donner plus de cinq réponses correctes par série, ce n'était plus le fait du simple hasard [1]. Plus tard, des jeux furent utilisés portant un nombre irrégulier des cinq symboles, que l'on appela « jeux ouverts ».

Les tests préliminaires de J.B. Rhine étaient prometteurs, mais ce fut la découverte de son premier sujet doué qui fit vraiment démarrer les travaux à Duke. En mai 1931, A.J. Linzmayer passa au laboratoire de Rhine. Il avait participé à quelques expériences de Zener et avait bien réussi. A tout hasard, Rhine lui demanda de deviner la carte qu'il tenait à la main. Linzmayer était allongé sur le divan du laboratoire et Rhine se tenait à la fenêtre, hors de son champ de vision. Linzmayer devina juste. Rhine répéta l'expérience; Linzmayer donna neuf bonnes réponses à la suite. Ils recommencèrent le lendemain. Linzmayer aimait mieux être testé quand il était légèrement distrait, aussi Rhine l'emmena-t-il en voiture à la campagne. Il s'arrêta pour improviser un test, et Linzmayer donna quinze réponses justes d'affilée. Il réussit aussi d'excellents scores lors d'expériences mieux contrôlées. Cependant, après plusieurs succès initiaux, son score baissait et il finissait par perdre totalement son ESP. Pour ces expériences, Rhine avait recours à deux types de tests. D'abord il regardait les cartes (télépathie ou GESP, perception extra-sensorielle générale, puisque la clairvoyance pouvait expliquer les résultats). La seconde procédure consistait en des tests de clairvoyance, où personne ne regardait les cartes. Linzmayer fut excellent dans les deux cas.

Rhine découvrit bientôt d'autres sujets doués dont le plus notoire fut Hubert Pearce. Contrairement à Linzmayer, Pearce ne donnait généralement pas de longues suites de bonnes réponses, mais il était régulièrement au-dessus de la moyenne du hasard. Il y eut cependant des exceptions. Un jour que Rhine, en plaisantant, paria avec lui cent dollars qu'il ne pourrait pas donner la bonne réponse, Pearce réussit un 25 sur 25, un des rares scores parfaits jamais atteints en parapsychologie.

---

1. Ce chapitre n'a pas pour objet d'expliquer les mathématiques des probabilités. Cependant, le calcul des probabilités simples s'effectue au moyen de la méthode suivante : au cours d'un test, les réponses étant données au hasard, il se produira une certaine divergence standard de la probabilité exacte. Par exemple, si une personne effectue cinq séries ESP, elle donnera approximativement vingt-cinq bonnes réponses, peut-être vingt-deux ou vingt-sept. L'expérience finie, on compte les divergences standard. Cela donne un rapport critique (RC) représentant un taux de probabilité. La divergence standard, dans les expériences d'ESP, se calcule en doublant la racine carrée du nombre de séries. Si l'on a effectué seize séries ESP, la divergence standard sera de 8 ($2 \sqrt{16} = 8$). Si le sujet donne seize bonnes réponses supplémentaires, le RC est de 2,0 ($\frac{16}{8} = 2$). Un RC de 2,0 est égal à des chances de 20 contre 1 ou (p. = 0,05). On a calculé que des chances de 20 contre 1 sont bien supérieures au simple hasard. Dans les recherches ESP, les chances de 100 contre 1 ou (p. =0,01) sont considérées comme une preuve d'ESP. C'est le mode de calcul le plus élémentaire, employé dans ces recherches. D'autres mesures seront expliquées ailleurs, mais pour les mathématiques on aura intérêt à consulter n'importe quel ouvrage de statistique. Voir aussi le texte de J.B. Rhine et J.G. Pratt, *Parapsychology – Frontier Science of the Mind,* pour de plus amples détails.

Rhine avait à présent trois assistants, C.E. Stuart (lui-même un sujet très doué); Sara Ownbey et J.G. Pratt (qui finit par consacrer sa vie à la parapsychologie). Pratt testa Pearce au cours d'une série d'expériences qui devinrent un classique du genre, vulgairement appelées les « Expériences Pearce-Pratt ».

La critique des expériences

Comme on le voit, les recherches sur l'ESP étaient à leurs débuts trop relâchées, les methodes défectueuses . Lorsque tous ces travaux furent exposés dans la monographie de Rhine, *Extrasensory Perception,* en 1934, un des principaux reproches faits à cet ouvrage fut que les conditions précises dans lesquelles les expériences s'étaient déroulées n'étaient pas indiquées. Il était donc difficile d'évaluer les résultats, et le sceptique pouvait croire que le manque de rigueur des conditions permettait la fraude, les indications sensorielles, les codes, etc. Par exemple, dans un test d'ESP il convient d'observer rigoureusement les précautions expérimentales suivantes :

1. La carte cible ne doit pas être notée avant que la réponse soit donnée, afin que le sujet ne puisse la deviner par des moyens sensoriels, en entendant par exemple, même subconsciemment, les traits de crayon ou de plume grâce auxquels la figure pourrait être identifiée. ($0 = 0$, $\llcorner = \square$, $\overline{} = \approx$, $\wedge = \star$, $+ = +$). Ou alors le sujet doit être isolé. On peut aussi utiliser des jeux de cartes préparés à l'avance.

2. Au cas où l'on emploierait un jeu fermé (cinq cartes de chacun des cinq symboles), on ne doit pas dire au sujet s'il a bien ou mal répondu, car, par simple déduction, il pourrait deviner la carte suivante.

3. Les cartes ne doivent pas être battues à la main, ce qui risquerait de donner une séquence de cibles semblables à celle de la première série. Si le sujet a une certaine pratique, des scores élevés pourraient être obtenus en cas de concordance accidentelle entre le battage défectueux et ses habitudes.

4. Les spectateurs doivent être bannis, puisqu'ils pourraient être en collusion avec le sujet, ou lui souffler inconsciemment d'une façon ou d'une autre.

5. Il faut employer à chaque fois des cartes différentes. Si un sujet voit constamment le même jeu, il peut noter, même inconsciemment, une tache ou une éraflure au dos d'une carte lui permettant de l'identifier.

6. Les cibles et les réponses doivent être notées par une ou des personnes indépendantes, pour éviter tout risque d'erreur de transcription, consciente ou non.

Ces précautions ont été établies par Robert Thouless dans *From Anecdote to Experiment in Psychical Research,* mais elles ont été modifiées, abrégées ou soulignées pour les besoins de ce livre. Par suite de ces problèmes de procédure dans l'expérimentation d'ESP, les conditions précises des tests doivent être expliquées en détail. Quand les critiques étudièrent les expériences de Duke, certains défauts furent découverts. Premièrement, il n'était pas exclu que le sujet pouvait voir au travers des premières cartes Zener assez rudimentaires. On peut parer à ces critiques en plaçant le sujet aussi loin que possible des expérimentateurs, comme lors des expériences de Groningue. C'est aussi ce que tentèrent de faire Pearce et Pratt.

Cette série d'expériences eut lieu en 1933 dans ce qui était alors le pavillon de physique de l'Université Duke. Pratt était installé dans une des salles et Pearce dans un autre bâtiment, à cent mètres de là. Pour un autre test, il était à deux cent cinquante mètres. A l'heure dite, Pratt commença le test de clairvoyance en retirant une cible du jeu et en la plaçant à l'écart pendant une minute. Puis la carte suivante fut isolée et ainsi de suite jusqu'à ce que le jeu de vingt-cinq soit épuisé. Afin de couper court à toute critique, Pratt et Pearce conservèrent tous deux des doubles de leurs cartes et des réponses. Une copie de chacune fut remise à Rhine pour un examen indépendant. Quatre expériences furent effectuées suivant cette technique. On enregistra un total de 1 850 réponses dont 558 étaient correctes, alors que le hasard n'en expliquerait que 370. Si l'on veut bien se souvenir de l'argument des critiques de la parapsychologie, sur les « preuves douteuses d'une signification statistique », les statistiques douteuses des expériences Pearce-Pratt se situent à vingt-deux mille millions contre un, contre le hasard.

Malgré ce luxe de précautions, on critiqua quand même ces expériences, notamment C.E.M. Hansel dans son livre *ESP – A Scientific Evaluation.* Hansel prétend que Pearce, n'étant pas contrôlé, pouvait quitter son pavillon, se glisser vers le bâtiment de Pratt, regarder par une lucarne et copier ou se rappeler la séquence des cartes que ce dernier retournait. Ou qu'un complice aurait pu le faire pour lui. La critique de Hansel est valable en ce sens que Pearce aurait dû être surveillé; cependant, d'un point de vue pratique, son interprétation ne tient pas. Dans le *Journal* de juillet 1967 de la S.P.R. (vol. 61, p. 254-67), Ian Stevenson la réfute en se référant à la disposition des salles et des bâtiments. Selon Stevenson, l'angle des impostes des portes était tel que tout espionnage était impossible puisqu'on ne pouvait voir le dessus du bureau.

Avec Pearce, Rhine chercha aussi à déterminer quelles conditions favorisaient le plus l'ESP. Il découvrit que si un observateur était présent, les réussites étaient moins nombreuses, le score montant de nouveau dès que les conditions s'amélioraient. On essaya aussi diverses drogues, en particulier la caféine, qui donna de remarquables résultats alors que le sodium amytal provoquait des échecs répétés.

La plupart des expériences avec Pearce furent effectuées dans des conditions de clairvoyance, mais Rhine y incorpora aussi des tests de télépathie. Au début, le score de Pearce baissa considérablement sans que l'on puisse savoir s'il était un mauvais télépathe ou si le changement des conditions expérimentales le troublait. A l'origine, Rhine était passé des tests de clairvoyance (personne ne regardant les cartes) aux expériences de GESP, et il écrivit à propos de ce changement de procédure :

« ... Alors qu'au commencement Pearce se trompait plus souvent quand je regardais la carte, il finit par faire encore mieux que lorsque je ne la regardais pas. En écartant donc les 175 premières expériences de transition qui donnèrent une moyenne de 6 sur 25 seulement... nous avons 350 essais des conditions combinées (télépathie plus clairvoyance), où la moyenne était de 14 sur 25, ce qui est extraordinairement élevé pour Pearce, ou pour quiconque, et même beaucoup plus élevé que le niveau habituel du sujet qui était d'environ 10 sur 25. Cela peut provenir de la combinaison de l'activité extra-sensorielle des deux sources (la carte et l'agent) ou encore résulter d'une plus grande attention provoquée chez le sujet par les possibilités accrues. A moins qu'un effet de suggestion ne se produise, à l'idée que de tels résultats pourraient être obtenus. Quoi qu'il en soit, un raffinement des procédures expérimentales s'imposait. »

Ces nouvelles procédures comportaient l'installation d'un écran entre l'expérimentateur et le sujet, ce qui empêchait Pearce de savoir (normalement, c'est-à-dire sans l'aide de l'ESP) si Rhine se livrait à un test de clairvoyance ou de GESP. Pearce obtint des résultats meilleurs encore pour la GESP, mais ses tests de télépathie pure étaient tout de même très au-dessus du simple hasard.

Pearce était le sujet vedette de Rhine mais le malheur voulut qu'un jour il arrive chez Rhine manifestement très troublé. Il avait reçu de très mauvaises nouvelles et à la suite de ce choc son ESP le quitta définitivement.

Plusieurs autres excellents sujets apparurent à la même époque, parmi lesquels Sara Ownbey et George Zirkle, dont les résultats sont rapportés aussi par Rhine dans *Extrasensory Perception*. Lorsqu'on fit travailler Ownbey et Zirkle ensemble, on obtint des résultats surprenants. Ils furent à l'origine d'une longue étude sur l'effet de drogues diverses sur l'ESP de Zirkle, la télépathie pure étant chez lui la meilleure manifestation du psi. Dans ce cas, on n'emploie pas de cartes; le symbole Zener est simplement imaginé par l'agent et noté sur la feuille de résultats après la réponse. Zirkle parvint à une moyenne de 14,8 par série, contre 5 qu'aurait donnée le hasard. Si on lui faisait prendre de la caféine, son score était à peu près le même. Rhine et

Ownbey voulurent savoir quels seraient les résultats si l'on donnait d'abord à Zirkle du sodium amytal et puis de la caféine pour combattre l'apathie provoquée par la première drogue. Ni Ownbey ni Zirkle ne savaient quelle drogue serait administrée au cours de l'expérience, et ils ignoraient ce que l'on attendait des résultats. L'expérience eut lieu, avec Zirkle dans une pièce, Ownbey dans une autre. Il pouvait avertir l'agent de commencer l'expérience au moyen d'un manipulateur de télégraphe. On lui fit d'abord prendre du sodium amytal; à mesure que la drogue produisait son effet, ses résultats baissèrent systématiquement, de 13,6 par série à 7,8, toujours supérieurs au hasard mais bien au-dessous de ses scores habituels. Il tomba jusqu'à 6,2 et puis quand on lui donna de la caféine, les résultats devinrent meilleurs et il termina avec une moyenne de 9,5.

Lors d'une autre expérience de télépathie pure, Zirkle, séparé d'Ownbey par deux pièces, réussit non seulement une série de 23 sur 25, mais un score total de 85 sur 100. Après leur mariage, George Zirkle et Miss Ownbey perdirent presque entièrement leurs facultés d'ESP.

Une des plus importantes découvertes faites au début des travaux de Duke fut la constatation que les meilleurs sujets sont aussi les meilleurs agents. Sur les cinq sujets les plus doués d'ESP (après Pearce et Linzmayer), Miss Ownbey, Mr. T.C. Cooper, May Turner et June Bailey semblaient obtenir de meilleurs résultats que leurs confrères quand ils tenaient le rôle d'agent. C.E. Stuart, lui aussi, abandonna son rôle de sujet pour devenir agent. Rhine en conclut que l'ESP pouvait aider l'agent à « envoyer », tout comme elle permet de « recevoir ». Autrement dit, l'ESP marcherait dans un sens comme dans l'autre.

Les premières réussites de Duke encouragèrent d'autres expérimentateurs à confirmer l'effet ESP, et provoquèrent aussi des tests plus audacieux, effectués au laboratoire de parapsychologie de Duke. L'un d'eux eut lieu entre Miss Ownbey et Miss Turner. Pour cette expérience de télépathie pure à longue distance, Miss Ownbey demeura à Duke tandis que Miss Turner était à quatre cents kilomètres. Elles avaient prévu une série quotidienne de vingt-cinq « envois », à cinq minutes d'intervalle. Elles expédièrent toutes deux leurs cibles et leurs réponses en séquence à Rhine, pour vérification, et Ownbey apporta le premier rapport expérimental de trois jours, directement du bureau de poste à Rhine qui ouvrit lui-même la lettre et la compara avec les notes d'Ownbey. Le pourcentage de réussite était effarant, 19, 16, et 17 réponses justes sur 25. Malheureusement, dans les jours suivants le score ne cessa de baisser, et Turner confirma une fois de plus le schéma typique de l'expérimentation d'ESP, l'effet de déclin graduel, de la plus haute réussite au simple hasard. Bien d'autres chercheurs et sujets ont fait les mêmes constatations.

Quand Rhine évoqua les expériences de Duke dans *New Frontiers of the Mind,* il écrivit, au sujet de l'essai Ownbey-Turner :

« Certains trouveront ces résultats fantastiques. Ils songeront aux montagnes, aux forêts, aux villes, aux champs, aux fleuves, à la courbe même de la terre, séparant les deux femmes qui se livrèrent à cette expérience. Et pourtant, deux fois sur trois, l'une d'elles savait la forme de l'image à laquelle l'autre pensait. Quel que fût le pouvoir qu'elles possédaient, il n'était manifestement pas affecté par la distance, car ces trois résultats se situent parmi les plus élevés jamais obtenus dans nos travaux sur la télépathie. L'espace tel que nous le concevons ordinairement ne présente par conséquent pas un obstacle à la communication télépathique de symboles. »

Des tests qui sont un jeu

J.L. Woodruff, un jeune étudiant en psychologie de Tarkio College, dans le Missouri, fut vivement intéressé par les travaux de Duke. Il imagina une nouvelle technique de tests, employant une série de cinq cartes cibles portant chacune un des cinq symboles de Zener. Elles étaient étalées sous les yeux du sujet, qui devait ensuite tirer d'un jeu retourné la carte correspondant à chacune. Parfois les cartes clés étaient retournées aussi et le sujet devait accomplir la même tâche. L'idée de cette technique, c'était qu'une réaction motrice – placer physiquement une carte sur une autre – serait moins complexe et plus automatique que d'essayer de visualiser la cible. Le test de Woodruff réussit, mais pas plus que les anciennes expériences de GESP et de clairvoyance (ou de PC : clairvoyance pure).

A la même époque, une institutrice de Sarasota, en Floride, Miss Esther Bond, se livra à des tests similaires avec des enfants attardés et obtint des résultats au-dessus de la moyenne. Il était normal que l'on songeât à employer des enfants pour les tests d'ESP, car, plus simples que les adultes, ils risquaient moins d'empêcher leurs facultés ESP de se manifester. Parmi ceux qui participèrent à ces expériences, il apparut bientôt un brillant sujet, découvert par Margaret Pegram qui était elle-même très douée. Elle obtenait ses meilleurs résultats quand elle se testait elle-même, car les visiteurs ou les observateurs avaient un effet négatif sur son ESP. Quand elle commença à tester d'autres personnes, elle fit la découverte d'une jeune fille, Lillian, avec qui elle se lia d'une profonde amitié. Lillian venait d'une famille désunie et vivait alors dans un foyer d'enfants. C'est en 1936 que Miss Pegram commença, par hasard, à examiner les enfants de ce foyer, âgés de six à treize ans, pour chercher l'ESP. Afin de rendre les tests plus intéressants, elle en fit un jeu : l'enfant qui obtenait les meilleurs résultats avait droit au plus gros bonbon. Lillian devint bientôt le sujet le plus remarquable, atteignant une fois un score de 23. Un jour elle ferma les yeux et disposa les cartes. La série terminée, elle déclara à Miss Pegram : « Je ne cessais de souhaiter d'obtenir vingt-cinq. » Elle réussit, et devint une des rares personnes à obtenir un score parfait, dans toute l'histoire de la parapsychologie. Il convient d'ajouter, au sujet des précautions élémentaires exposées plus haut, que Pegram se servait d'un jeu de cartes que la jeune fille n'avait jamais vu. Dans le rapport officiel, l'hypothèse de la fraude est longuement envisagée, et finalement rejetée, à juste titre.

Jusque-là, l'histoire du développement de l'ESP expérimentale se situe aux États-Unis, et ce qui précède ne représente que quelques-unes des réussites du programme de Duke et de ses ramifications. Il y eut bien d'autres études et beaucoup d'autres projets dus à d'autres expérimentateurs, que nous ne pouvons détailler ici faute de place [1].

Quand les œuvres complètes de Rhine furent publiées en 1934, elles provoquèrent un scandale scientifique. L'auteur fut violemment critiqué et une revue qui l'avait attaqué lui refusa même le droit de réponse. La plupart des critiques s'en prenaient aux conditions expérimentales et aux modèles statistiques utilisés pour évaluer les résultats. Sur ce dernier point, l'American Institute of Mathematical Statistics riposta en 1937 quand il déclara officiellement que les applications et procédures statistiques de Rhine n'étaient absolument pas défectueuses. Les arguments contre les conditions expérimentales étaient souvent à côté du sujet et l'hypothèse si souvent citée des « indications sensorielles » ne put jamais expliquer les résultats.

En 1938, un symposium se tint à la réunion annuelle de l'American Psychological Association, pour débattre de la question de l'ESP, qui devint le sujet principal de la conférence. Après la rafale d'accusations, d'affirmations, d'arguments et de harangues, la parapsychologie était devenue enfin une science expérimentale reconnue. Un an plus tôt, en 1937, Rhine avait présidé à la création du *Journal of Parapsychology,* pour servir de banque d'information sur l'ESP et les expériences en cours, l'acceptation des rapports dépendant de critères extrêmement stricts.

Cependant, alors même que le programme ESP de Duke n'était pas encore parvenu à son terme, d'importantes recherches s'effectuaient dans ce même domaine en Grande-Bretagne.

G.N.M. Tyrrell, ingénieur passionné de parapsychologie, découvrit un sujet doué, Gertrude Johnson, avec laquelle il procéda en 1921 à

---

1. Un exposé complet des premiers travaux de Duke et une analyse critique de leur signification furent rédigés par Rhine dans son *Extrasensory Perception* . On trouve un résumé de cet ouvrage et le récit des expériences ultérieures effectuées à Duke et ailleurs dans *New Frontiers of the Mind* (1937). Afin de rendre compte de la signification de ce travail pour la science, Rhine, Pratt et d'autres s'unirent et, en 1940, publièrent leur *Extrasensory Perception after Sixty Years,* une revue technique de toutes les preuves d'ESP ainsi qu'une évaluation des diverses critiques hostiles.

des tests d'ESP, en employant comme cibles les couleurs d'un jeu de cartes. Après la publication des travaux de Rhine, il imagina toute une série de tests nouveaux avec des appareils d'enregistrement automatiques pour pallier les erreurs de transcription et les indications involontaires de l'expérimentateur. Pour atteindre son but, Tyrrell inventa un ensemble de cinq petites boîtes alignées. Chaque boîte contenait une minuscule ampoule qui pouvait être allumée à distance, formant ainsi une boîte cible. Les couvercles étaient parfaitement opaques, bien entendu. Le sujet était séparé de l'expérimentateur par un grand écran, derrière lequel il y avait cinq boîtes semblables. Quand Tyrrell avait pris une décision, un voyant avertissait Miss Johnson qui devait alors deviner quelle boîte était éclairée. Plus tard, un raffinement fut ajouté : les décisions et les réponses étaient automatiquement enregistrées sur un cylindre de papier par un appareil mécanique.

Miss Johnson dépassa de très loin le simple hasard mais même avec cette organisation des problèmes se posaient. Au début, Tyrrell faisait lui-même son choix. Cela pouvait causer un effet cumulatif car il risquait d'avoir une prédilection pour une boîte en particulier. Miss Johnson pouvait aussi avoir l'habitude de désigner une certaine boîte plutôt qu'une des autres, et cette coïncidence risquait d'aboutir à un score supérieur au hasard mais qui n'aurait rien de commun avec l'ESP [1]. Tyrrell ajouta donc un sélecteur mécanique, pour éviter ce genre de critique.

Il se produisit alors une chose curieuse. Si le sélecteur seul choisissait les lumières, les résultats de Miss Johnson n'étaient pas très bons. Mais si l'appareil était utilisé pour choisir les numéros des boîtes qui étaient ensuite désignées par Tyrrell lui-même, le score s'améliorait. Ce fait révèle l'importance de la présence de Tyrrell. Il lui arrivait aussi de se servir d'un commutateur automatique au moyen duquel il pouvait donner de la lumière sans savoir lui-même quelle boîte allait s'éclairer. Une nouvelle modification fut apportée à ce système; cette fois, l'ampoule ne s'allumait qu'une fois que Miss Johnson avait soulevé le couvercle de son choix. Ainsi personne ne pouvait dire que le sujet entendait l'ampoule s'allumer dans la boîte cible, par hyperesthésie.

Les résultats obtenus après toutes ces vérifications et ces contrôles furent extrêmement significatifs. Quand les séquences choisies au hasard étaient employées en conjonction avec le commutateur (éliminant ainsi la télépathie), les résultats étaient de $3,55 \times 10^{14}$ contre 1. D'autres techniques aboutirent à des statistiques aussi ahurissantes, quand le hasard seul présidait aux expériences.

---

1. Un observateur de ces expériences, G.W. Fisk, découvrit que lorsque Tyrrell n'employait pas une séquence au hasard, lui-même parvenait à obtenir des résultats assez bons en ouvrant systématiquement une boîte jusqu'à ce qu'il tombe juste, et en recommençant avec une autre boîte. Quand une séquence déterminée par le hasard était utilisée, la méthode de Fisk échouait.

Les liens de l'enfant avec la nature et les êtres n'ont pas toujours la simplicité qu'on tend à leur prêter... Le Pr J.-B. Rhine cite le cas d'une fillette qui sauva sa mère en percevant par clairvoyance qu'elle était en danger.

A la même époque, un mathématicien connu qui se consacrait depuis longtemps à la recherche psychique, S.G. Soal, tenta lui aussi des expériences. Encouragé par les travaux de Rhine, il procéda à une longue série de tests avec des cartes ESP qui, au bout de cinq ans, n'avaient absolument rien prouvé. Il avait examiné 160 individus, accumulé 128 350 réponses, tout cela en vain. Soal renonça à ces travaux en 1939 et critiqua Rhine pour ce qu'il estimait être des erreurs méthodologiques dans ses rapports. Mais Whately et Carington le pressèrent de reconsidérer ses résultats. On se souviendra que c'était Carington qui avait effectué les expériences avec des dessins, au cours desquelles ses sujets reproduisaient fréquemment la cible de la veille (ESP latente) ou devinaient celle du lendemain (précognition). Il conseilla donc à Soal de revoir ses documents dans ce sens. Soal découvrir alors que deux de ses sujets, Basil Shackleton et Gloria Stewart, avaient assez régulièrement montré l'effet plus 1 ou moins 1.

Comme Mrs Stewart ne devint disponible qu'après la Seconde Guerre mondiale, Soal reprit ses expériences avec Shackleton, en gardant présent à l'esprit l'effet du déplacement. Selon la méthode de Rhine, des cibles furent choisies au hasard, des images d'animaux remplaçant cette fois les figures géométriques. Les cartes représentaient un lion, un éléphant, un zèbre, une girafe et un pélican. Il résulta de ces tests que lorsque les conditions permettaient la télépathie, Shackleton était constamment au-dessus de la moyenne du hasard pour ses réponses + 1, alors qu'en clairvoyance pure il échouait. Cela divergeait totalement des résultats obtenus par Rhine avec ses sujets doués qui avaient toujours été capables de scores excellents tant en clairvoyance qu'en télépathie.

Malheureusement, les recherches de Soal allaient démontrer que les dessins expérimentaux, même les plus soigneusement conçus, peuvent être défectueux. Dans ce cas précis, certaines découvertes *a posteriori* ont jeté un doute sur la validité de ces expériences.

Pour l'une d'elles, on utilisa deux pièces. Dans la première se tenait l'agent avec un observateur, dans l'autre Shackleton en compagnie d'un autre témoin. La présence de ces tiers devait servir à vérifier les résultats et à assurer qu'aucune fraude n'était possible. Ces conditions étant observées, Shackleton continua d'obtenir des résultats supérieurs à la moyenne du hasard. Cependant, quelques années plus tard, une controverse éclata, déclenchée par C.E.M. Hansel, grand ennemi de la parapsychologie, qui déclara que, premièrement, Shackleton et Soal pouvaient avoir imaginé un code et deuxièmement qu'un des agents, Gretl Albert, affirmait avoir vu Soal modifier les résultats, falsifiant ainsi l'expérience. Mrs Albert était une femme assez excentrique, prompte à lancer des accusations délirantes (par exemple qu'on lui avait donné des cigarettes droguées pendant le test), et sa dénonciation de l'expérimentateur ne fut pas prise au sérieux.

Malgré tout, une nouvelle vérification des travaux de Soal s'imposait. Il était assez facile de voir si, comme le prétendait Mrs Albert, Soal avait modifié l'ordre de ses cibles pour concorder avec les réponses de Shackleton. Pour assurer un choix rigoureux, il avait, disait-il, choisi ses séquences d'après les tables de logarithmes de Chambers, qui lui donnaient une liste de numéros au hasard. R.G. Medhurst, dans l'espoir d'innocenter Soal, compara le dossier Shackleton avec les tables de Chambers, et découvrit que les listes de Soal *ne concordaient pas avec la source qu'il affirmait avoir utilisée.* Cet incident fut diversement interprété. Il n'indique pas nettement la fraude. Mais il révèle que le rapport écrit de Soal présentait malheureusement des contradictions évidentes et que les procédures, telles qu'elles étaient notées, ne correspondaient pas à la réalité. Une telle négligence est inacceptable et ne peut que discréditer tout travail expérimental.

Pour s'assurer que les résultats n'avaient pas été modifiés après coup, il suffisait de retrouver les feuilles originales et de les vérifier. On eut alors une déception, car Soal déclara qu'il les avait perdues dans un train quelques années plus tôt. Le coup final fut porté quand un examen des résultats de Shackleton révéla qu'il avait donné un nombre considérable de bonnes réponses sur certaines cibles, et avait constamment échoué sur d'autres. Cela aurait pu être le fait du hasard si, justement, ces cibles n'étaient celles-là mêmes qui, selon Mrs Albert, avaient fait l'objet des modifications de Soal.

Aucun de ces incidents ne prouve catégoriquement la fraude, mais ils sont si suspects qu'il n'est plus possible d'accorder du crédit aux travaux de Soal en tant que preuve d'ESP, même si les tests sont souvent considérés, parmi tous ceux qu'on a jamais entrepris, comme les plus sévèrement contrôlés. De plus, ils jettent un doute sur S.G. Soal lui-même et sur ses travaux avec d'autres sujets. En ce moment, un examen critique de toutes ses recherches est en cours dans l'espoir d'éclaircir l'affaire, mais aucune analyse n'a encore été publiée à ce jour.

Avec Mrs Stewart, Soal travailla dans les mêmes conditions expérimentales qu'avec Shackleton. Cependant, dans la nouvelle série de tests, elle ne révéla pas le facteur de déplacement par lequel elle avait été découverte. Au contraire, elle donna un important pourcentage de bonnes réponses directes. Shackleton avait fait preuve d'une singularité; si la cadence s'accélérait, c'est-à-dire si on lui laissait moins de temps pour répondre et si l'on passait très rapidement à la carte suivante, son indice de déplacement (+ 1) changeait et il sautait deux cartes (+ 2). Un effet semblable fut constaté chez Mrs Stewart, mais dans la direction opposée. Si la cadence était doublée, elle passait à l'ESP latente (− 1). Comme Shackleton, elle échouait dans les tests destinés à éliminer la télépathie.

D'autres expériences furent effectuées avec deux agents se concen trant sur une même cible. Mrs Stewart continua de donner des réponses supérieures à la moyenne du hasard, mais sans dépasser son score normal. Si les deux agents s'opposaient, elle avait tendance à se fixer sur l'un deux, obtenant ainsi d'excellents résultats, alors qu'avec l'autre elle égalait tout juste le hasard. Apparemment, l'ESP isolait la source du signal. Comme Shackleton, Mrs Stewart réussissait le mieux avec certains agents seulement. (Il y en avait avec lesquels Shackleton était absolument incapable de fonctionner.) Une série de tests eut lieu entre Londres et Anvers, avec le même niveau élevé de réussite. Par la suite, les facultés d'ESP de Stewart et de Shackleton déclinèrent et finirent par disparaître complètement.

Le curieux phénomène observé quand Shackleton discerna non pas la cible présentée mais la carte suivante peut s'interpréter de deux façons. Se pouvait-il qu'il vît par clairvoyance le jeu tout entier et que, par une bizarrerie de l'esprit, il en mélangeât l'ordre? Cependant, dans les tests de clairvoyance, ses résultats étaient mauvais. Ou alors Shackleton manifestait de la précognition, plus précisément de l'ESP précognitive. Cela fut démontré quand ses réponses justes sautèrent à deux au-delà de la cible. La séquence n'avait pas été préparée à l'avance lors de certaines expériences, les cartes suivantes étant tirées au hasard, par conséquent il devinait des cibles qui n'étaient pas encore choisies, faisant ainsi la démonstration d'une authentique ESP précognitive. Il y a eu beaucoup de cas de précognition spontanée, sous forme de rêves et d'impressions prémonitoires. Un tel phénomène pouvait-il apparaître en laboratoire, aussi bien qu'au cours de tests d'ESP conventionnels?

La recherche de preuves concrètes de précognition nous ramène à l'Université Duke, où J.B. Rhine, conscient qu'il s'agissait là d'une forme commune d'ESP, annonça dans son ouvrage *New Frontiers of the Mind* que des expériences de précognition avec des cartes étaient déjà en cours, avec des sujets doués. En 1938, le *Journal of Parapsychology* publia le premier rapport de Rhine sur l'effet de précognition (vol. II, p. 38-44). La procédure expérimentale était simple : le sujet devait simplement deviner l'ordre dans lequel les cibles apparaîtraient, avant que les cartes soient battues. Cette technique avait un certain mérite puisque personne ne pouvait connaître l'ordre des cartes; donc toute indication sensorielle de la part de l'expérimentateur ou tout coup d'œil frauduleux du sujet étaient exclus. Cependant, pour cette étude, Rhine passa de l'ESP du sujet doué à la recherche d'un effet ESP de masse. Comme nous l'avons déjà observé, certains pensent que tout le monde possède à un degré ou un autre une faculté de psi, mais dans une mesure trop négligeable pour apparaître dans le cas où les individus sont testés un par un. Ils peuvent obtenir des résultats légèrement au-dessus de la moyenne du hasard, mais qui ne sont pas suffisamment élevés pour être vraiment significatifs. Mais si tous les sujets sont examinés ensemble, leur ESP minime combinée ressortira de manière intéressante. Pour cette expérience de précognition, Rhine utilisa quarante-neuf sujets et leurs réponses totales donnèrent 614 réussites de plus que la moyenne du hasard. Cela représente une probabilité contre le hasard de 0,00001. (Rappelez-vous que p. 0,01 est révélateur d'ESP.)

Rhine et ses collaborateurs n'étaient pourtant pas certains du tout de leur découverte. Il était possible que, puisque les expérimentateurs connaissaient les réponses des sujets, grâce à leur propre clairvoyance ils cessent de battre les cartes au moment précis où leur ordonnance concordait le plus avec les feuilles de réponses à moitié remplies. Ainsi, la seule ESP démontrée serait la clairvoyance des expérimentateurs [1]. On procéda donc à une nouvelle suite d'expériences, avec des cartes battues mécaniquement. Rhine publia ses résultats dans un nouvel article du *Journal of Parapsychology* sur l'effet de précognition (vol. v, p. 1-58), indiquant qu'ils étaient négligeables.

Même si ces expériences avaient réussi, la précognition pure n'aurait pas été prouvée pour autant puisque le facteur décisif aurait pu être la psychokinésie (PK). Pendant longtemps, il a existé au sein de la parapsychologie une école de pensée qui affirmait que la véritable précognition n'existait pas, et qu'un individu se servait de sa PK pour provoquer un événement futur (vu en rêve ou autrement). Cette question a été fort controversée, mais pour Rhine c'était une très réelle possibilité. A l'époque, ses collaborateurs et lui avaient démontré qu'en exerçant consciemment sa volonté, un sujet pouvait faire retomber des dés d'une certaine manière, plus souvent que ne le permettait le hasard. La puissance de l'esprit sur la matière avait été expérimentalement démontrée. Si la PK pouvait affecter des dés, elle pouvait aussi influer sur l'appareil qui battait les cartes pour les tests de précognition. Ainsi une expérience ayant recours à la fois à l'ESP et à la PK (sans oublier que bien souvent ces deux phénomènes agissent en conjonction) pourrait permettre de façon clairvoyante de percevoir une séquence de cartes favorable, et d'utiliser ensuite la PK pour arrêter l'appareil batteur au moment propice. D'où de la pseudo-précognition. Tout cela paraîtra sans doute bien tiré par les cheveux, mais il s'agissait là de questions très réelles qui méritaient d'être prises en considération. On avait découvert, après tout, que les bons expérimentateurs étaient souvent aussi d'excellents sujets d'ESP. Deuxièmement, on savait qu'en général la PK avait besoin de l'ESP pour aboutir. Par exemple, si l'on doit faire tomber les dés sur une certaine face, il est difficile de croire que

---

1. Ce problème aboutit à un nouveau type de tests d'ESP, appelé le « battage psychique ». Le sujet note les réponses devinées et l'expérimentateur bat les cartes cibles ensuite. Le sujet dit alors à l'agent de s'arrêter quand il pense que leur ordonnance concorde le plus étroitement avec ce qu'il a inscrit, ou encore le sujet lui-même bat les cartes en essayant de faire concorder leur séquence avec une série de cartes cibles cachées.

le sujet peut réellement voir les faces à mesure que les dés roulent, surtout dans les cas de tests de PK à longue distance quand le sujet n'est même pas dans la salle d'expérience. Il devrait donc discerner d'abord la face des dés grâce à l'ESP et ensuite affecter leur chute au moyen de la PK. L'hypothèse que l'expérimentateur a recours à l'ESP et à la PK pour produire un effet de précognition n'est donc pas aussi extravagante qu'il y paraît.

Tenant compte de ce problème, Rhine adopta une technique par laquelle, une fois les cartes battues, une méthode automatique était employée pour couper arbitrairement le jeu, bouleversant la séquence originale. Avec cette méthode, on ne découvrit aucune preuve directe de précognition. Cependant, quand les résultats furent analysés, ils révélèrent un effet curieux, un déclin graduel de réponses justes du début à la fin des séries, avec une recrudescence de succès en dernier lieu *(salience)*. C'était un fait déjà bien connu que l'ESP d'un sujet décline petit à petit durant les tests prolongés, et on savait aussi que, même au cours d'une brève expérience, le sujet a tendance à donner de meilleures réponses au début, pour tomber ensuite au niveau du hasard et remonter sur la fin.

Le hasard pur ne pouvait produire un schéma de scores aussi régulier, indiscutablement dus à un effet bizarre des manifestations de l'ESP lors des tests statistiques. Cet aspect précis fut découvert dans ces nouvelles expériences de précognition, donc on avait finalement obtenu la preuve de l'existence de la précognition pure.

Des moutons et des chèvres

La parapsychologie ne consiste pas simplement à démontrer l'existence de l'ESP. Quand les travaux initiaux eurent survécu aux critiques des sceptiques, les recherches sur les modes de cognition paranormaux furent libres d'aller jusqu'aux racines de leur objet primordial : découvrir comment l'ESP fonctionne et pourquoi. Depuis 1950, la parapsychologie a avancé dans plusieurs directions. Cependant, certains changements étaient déjà évidents dès ces années-là.

Le plus remarquable fut le passage de l'étude de sujets doués à celle de masses importantes d'individus. Il était devenu inévitable. Des sujets comme Pearce, Stewart, Zirkle et bien d'autres voyaient décliner régulièrement leurs facultés, jusqu'à ce que leur ESP s'émousse totalement. La perte d'un sujet central est toujours grave, dans n'importe quelle recherche, mais comme des groupes importants d'individus présentaient un effet collectif d'ESP, l'emploi des tests de groupe devint une méthode plus sûre et plus facile. Les travaux de Gertrude Schmeidler, du City College de l'Université de New York, qui désirait savoir si l'attitude d'une personne à l'égard de l'ESP affectait ses résultats, illus-

Clovis Hugues, détenu politique en 1871, entendit dans sa table un crépitement à l'instant où un ami était fusillé à l'autre bout de Marseille.

trent parfaitement ces tests de masse et leur utilisation. Schmeidler examina deux groupes de sujets distincts, ceux qui croyaient aux possibilités de l'ESP, et ceux qui n'y croyaient pas. On les appela les « moutons » et les « chèvres ». Au cours des premières expériences, les tests de clairvoyance des « moutons » donnèrent de bien meilleurs scores que ceux des chèvres. Les tests furent répétés, en s'assurant que les deux groupes étaient étudiés dans des conditions rigoureusement identiques. Encore une fois, les résultats des « moutons » se situèrent légèrement au-dessus de la moyenne du hasard, ceux des « chèvres » un peu au-dessous.

Schmeidler avait déjà échafaudé un début d'hypothèse, que d'autres chercheurs pourraient confirmer ou invalider, à savoir que les gens qui croyaient à l'ESP répondaient plus correctement que ceux qui y étaient hostiles. Il est évident qu'en travaillant avec un seul sujet il aurait été impossible d'élaborer de telles hypothèses et de les vérifier. Les tests de groupe firent donc une place toute naturelle parmi les techniques de la parapsychologie à cette expérimentation-confirmation. Des expériences « moutons-chèvres » ultérieures ont donné des résultats divers, mais en général le fait est demeuré un trait « authentique » d'ESP.

Un expérimentateur hollandais, van Bussbach, a testé des groupes d'écoliers pour rechercher l'effet d'ESP de masse; dans ses rapports publiés par le *Journal of Parapsychology* entre 1952 et 1961, il a démontré que les enfants obtenaient de meilleurs résultats quand leur professeur servait d'agent. Margaret Anderson et Rhea White, aux États-Unis, procédèrent à des expériences semblables, avec des professeurs aimés de leurs élèves et des maîtres qui l'étaient moins. Les enfants réussissaient beaucoup mieux avec les professeurs qu'ils aimaient. Dans ce cas précis, également, le passage du sujet doué aux tests de groupes permettait de confirmer les caractéristiques particulières possibles de l'ESP.

Il est impossible d'étudier toutes les hypothèses différentes qui ont été testées en utilisant cette méthode, mais certaines se rapportent aux traits de personnalité qui peuvent affecter l'ESP, d'autres aux effets de la distance, aux types de cibles, aux conditions des expériences, etc. Quand K. Ramakrishna Rao tenta d'englober dans son ouvrage, *Experimental Parapsychology* (1966), la somme combinée de toutes les découvertes de l'ESP expérimentale, il dut analyser et résumer plus de cinq cents communications.

D'autres progrès ont été accomplis en employant pour les tests d'ESP des cibles plus intéressantes et plus diverses. Les vieilles cartes Zener sont tombées en désuétude, parce que le sujet avait du mal à trouver dans ces symboles secs un stimulant émotionnel. On a découvert que l'émotion était la clé permettant de faire ressortir l'ESP durant les séances expérimentales, aussi les parapsychologues ont-ils cherché des cibles auxquelles les sujets pourraient réagir de manière plus spectaculaire. Certains chercheurs sont revenus aux dessins et aux images, d'autres utilisent des cadrans de pendules, des noms d'une signification émotionnelle, et ainsi de suite; la liste est infinie.

La plus importante des nouvelles améliorations de la recherche de l'ESP a été le recours aux procédures entièrement automatisées, avec l'emploi de machines pour choisir les cibles et du calcul mécanique des résultats. Ce progrès, qui avait eu ses précédents avec les travaux de Tyrrell et de Troland par exemple, était principalement l'œuvre d'un physicien ingénieux des Laboratoires Boeing de Seattle, le Dr Helmut Schmidt. Il inventa une machine où le sujet devait sélectionner un voyant de couleur sur quatre, en appuyant sur un bouton qui enregistrerait automatiquement sa réponse. La cible elle-même était déterminée à ce moment par un procédé basé sur la détérioration d'un fragment radioactif qui projette ses électrons tout à fait au hasard. L'intervalle durant lequel ces particules se déplacent détermine le choix de la cible. Comme la réponse, ce choix est enregistré automatiquement. Pour cette expérience, Schmidt sélectionna trois sujets doués, qui firent un total de 63 066 tentatives, en essayant de deviner quel voyant allait s'allumer. Leur pourcentage de réussite fut si élevé qu'il atteignit un indice de deux mille millions contre 1, contre le hasard. Dans l'ensemble, six sujets furent testés au moyen de cette machine, Schmidt employant parfois, à la place du procédé du quantum, une séquence de nombres préarrangés pour sélectionner les cibles. C'était alors davantage un test de clairvoyance, et ses sujets obtinrent des scores de plus de un million contre 1, contre tout ce qui pourrait expliquer ces succès autrement que par l'ESP.

Schmidt mit au point plusieurs machines pour aider à tester le psi dans des conditions à l'épreuve de toute fraude et de toute erreur. En 1972, il fit un rapport dans le *Journal of Parapsychology* (vol. 36, p. 222-231) sur l'une d'elles qui pouvait vérifier à la fois la précognition et la psychokinésie. Pour la précognition, le sujet devait deviner quel voyant cible serait choisi par un procédé de hasard. Mais si l'expérimentateur tournait un commutateur, la machine devenait capable d'examiner le sujet pour voir si par PK il pouvait « contraindre » une certaine cible à apparaître. La grande nouveauté de cet appareil, c'était que le changement pouvait se produire sans que le sujet sache (par des moyens normaux) que la modification se produisait. Utilisant cette machine, Schmidt découvrit que ses sujets étaient capables de réussir avec régularité la tâche psi, en révélant leur ESP et leur PK.

Naturellement, on peut se demander si les appareils de Schmidt fonctionnaient bien et s'ils n'avaient pas tendance à donner toujours des résultats au-dessus de la moyenne du hasard. La réponse à cela pourrait être apportée par d'autres examinateurs comme John Beloff, un parapsychologue britannique, qui n'a jamais pu obtenir de résultats avec les machines de Schmidt. D'autre part, des vérifications par ordinateur des séquences sélectionnées au hasard par les appareils les ont innocentés de toute tendance pour ou contre.

Au cours des enquêtes sur l'ESP, de nombreuses découvertes surprenantes ont été faites au sujet du psi. Beaucoup confirment les principes gouvernant l'ESP spontanée, mais elles ont révélé que l'ESP, toute sporadique qu'elle soit, est guidée par certains schémas et principes. Ces découvertes peuvent se diviser en deux groupes : 1) comment l'ESP se manifeste expérimentalement; 2) l'essence même de la faculté d'ESP [1].

Le principal intérêt de la recherche de l'ESP, c'est qu'elle a déterminé que la télépathie, la clairvoyance, la précognition et la rétrocognition représentent toutes, fondamentalement, le même phénomène se manifestant simplement sous diverses conditions. Si un sujet obtient de bons résultats dans un test d'une certaine forme d'ESP, il réussira fort probablement dans d'autres. Il est vrai que les sujets de Soal furent assez mauvais dans les expériences de clairvoyance, mais c'était probablement parce qu'ils doutaient de leur propre habileté. Rhine et Tyrrell ont découvert tous deux qu'un changement des conditions d'une expérience faisait souvent disparaître l'ESP, jusqu'à ce que le sujet s'habitue et devienne plus à l'aise dans la nouvelle situation. A ce moment, l'ESP reparaissait. Les expériences de Schmidt suggèrent que non seulement tous les phénomènes à base d'ESP forment un seul processus unitaire, mais que l'ESP et la PK sont fondées sur le même principe. Plusieurs excellents sujets d'ESP se sont révélés tout aussi doués pour la PK. Lalsingh Harribance, testé à la Fondation pour la recherche de la nature de l'homme, est un de ces exemples et son cas n'est pas rare.

La seconde découverte importante de la parapsychologie expérimentale, c'est l'effet de « déclin » que nous avons déjà noté. On a observé trois types de déclin : au cours d'une série, en cours d'une expérience, et dans le courant de la carrière du sujet.

Rhine s'est aperçu que Pearce obtenait de meilleurs résultats au début d'une série expérimentale. De même, un effet de déclin fut observé dans les tests de groupe de précognition. George Eastbrooks avait noté ce facteur lors de ses expériences et l'avait déjà commenté en 1927. Plus tôt encore, Ina Jephson avait remarqué que ses sujets ESP commençaient très bien et finissaient par échouer plus souvent sur les dernières cibles d'une série. Il existe une variante de cette règle, appelée *salience*. Le sujet décline graduellement et puis obtient de nouveau des succès remarquables sur les toutes dernières cibles. L'ensemble de l'expérience, si on en faisait un graphique, présenterait une courbe en U. On a également noté que la plupart des sujets les plus doués perdent généralement leurs facultés d'ESP après un lent déclin.

---

1. Une grande partie de la discussion qui va suivre est inspirée par les effets ESP résumés par Robert Thouless dans *From Anecdote to Experiment in Psychical Research*. Les arguments, cependant, sont les miens.

On a avancé deux explications différentes à cet effet déclinant. Rhine pensa tout d'abord qu'il était provoqué par l'ennui. Faire défiler des cartes Zener les unes après les autres n'a rien de particulièrement stimulant ni excitant, et le sujet peut se lasser de la série, de l'expérience et même du programme expérimental tout entier. Cela expliquerait l'effet de déclin triple. Le point de vue de Rhine n'était pas nouveau. En 1885, Malcolm Guthrie, avec qui Lodge procéda à des tests d'ESP réussis, écrivit : « J'ai remarqué une baisse... depuis nos premiers résultats remarquables... à mesure que s'émoussaient la nouveauté et la vivacité de nos séances on ne trouvait plus la cordialité et la fraîcheur du début. Tout est devenu monotone, alors qu'auparavant nous allions de surprise en surprise... »

Ce point de vue est sans doute responsable de plusieurs bizarreries de l'histoire de la recherche expérimentale. Il semble certain que l'enthousiasme et l'élan de Rhine avaient provoqué une situation idéale naturelle propice à la découverte. Mais bientôt la nouveauté devint routine et l'ESP cessa de se manifester aussi régulièrement. Peut-être les sujets commencèrent-ils à s'ennuyer, à être moins motivés et leurs facultés s'en ressentirent. Il est aussi assez singulier qu'il n'y eut jamais, dans l'histoire de la parapsychologie, autant de sujets doués que Rhine en découvrit dans les années 1930. A mesure que les Zirkle, les Ownbey, les Pearce disparaissaient de la scène, personne ne se présentait pour les remplacer, ce qui est d'ailleurs une des raisons pour lesquelles on aborda les tests de groupe. L'effet de déclin pourrait aussi provenir du fait qu'au bout de quelques années la recherche de l'ESP n'était plus aussi chargée d'émotion. Les sujets doués éprouvaient moins le besoin de manifester leur ESP, puisqu'il y avait moins de sceptiques à convaincre. La reconnaissance de la parapsychologie a fort bien pu lui porter le coup le plus grave.

D. SCOTT ROGO

Des arbres qui ressemblent à des personnages. Images de l'homme qui apparaît plus étrange à mesure que la science progresse...

Chapitre III

L'opinion du fondateur
de la psychanalyse

La position de Sigmund Freud concernant les phénomènes paranormaux est méconnue. Il croyait à la télépathie. Il le dit dans le texte ci-dessous.

Son obstination à trouver dans les événements qu'il relate des indices, sinon des preuves, de la transmission de pensée est remarquable. Ce texte a été publié à Vienne en 1933, six ans avant la mort de Freud. En 1934, J.B. Rhine publiait, aux États-Unis, son livre Extrasensory Perception *qui marque le début des recherches expérimentales et quantitatives sur la télépathie et la clairvoyance. S'il l'avait lu, Freud y aurait sans doute vu une confirmation de ses intuitions, qui ont été diversement appréciées ou interprétées par ses disciples.*

Avant 1910, Freud éprouvait des résistances importantes envers les facultés paranormales de l'homme. Il se montrait alors sceptique. Il cherchait à interpréter la communication de pensée par des illusions mémorielles, par des perceptions inconscientes mais fort naturelles, par ses théories psychanalytiques. Puis une évolution se produisit dans ses idées.

L'originalité de sa recherche est que la majorité des cas lui paraissant contenir une dimension télépathique n'ont pas été présentés comme télépathiques par les narrateurs eux-mêmes. Freud n'aboutit à cette conclusion qu'après une recherche personnelle selon la méthode analytique. Il dit à ses proches collaborateurs : « Je crois que de telles observations fournissent le meilleur matériau souhaitable pour l'étude de la transmission de pensée, et je voudrais vous encourager à rassembler des cas de ce genre [1]. »

---

1. Cité dans *Freud et l'occultisme,* Christian Moreau, thèse de doctorat en médecine, Université de Tours, 1974.

Cependant, Freud a reconnu son manque de documentation sur la question, la rareté des exemples qu'il a rencontrés avec ses patients. Ce n'en est que plus intéressant, car il demeure tout autant favorable à l'hypothèse de la télépathie. « La balance penche de ce côté », dit-il. Si par tempérament ou conviction intime, l'idée de facultés de perceptions extra-sensorielles lui avait déplu, quelle masse de documents aurait pu le convaincre du contraire? Mais cette idée le séduit au point que, dans un cas au moins, il va jusqu'à apporter de légères retouches à un témoignage afin de mieux accréditer la thèse de la télépathie[1].

Il n'a pas donné d'explication de la télépathie, estimant que ce n'était pas de sa compétence, et il a postulé également un phénomène de décalage dans le temps : « Il est parfaitement concevable qu'un message télépathique puisse se produire au moment de l'événement et cependant ne pénétrer dans la conscience que la nuit suivante, durant le sommeil (ou même plus tard, à l'état vigile, au moment d'une pause de l'activité psychique) »[2].

La psychanalyse, selon Freud, doit contribuer à la mise en évidence de faits paranormaux. Cette opinion a été à l'origine de la « parapsychologie psychanalytique » qui compte surtout aujourd'hui des psychanalystes anglo-saxons, italiens et hongrois.

Signalons qu'il n'existe pas d'édition intégrale en français des œuvres de Freud.

Un jour, durant l'automne 1919, vers 10 h 45 environ, le Dr David *Forsyth* arrivant de Londres dépose chez moi sa carte, pendant que je travaille avec un malade. (Mon distingué collègue londonien ne me considérera pas comme un indiscret si je révèle ainsi que durant quelques mois il s'est fait initier, par mes soins, à la technique psychanalytique.) Je ne puis accorder à ce confrère qu'une minute d'entretien et lui donne rendez-vous pour plus tard. Peu après cette visite, arrive un de mes malades, M. P., homme intelligent et aimable, âgé de 45 ans environ, qui s'est soumis au traitement analytique à la suite de déboires avec des femmes. Le pronostic du cas étant défavorable, j'avais depuis longtemps proposé de cesser l'analyse, mais le malade tenait à la continuer, certainement parce qu'ayant transféré sur moi les sentiments éprouvés pour son père, il se sentait dans une ambiance agréable. La question d'argent ne se posait même pas alors, à cause de la rareté de ce métal; les moments que je passais avec ce patient étaient intéressants, délassants et c'est pourquoi, en dépit des règles sévères du traitement médical, l'effort psychanalytique fut continué jusqu'à une date fixée d'avance.

1. Ibid.
2. *Rêve et télépathie* (Traum und Telepathie), S. Freud, 1922.

Ce jour-là, P. aborde de nouveau la question de ses essais pour reprendre avec les femmes des rapports amoureux. Il reparle d'une jeune fille jolie, piquante et pauvre auprès de laquelle il eût certainement réussi, si le fait qu'elle était vierge n'eût empêché toute sérieuse tentative de ce genre. Il m'avait souvent parlé d'elle, mais aujourd'hui, pour la première fois, il raconte que, tout en ignorant bien entendu les motifs réels de son abstention et n'en ayant même aucun soupçon, elle l'avait surnommé M. de la Précaution [1]. Ce récit me frappe; j'ai à portée de la main la carte du Dr *Forsyth* et je la lui montre.

Voilà le fait. Je m'attends bien à ce que vous le qualifiiez de piètre, mais poursuivons et nous y découvrirons autre chose.

P. a, dans sa jeunesse, fait un séjour de plusieurs années en Angleterre; il y a acquis un vif intérêt pour la littérature anglaise. Il possède une riche bibliothèque de livres anglais et a coutume de m'en prêter. C'est à lui que je dois d'avoir connu des auteurs tels que *Bennett* et *Galsworthy,* qui m'étaient naguère peu familiers. Un jour, il me prêta un roman de *Galsworthy,* intitulé *The man of property* et dont l'action se déroule dans une famille imaginaire, la famille *Forsyte.* Galsworthy s'est certainement épris lui-même de sa création car, dans des récits postérieurs, il a souvent fait reparaître des membres de la même famille et a fini par réunir toutes les œuvres les concernant sous le nom de *The Forsyte Saga.* Peu de jours avant l'incident en question, P. m'avait apporté un nouveau volume de cette série. Le nom de *Forsyte* et tous les traits typiques que l'auteur personnifiait avaient aussi joué un certain rôle dans mes entretiens avec P. Ils constituaient une partie de ce langage fréquemment utilisé entre deux personnes qui ont accoutumé de se fréquenter régulièrement. Or le nom des héros de ces romans : *Forsyte,* est à peine différent, selon la prononciation allemande, du nom de mon visiteur : *Forsyth,* et le mot anglais significatif que nous prononcerions de la même manière serait *forosight,* c'est-à-dire prévision ou précaution (Voraussicht ou Vorsicht). P. avait donc tiré de ses propres rapports un nom qui justement me préoccupait à ce moment-là, par suite de circonstances qu'il ignorait.

Voilà, n'est-ce pas, qui devient plus intéressant. Mais je crois que ce fait remarquable nous fera plus d'impression encore quand nous étudierons analytiquement deux autres associations fournies au cours de la même séance. Nous parviendrons peut-être même à acquérir quelque notion des conditions dans lesquelles ledit phénomène s'est produit.

1) Certain jour de la semaine précédente, j'avais vainement attendu M. P. à 11 h. Enfin, je sortis pour aller voir le Dr Antoine *von Freund* dans la pension de famille où il logeait. Je fus surpris d'apprendre que M. P. habitait dans cette même maison, mais à un autre étage. A ce

---

1. En allemand précaution se traduit par *Vorsicht;* la consonance de ce mot rappelle celle du nom du médecin londonien (N. d. T.).

sujet, je racontai plus tard à P. que je lui avais pour ainsi dire rendu visite dans sa maison. Je me rappelle fort bien n'avoir pas nommé la personne que j'étais allé voir. Or immédiatement après avoir parlé de son surnom de M. von Vorsicht (Précaution), mon malade me demande : « Est-ce que Mme Freud-Ottorega, qui enseigne l'anglais à l'Université populaire, n'est pas votre fille ? » Et pour la première fois depuis que nous nous voyons, il déforme mon nom comme le font ordinairement les fonctionnaires, les employés et les typographes, et prononce *Freund* au lieu de *Freud*.

2) A la fin de cette même séance, il me raconte un songe qui l'a réveillé en lui laissant une impression d'angoisse, « un vrai cauchemar », dit-il. Il ajoute que récemment il n'avait pu se souvenir du mot anglais qui signifie cauchemar et qu'il l'avait traduit pour quelqu'un par *a mare's nest*. Chose absurde puisque *a mare's nest* c'est une histoire invraisemblable, une histoire de brigands, et que cauchemar en anglais se dit *nightmare*. Cette idée ne semble avoir comme point commun avec ce qui précède que cet élément : l'anglais. Mais elle me rappelle un petit incident survenu un mois plus tôt. P. se trouvait alors dans mon bureau. Survint à l'improviste un autre visiteur depuis longtemps absent, un ami cher, le *Dʳ Ernest Jones,* de Londres, à qui je fis signe d'aller attendre dans une autre pièce la fin de mon entretien avec P. Celui-ci, cependant, reconnut mon ami d'après une photographie qui se trouvait dans mon salon d'attente et manifesta même le désir de lui être présenté. Or Jones est l'auteur d'une monographie sur le cauchemar – *nightmare* – j'ignorais si P. connaissait cette étude, car il évitait de lire des ouvrages psychanalytiques.

J'aimerais à vous montrer d'abord comment on peut interpréter analytiquement les associations d'idées fournies par P. et trouver ce qui les motive. Vis-à-vis du nom Forsyte ou Forsyth, P. se trouvait dans la même situation que moi, et c'est à lui, d'ailleurs, que je devais de connaître les personnages de roman ainsi appelés; ce qui me surprit ce fut d'entendre mon malade énoncer tout à coup ce nom immédiatement après qu'un nouvel incident, l'arrivée du médecin londonien, me l'eut rendu intéressant à un autre point de vue encore. Toutefois, la manière dont le nom surgit au cours de cette séance n'est pas moins intéressante que le fait même de son apparition. P. ne s'écria pas, en effet : « Je pense au nom de Forsyte que le roman vous a fait connaître ». Non, il sut le glisser dans sa propre histoire, sans avoir, au préalable, établi de rapport conscient avec la source en question. Et c'est ainsi qu'il le lança dans le récit cette fois-là, et alors que la chose ne s'était jamais produite auparavant. Mais il ajouta : « Moi aussi je suis un Forsyth, c'est ainsi que la jeune fille m'appelle. » Comment ne pas discerner dans cette phrase le mélange de revendication jalouse et de dépréciation mélancolique de soi-même qui s'y trouve traduit? L'on ne risquera pas de faire fausse route en la complétant comme suit : « Cela m'afflige que vous soyez aussi préoccupé de l'arrivée de cet étranger. Revenez donc à moi. Ne suis-je pas moi-même un *Forsyth*? Mais seulement un sieur de *Vorsicht,* comme dit la jeune fille ». Puis sa pensée se tourna, grâce à l'élément anglais, vers deux circonstances passées, propres elles aussi à susciter la jalousie : « Il y a quelques jours, vous êtes venu dans ma maison, mais ce n'est malheureusement pas moi que vous vouliez voir. Vous alliez chez un certain M. de *Freund* ». Et cette pensée lui fait altérer le nom de Freud qu'il prononce Freund. S'il mentionne Mme *Freud-Ottorega,* c'est parce que la qualité de professeur d'anglais de cette dernière permet l'association manifeste. A tout cela se rattache le souvenir d'un autre visiteur, venu quelques semaines auparavant et dont le malade a été également jaloux, se sentant vis-à-vis de lui en état d'infériorité : le Dr Jones avait pu, en effet, écrire une dissertation sur le cauchemar, tandis que P., lui, se sentait tout au plus capable de faire de semblables rêves. L'erreur qu'il dit avoir commise à propos de *a mare's nest* fait partie de la même association et en voici certainement le sens : « moi, je ne suis ni un véritable Anglais, ni un véritable Forsyth ».

Freud lors d'un congrès de psychanalyse à La Haye en 1920.

Quant à sa jalousie, je ne puis la qualifier d'incompréhensible ou d'inopportune. Il avait été prévenu que son analyse et par conséquent nos relations cesseraient dès que des élèves étrangers ou des malades arriveraient à Vienne, et c'est ce qui ne tarda pas d'ailleurs à se produire. Mais ce que nous avons fait jusqu'ici n'a été qu'un fragment de travail analytique; nous avons donné l'explication de trois idées survenues dans une même heure et dérivées du même motif; peu importe que ces idées soient ou ne soient pas dérivables sans transmission de pensée; celle-ci se retrouve dans chacune des trois idées et peut ainsi provoquer trois questions différentes; P. pouvait-il savoir que le Dr Forsyth venait justement de me faire sa première visite? Lui était-il possible de connaître le nom de la personne que j'étais allé voir dans sa maison? Savait-il que le Dr Jones était l'auteur d'un travail sur le cauchemar? Ou bien était-ce ma connaissance de ces choses qui se révélait dans ses idées? Toute conclusion en faveur de la transmission de pensée ne saurait dépendre que de la réponse faite à ces trois questions différentes. Ne nous préoccupons pas, pour l'instant, de la première, les deux autres étant plus faciles à traiter. Le cas de la visite à la pension nous paraît, au premier abord, particulièrement probant. Je suis certain de n'avoir nommé personne en racontant, incidemment et par plaisanterie, ma visite dans sa maison. Il est fort peu probable que P. se soit informé à la pension de famille du nom de la personne en question. Je crois plutôt qu'il a continué à ignorer tout à fait l'existence de cette dernière. Mais la force convaincante qui se dégage de ce cas est entièrement détruite par un hasard. L'homme auquel j'étais allé rendre visite dans la pension ne s'appelait pas seulement *Freund,* il était pour nous tous un véritable ami [1]. C'était à sa générosité que nous devions la fondation de notre maison d'édition. La mort prématurée du Dr *Antoine von Freund,* comme celle aussi de *Karl Abraham* un peu plus tard, furent les plus grands malheurs que la cause de la psychanalyse eût jamais eu à subir. Peut-être ai-je dit alors à P. que j'étais allé voir un *ami (Freund)* dans sa pension. En ce cas la seconde association perd tout intérêt au point de vue de l'occultisme.

L'impression causée par la troisième idée se dissipe vite, elle aussi. P., qui ne lisait jamais d'ouvrages psychanalytiques, pouvait-il savoir que Jones avait publié un travail sur le cauchemar? Oui, car il possédait certains de nos livres et avait ainsi pu lire, sur les couvertures, les titres des nouvelles publications. Ce n'est donc pas de cette manière que nous parviendrons à nous faire une opinion. Je regrette que mon observation ait à souffrir d'une erreur commune à bien d'autres travaux analogues : elle a été écrite trop tard et discutée à une époque où, ayant perdu de vue M. P., il ne m'était plus possible d'obtenir d'autres précisions touchant les faits en question.

1. En allemand le mot *ami* se traduit par *Freund* (N. d. T.).

Revenons donc à la première idée qui, même lorsqu'on la considère isolément, parle en faveur du fait apparent de la transmission de pensée. P. pouvait-il savoir que le Dr Forsyth était venu me voir un quart d'heure auparavant? Lui était-il même possible de connaître l'existence de ce médecin ou sa présence à Vienne? Il ne faut pas céder à l'envie de répondre à ces deux questions par la négative. Je vois un moyen de répondre par une affirmative partielle. Peut-être, en effet, avais-je raconté à M. P. que j'attendais un médecin anglais, la colombe du déluge, pour l'initier à la pratique de l'analyse. Cela eût bien pu se produire durant l'été 1919, le Dr Forsyth s'étant, quelques mois avant son arrivée, entendu par lettres avec moi. Peut-être même m'était-il arrivé de prononcer son nom, encore que le fait me semble très invraisemblable. Si cela m'était arrivé, j'en aurais gardé le souvenir, car, vu la signification multiple de ce nom propre, une conversation s'en serait suivie. Il peut donc se faire que la chose se soit produite et que je l'ai complètement oubliée, de telle sorte qu'en prenant connaissance de ce surnom de M. von Vorsicht au cours de la séance, j'ai pu en être surpris comme s'il s'agissait là de quelque miracle. Quand on se targue d'être sceptique, il convient parfois de douter de son propre scepticisme. Peut-être d'ailleurs y a-t-il en moi une secrète inclination pour le merveilleux, inclination qui m'incite à accueillir avec faveur la production de phénomènes occultes.

Quand on a ainsi supprimé une part du merveilleux, le travail n'est pas achevé. Il reste une autre tâche à remplir et c'est la plus ardue de toutes. Admettons que M. P. ait su qu'il existait un Dr Forsyth dont la visite était attendue à Vienne, en automne, comment expliquer ensuite qu'il en ait eu la notion justement le jour de l'arrivée de ce docteur et immédiatement après la première visite de celui-ci. Certes, il est permis d'attribuer ce fait au hasard, c'est-à-dire de n'en pas chercher l'explication; mais pour bien marquer qu'il ne saurait être question de hasard et pour vous montrer qu'il s'agissait réellement de pensées de jalousie concernant des gens qui venaient me voir et à qui je rendais visite, j'ai cité deux autres idées encore de P. Pour ne négliger aucune possibilité, on peut aussi essayer d'admettre que P. avait observé en moi une nervosité particulière et qu'il en avait tiré certaines déductions. Il est encore permis d'imaginer qu'arrivé un quart d'heure seulement après l'Anglais, il avait pu le croiser en route, le reconnaître à cause de son type anglo-saxon caractéristique et penser du fait de sa jalousie : « Le voilà donc, ce Dr Forsyth dont l'arrivée va provoquer la fin de mon analyse. Il vient probablement de chez le Professeur ». Je ne puis poursuivre plus avant ces conjectures rationalistes. Demeurons-en donc une fois de plus sur un *non liquet,* mais, avouons-le, à mon avis, la balance penche ici encore du côté de la transmission de la pensée.

Sigmund Freud

Chapitre IV

Expériences
de précognition

La totalité des résultats expérimentaux obtenus depuis 1930 en faveur de l'existence d'une faculté psi de connaissance de l'avenir est souvent rejetée pour un seul motif : il paraît impossible de connaître une réalité qui n'a pas encore d'existence.

La prémonition étudiée en laboratoire n'a aucun lien avec l'exercice d'une faculté de prévision rationnelle du futur. Le sujet qui indique quelle sera la carte tirée, au cours d'une expérience, ne dispose pas d'éléments de réflexion lui permettant de pratiquer une déduction. Il dit la réponse qui lui semble juste, et l'expérimentateur vérifie ensuite si elle l'est réellement. Le calcul des probabilités fournit avec précision le nombre de réponses justes qui sont dues exclusivement au hasard, et ne peuvent pas ne pas arriver dans une longue série d'expériences. Si ces réponses obligatoires ne sont pas données, le résultat est en dessous de la moyenne, et l'existence d'une sorte de faculté psi inversée (ou capable d'inhibition) est intervenue.

Pour expliquer la prémonition, certains ont émis la théorie selon laquelle le futur existerait déjà. Les notions habituelles de temps sont remises en question. Le sont-elles seulement par ces expériences, dont plusieurs n'apparaissent pas toujours probantes ?

En examinant les résultats acquis en laboratoire, il ne faut pas oublier non plus que les expériences ont été suscitées à l'origine par des témoignages, des anecdotes. Les scientifiques ont voulu simplifier les conditions de la vie quotidienne. Des rêves prémonitoires annonçant un deuil par exemple, ils sont passés à l'utilisation d'un jeu de cartes où il s'agit de deviner tel symbole tiré par hasard. La simplification est considérable, peut-être excessive. Aussi les critiques formulées à l'égard des expériences ne peuvent-elles pas être étendues aux cas spontanés, dont l'authenticité relève d'une autre méthode d'approche.

67

◄ *L'osmose existant entre une mère et son enfant facilite les échanges d'ordre paranormal, mais ceux-ci se manifestent aussi dans d'autres types de relations.*

Si la perception extra-sensorielle permet à un sujet de deviner, dans des proportions supérieures aux résultats obtenus par le seul hasard, l'ordre dans lequel se trouvent les cartes d'un jeu ou de reproduire un dessin pré-existant, ce même sujet parviendra-t-il également à prévoir l'ordre futur des cartes d'un jeu ou la nature d'un dessin qui n'a pas encore été fait? Un certain nombre de preuves expérimentales montrent que certains sujets peuvent arriver à de tels résultats. On appelle généralement le genre de perception extra-sensorielle qui intervient dans ce cas la « précognition ».

On peut critiquer l'emploi du mot « précognition » en avançant qu'il implique que la capacité dont il est question est une sorte de « cognition » ou « connaissance ». La réussite, dans une épreuve précognitive, peut très bien n'impliquer aucune « connaissance », au sens de prise de conscience. Le sujet peut se contenter d'apporter des réponses (par exemple, décrire les cartes ou les dessins) qui présentent une correspondance supérieure au hasard avec un fait à venir, bien qu'au moment où il devine, il ignore qu'une telle correspondance existe. Il aurait peut-être été préférable d'adopter un terme autre que « précognition », moins précis quant à ses implications.

L'une des raisons qui incitent à se livrer à ce genre d'expérience réside dans la quantité de témoignages anecdotiques qui semblent indiquer, du moins chez certains individus, un pouvoir de prédiction de l'avenir. Il s'agit parfois de prémonitions inattendues et spontanées d'événements futurs, parfois ordinaires, mais annonçant plus souvent la mort ou une catastrophe. Ils peuvent arriver comme des rêves ou comme des expériences prémonitoires à l'état de veille. D'autres, parmi les précognitions évoquées, sont plus calculées, et naissent grâce à des techniques spéciales qu'utilisent des individus censés posséder un certain talent de prédiction. Ces techniques de prophétie ou de divination se retrouvent dans des cultures diverses sous des formes similaires. Elles comprennent l'étude des viscères d'un animal, du vol des oiseaux, ou du bruissement des feuilles dans le vent. Ces activités semblent appartenir, du point de vue psychologique, au même groupe que celles du test de personnalité de Rorschach dans lequel le sujet étudie des taches d'encre. Une situation perceptive indéterminée permet à l'observateur de voir ou d'entendre quelque chose qui a été primitivement déterminé par des facteurs internes. Une telle situation pourrait bien se révéler favorable à l'apparition de toutes les possibilités psi que posséderait le devin.

Les techniques de divination comprennent également la manipulation de cartes, la vision dans le cristal, l'étude des lignes de la main, l'astrologie et l'interprétation des rêves.

Dans notre culture, ces techniques sont tombées en désuétude ou ont été adaptées à d'autres fins, et on considère généralement que faire appel à elles pour prévoir l'avenir relève de la pure superstition. Ce n'est pas parce que nous nous intéressons moins à l'avenir que nos arrière-grands-pères, mais parce que nous disposons de méthodes plus efficaces de prévision, qui font appel à des déductions rationnelles. C'est à de tels procédés de déduction rationnelle que nous faisons appel lorsque nous utilisons des méthodes météorologiques pour prévoir le temps, lorsque nous faisons des sondages pour prévoir des résultats électoraux, et ainsi de suite. La motivation que recouvrent ces activités peut être la même que celle du devin d'antan, c'est-à-dire le besoin pratique immédiat de savoir ce qui va se passer, mais les méthodes sont différentes. Elles utilisent des processus rationnels de déduction, dont l'absence permet de classer les activités du devin ou de celui qui interprétait les rêves dans la catégorie des phénomènes manifestement paranormaux.

Que l'on considère aujourd'hui ces méthodes paranormales de prédiction de l'avenir comme de simples pratiques superstitieuses ne devrait pas détourner le chercheur de leur étude. Il dispose de méthodes plus sûres pour découvrir si de telles méthodes ont la valeur que leur accordaient ceux qui y croyaient en leur temps, ou si elles n'ont que la valeur que leur donnent les personnes qui, par la suite, les abandonnèrent et les condamnèrent. L'incrédulité naïve du XIXe siècle n'est pas nécessairement un meilleur guide que la crédulité des époques précédentes. C'est par nous-mêmes qu'il nous faut découvrir s'il existe des moyens paranormaux (non déductifs) de prévoir l'avenir, et la méthode la plus prometteuse consiste à utiliser un outil efficace.

Un précurseur de l'étude des rêves

De même que dans d'autres domaines de la recherche expérimentale, les témoignages anecdotiques du passé peuvent aider à tracer les grands axes de l'étude expérimentale. La précognition survenant par l'intermédiaire des rêves représente un sujet particulièrement riche en matériaux anecdotiques de cette sorte. L'Ancien Testament constitue une source familière de rêves que l'on tenait pour précognitifs. On découvrira aussi des indications touchant aux problèmes expérimentaux dans des sources anciennes comme les œuvres de l'évêque Synésios qui mourut au début du Ve siècle. Synésios croyait que la sagesse pouvait naître de la connaissance de l'avenir par le truchement des rêves.

Au IIe siècle déjà, Artémidore d'Ephèse s'était intéressé aux rêves (édition anglaise de 1606), et plus particulièrement aux méthodes d'interprétation des songes. L'une de ses observations peut se révéler utile pour la recherche expérimentale; il s'agit de la distinction qu'il établissait entre les rêves spéculatifs, dont le spectacle est plaisant, et les rêves allégoriques qui, par une chose, en signifient une autre. En langage plus moderne, nous dirions que l'on distingue entre les rêves qui possèdent un sens littéral et ceux dont le sens apparaît par l'intermédiaire de symboles. Artémidore disait que la réalisation du premier genre de rêve survient peu après le rêve, alors que la réalisation des rêves symboliques a lieu quelque temps après. Ces réalisations littérales des rêves sont généralement les seules sortes de réalisation possible qu'envisagent les auteurs contemporains; c'est ainsi que Dunne raconte qu'il rêva qu'un cheval furieux l'attaquait dans un chemin étroit et qu'il fut, en effet, attaqué le lendemain dans un chemin étroit par un cheval furieux (Dunne, 1927).

La plupart des rêves précognitifs étudiés par Louisa Rhine sont du type de ceux entraînant une réalisation littérale; ainsi, une femme avait rêvé qu'elle se faisait bronzer avec son mari sur une plage à Miami quand une jeune fille passa près d'eux et donna un coup de pied dans le sable en disant qu'elle voulait manger au restaurant. La réalisation du rêve eut lieu le lendemain sur la plage de Miami quand une jeune fille passa devant eux, projetant du sable à coups de pied et faisant la remarque qui avait été prononcée dans le rêve. Il existe également parmi les cas cités par Louisa Rhine une autre catégorie, plus restreinte (environ un cinquième de l'ensemble des cas), de rêves « irréels » qui comprennent un élément de symbolisme; ainsi, lorsqu'un sujet rêva qu'il cherchait à atteindre un bébé qui ne cessait de s'éloigner, il s'avéra que le bébé avait une maladie qui se révéla fatale.

Pas plus dans l'ouvrage de Dunne que dans l'ensemble des cas du Dr Rhine, nous ne trouvons de rêves symboliques dans lesquels le symbolisme peut ne pas être apparent au rêveur lui-même. Cela ne veut pas dire que de tels rêves n'existent pas, mais seulement qu'on a moins de chances de les remarquer, à moins qu'on ne les recherche tout particulièrement.

Un exemple du type de rêve dans lequel le fait rêvé n'est qu'un symbole de ce qui va se passer nous est fourni par Artémidore. Il s'agit d'un rêve dans lequel le rêveur voit un essaim d'abeilles; sa réalisation apparaît lorsque le sujet reçoit de l'argent. Les rêves précognitifs de l'Ancien Testament, tels que le songe de Pharaon sur les sept vaches grasses et les sept vaches maigres, participent également de ce genre symbolique. Le parapsychologue qui s'intéresse aux rêves devrait toujours se souvenir que, si la précognition apparaît dans les rêves, il est possible que cette précognition soit de nature symbolique et non pas littérale. L'étude expérimentale des réalisations symboliques des rêves sera vraisemblablement plus délicate que celle des réalisations terre à terre; elle pourrait cependant se révéler plus fructueuse.

Le problème de la prévision paranormale de l'avenir n'a pas beaucoup retenu l'attention des premiers chercheurs dans le domaine métapsychique. Il y a quelques années, pourtant, le livre de J.-W. Dunne (1927) a attiré l'attention générale sur ce sujet; Dunne, dans cet ouvrage, citait de nombreux rêves qu'il avait faits et affirmait qu'ils avaient eu des réalisations remarquablement précises. D'autres ont cherché à reprendre les observations de Dunne, mais ils n'ont trouvé que de rares correspondances, sujettes à caution, entre certains des éléments de leurs rêves et des faits futurs, sans preuves substantielles permettant de conclure avec certitude que ces correspondances n'étaient pas fortuites.

C'est ce genre de situation, concernant le matériau spontané, qui nous pousse à nous demander si nous ne pourrions pas obtenir de preuves plus formelles grâce à une expérience bien préparée. Si le premier choix des parapsychologues ne s'est pas porté sur une expérience touchant directement aux rêves, c'est que, bien qu'il soit possible sans nul doute d'en surmonter les difficultés, cette expérience serait difficile à préparer et à réaliser. La simple découverte de correspondances entre le rêve et des faits postérieurs ne permettrait pas à elle seule de conclure que le rêve aboutit à la prévision de l'avenir. Un certain nombre de correspondances pourraient être le fait du hasard, tandis que d'autres s'expliqueraient de manière plus ordinaire, par exemple en disant que les phénomènes ultérieurs rappelleraient des éléments oniriques que l'on aurait oubliés autrement.

Afin d'étudier la précognition dans les rêves, il faudrait organiser une expérience plus complexe dans son mode opératoire. L'on pourrait ainsi préparer une expérience contrôlée entièrement de l'intérieur, dans laquelle on enregistrerait les rêves d'un certain nombre d'individus différents et, ensuite, les événements qui surviendraient ultérieurement dans l'existence de ces individus. Ceux qui jugeraient des correspondances ignoreraient quels événements font suite à tel rêve. Pour autant que je sache, une telle expérience n'a pas encore eu lieu.

Les conditions de la vie quotidienne sont plus complexes que celles de laboratoire

La précognition dans les rêves sera vraisemblablement l'objet d'études expérimentales dans un proche avenir. Des techniques modernes d'étude des rêves ouvrent le chemin à une telle enquête.

Etant donné qu'il existe une telle abondance de témoignages anecdotiques liant le rêve à l'activité psi, il semble que le rêve soit manifestement le lieu où il faut rechercher des preuves de l'existence des facultés psi. A l'heure actuelle, il existe à l'hôpital Maimonides de Brooklyn une unité de recherche qui, sous la direction du Dr Krippner, étudie les rêves par des méthodes modernes (Ullman, 1966). On a ainsi démontré que la perception extra-sensorielle d'images cibles peut survenir à la fois dans des états oniriques spontanés et hypnotiques. On n'a pas encore résolu le problème quantitatif plus difficile qui consiste à savoir si l'efficacité du processus psi est plus grande dans les conditions du rêve que dans celles de la veille. De même, la recherche n'a pas beaucoup avancé en ce qui concerne le problème de la précognition dans les rêves. Il existe cependant des signes intéressants qui permettent de dire que le rêve étudié expérimentalement peut aussi prédire une image cible à venir ou non encore choisie au moment de l'expérience onirique. Cette recherche se poursuit et l'on peut s'attendre à ce qu'elle fournisse de plus amples résultats à l'avenir.

Il peut s'écouler des délais plus longs avant que la parapsychologie expérimentale ne s'intéresse à d'autres méthodes de prédiction de l'avenir qui passent pour paranormales, comme la chiromancie, l'astrologie, l'examen des viscères des animaux. On se rend compte couramment, dans le domaine des sciences expérimentales, qu'il vaut mieux éviter la complexité des conditions dans lesquelles le phénomène à étudier apparaîtra dans la vie quotidienne, et qu'il convient de leur substituer une activité simple qui dépend du même principe théorique. L'activité simple utilisée pour l'étude expérimentale dans le cas suivant consistait en une expérience de divination de cartes, expérience qui portait sur l'ordre dans lequel apparaîtraient les cartes d'un jeu ultérieurement.

Sous une forme simple, cette expérience se présente comme suit : un sujet expérimental consigne ses pronostics pour les vingt-cinq cartes du jeu habituel ESP, ces pronostics portant non sur l'ordre présent des cartes, mais sur l'ordre des cartes quand elles auront été brassées et coupées. Les pronostics une fois consignés, on bat les cartes et l'on coupe, de préférence au hasard, puis on compare les pronostics consignés aux cartes dans leur ordre présent. Si le nombre de pronostics justes par rapport aux cartes cibles est nettement supérieur à cinq, on peut raisonnablement en conclure à l'intervention de quelque chose qui entraîne une correspondance entre les pronostics du sujet et l'ordre dans lequel les cartes sont apparues. Si, dans la préparation de l'expérience, on a pris soin de prévenir l'apparition de toute cause autre que la précognition à cette correspondance, on pourra alors admettre le résultat comme une preuve de l'existence de la précognition.

Au début des années 1930, J.B. Rhine se livra à des expériences sur l'ordre qui allait être celui des cartes d'un jeu ESP. Un groupe de 49 sujets émit 113 075 pronostics sur l'ordre des cartes provenant de jeux ESP, que l'on battit et coupa par la suite. Par rapport aux résultats moyens que l'on aurait pu obtenir par le seul hasard, il y eut un excédent de 614 réponses justes, ce qui représente un taux de réussite de 0,6 % seulement. Comme le nombre de pronostics était, malgré tout, important, cet excédent était significatif. Cela suffit à indiquer très fortement que quelque chose intervient pour faire correspondre les pronostics au fait futur plus précisément que ne le ferait le seul hasard.

Rhine pensa pourtant que ce qui intervenait pouvait très bien ne pas être la capacité des sujets expérimentaux à connaître à l'avance le futur ordre des cartes, mais plutôt la capacité des expérimentateurs à battre les cartes, à un niveau inconscient, dans un ordre correspondant dans une certaine mesure à celui annoncé par le sujet. Une expérience destinée à vérifier cette possibilité sembla montrer que les expérimentateurs pouvaient même accomplir cet exploit lorsqu'ils n'avaient aucune connaissance normale de l'ordre dans lequel les cartes qu'ils allaient battre étaient censées apparaître. On jugea donc que les expériences dans lesquelles les cartes étaient battues à la main et coupées en un point choisi par l'expérimentateur ne convenaient pas à la démonstration de la précognition.

Les jeux de hasard sont par définition ceux où la raison et l'expérience n'interviennent pas pour atteindre un but. Pourtant la chance et la malchance semblent parfois déterminées par une perception prémonitoire. (Gravure du XIXᵉ siècle.)

Par la suite, des expériences dans lesquelles les cartes étaient brassées par une machine firent apparaître un excédent de 425 pronostics corrects par rapport à la moyenne qu'aurait pu donner le hasard, sur un total de 235 875 estimations (Rhine, 1941). Cela représente un excédent de 0,2 % seulement, qui est à peine significatif. Il s'agit certes d'une mise en évidence, mais qui n'est pas manifeste, d'une intervention quelconque entraînant une correspondance entre les pronostics du sujet et l'ordre futur des cartes (brassées mécaniquement).

Les techniques d'évaluation les plus fines

Après le début des expériences sur la psychokinésie, on considéra l'éventualité selon laquelle la réussite, dans ce genre d'expériences, pourrait s'expliquer (même dans le cas du brassage mécanique des cartes) autrement que par la précognition, étant donné que l'expérimentateur ou le sujet pourraient se servir de la psychokinésie pour pousser la machine à amener la correspondance désirée. Pour éliminer cette possibilité, le jeu une fois brassé fut coupé en un point déterminé mécaniquement et au hasard.

Ainsi qu'on l'a indiqué précédemment, une coupe au hasard, selon une méthode qui assure des possibilités égales de coupe en tout point (y compris au point zéro), élimine totalement toute éventualité d'une correspondance entre l'ordre cible et l'ordre pronostiqué qui serait influencée par l'ordre des cartes avant la coupe, étant donné que la moyenne, sur l'ensemble des 25 possibilités de coupe, sera de 5. L'introduction de la coupe au hasard rend donc le brassage mécanique superflu puisque les imperfections du brassage manuel ne peuvent donner de fausses indications de succès si la coupe qui suit est vraiment le fait du hasard.

L'expérimentateur n'a pas eu, cependant, recours à la méthode que l'on emploie d'habitude pour couper au hasard. Cette méthode veut que l'on choisisse des chiffres au hasard en se servant de dés. En effet, il lui est apparu qu'une telle méthode destinée à choisir le point de coupe pourrait également subir l'influence de l'action PK. Afin d'éliminer cette éventualité, on coupa les cartes brassées en un point déterminé par les températures extrêmes indiquées dans le quotidien local de Durham à une date ultérieure pré-déterminée.

On peut soulever un certain nombre d'objections pratiques évidentes à ce système pourtant ingénieux. Il entraîne nécessairement un retard dans la préparation de l'ordre cible du jeu, et l'on peut raisonnablement s'attendre à ce qu'un tel délai affaiblisse l'efficacité de tout phénomène psi précognitif qui aurait lieu. Dans l'expérience dont il est ici question, il y eut un délai parfois de deux jours, parfois de dix, entre le pronostic du sujet et le moment où les cartes apparaissaient dans leur nouvel

74

ordre. Les résultats ne permirent pas une mise en évidence manifeste de la précognition. Sur 57 550 pronostics, l'excédent de réussite par rapport aux résultats que le hasard aurait permis d'obtenir ne fut que de 11. On ne peut néanmoins pas conclure que cette disparition d'une déviation positive était causée par l'introduction d'une coupe déterminée par le hasard. Il a dû y avoir quelque autre cause, telle que l'effet de déclin né d'une expérimentation continue, ou bien la cause peut se situer dans le délai introduit par l'utilisation de la lecture des températures extrêmes pour déterminer le point de coupe.

Bien que la mise en évidence directe de la précognition, par une déviation positive des pronostics justes par rapport aux résultats espérés, ait disparu dans cette série, des indications demeuraient selon lesquelles la précognition intervenait dans les résultats. Ces indications venaient de l'observation des « effets de position », notamment de la tendance que présentaient les résultats à être plus élevés au début et à la fin de chaque épreuve et de chaque série de cinq pronostics lorsque ces séries étaient nettement séparées sur les feuilles de réponses. On les a appelés « effets de déclin. » Il est évident que de tels effets ne se manifesteraient pas dans un ensemble de réponses faites au hasard, si bien que leur apparition, si elle n'est pas purement fortuite, met indirectement en évidence l'influence de la précognition sur les réponses dans lesquelles elle se manifeste.

Alors que des facteurs de position importants indiquent qu'un facteur quelconque, autre que le hasard, détermine la correspondance entre les pronostics et l'ordre ultérieur des cartes, ces facteurs ne constitueraient pas une preuve convaincante si on les découvrait dans une seule série expérimentale. Dans ce cas, leur apparition pourrait n'être qu'un exemple de l'effet de « papier froissé » qui veut que l'on trouve toujours des symétries, même dans une série fortuite de faits, si on examine ceux-ci dans un esprit d'observation de toute symétrie apparente. On ne pourrait avoir l'assurance que ces effets ne sont pas fortuits que si leur première observation reposait sur une prédiction qu'une série ultérieure d'expériences viendrait confirmer. Ce fut ainsi que l'on confirma la réalité de l'existence des effets de déclin dans ces expériences sur la précognition.

Rhine et Humphrey (1942) se sont livrés à une nouvelle série d'expériences. Dans celle-ci, il y eut 1 000 séquences (25 000 pronostics). Parmi ces pronostics, un groupe d'adultes en fit 559, alors que des enfants en firent 441. Il n'apparut pas, chez les adultes, que leurs pronostics étaient influencés par la précognition, tant dans leurs résultats totaux (correspondant presque exactement au taux de probabilité moyen) que dans le taux de déclin de leurs séquences qui coïncidait aux résultats qu'aurait donnés le hasard. D'un autre côté, les enfants eurent des résultats qui dépassèrent de 55 le taux moyen de probabilité – excédent trop mince pour être significatif. Cependant ils eurent des séquences de déclin dans une proportion bien plus importante que n'en aurait donné le seul hasard. Cette expérience montre que la précognition était efficace dans le travail des enfants mais pas dans celui des adultes.

La validité de cette conclusion n'est pas affectée par le fait que la mise en évidence n'est pas du genre direct qu'apporterait une déviation, signifiante par rapport au taux de probabilité, des résultats des enfants, mais qu'elle est plutôt d'un genre indirect qui vient de la mesure des séquences d'effet. Logiquement, une mise en évidence indirecte est aussi bonne qu'une mise en évidence directe pourvu que, comme ici, il s'agisse d'une caractéristique prédite avant que l'expérience n'ait lieu. On ne découvrirait aucune sorte d'effet de position à moins que la précognition n'influe sur les résultats. La mise en évidence indirecte est, sans nul doute, moins efficace du point de vue psychologique pour emporter la conviction, mais logiquement elle est aussi efficace pour faire apparaître des preuves qui devraient convaincre.

Ces expériences ont bien mis en évidence que la précognition apparaissait dans des conditions de coupe aléatoire déterminée par une lecture ultérieure de la température, ce qui éliminait toute éventualité raisonnable d'explication par la psychokinésie. La mise en évidence est bonne, mais elle n'est pas flagrante dans la mesure où le degré de signification est faible; il est possible (mais cette possibilité est minime) que le résultat soit fortuit. Nous aurions quelque raison d'hésiter à accepter ces expériences comme des preuves de l'existence de quelque chose d'aussi peu probable que la précognition si elles étaient seules. Mais d'autres chercheurs, au cours d'expériences ultérieures, ont apporté des confirmations supplémentaires et nombreuses de la réalité de la précognition. L'une des expériences les plus impressionnantes est celle, récente, qu'a accomplie Helmut Schmidt et qui lui a permis d'obtenir des résultats significatifs dans une épreuve précognitive mécanisée portant sur quatre cibles.

Créativité et prémonition

Des preuves de la réalité de la précognition apparaissent aussi dans des expériences qui, à l'origine, n'allaient pas dans ce sens. On en trouvera un exemple récent dans une étude de Honorton sur le rapport qui existe entre des résultats précognitifs et des appréciations psychologiques de la créativité. Ceux de ses sujets que l'on estimait très créatifs n'obtinrent pas de résultats précognitifs très différents par rapport au taux moyen de probabilité, tandis que ceux que l'on jugeait moins créatifs présentèrent un manque de 251 touches sur 32 650 pronostics, c'est-à-dire une déviation négative d'environ 0,8 %. La différence entre les résultats des deux groupes était significative. La preuve d'une relation entre les résultats précognitifs et le taux de créativité montre aussi, de manière indirecte, la réalité de la précognition puisque des résultats purement aléatoires ne présenteraient aucune corrélation avec la créativité ou toute autre caractéristique mentale.

La plus grande partie du travail expérimental sur la précognition a porté sur des sujets non sélectionnés, présentant un pourcentage peu élevé de réussite, et dont les scores ont abouti à un résultat final qui, s'il est significatif, ne l'est pas de manière flagrante. Si une personne incrédule quant à l'existence de la précognition demandait jusqu'à quel point, à partir de ces seules expériences, les preuves sont flagrantes, la réponse serait loin d'être simple. On ne pourrait lui apporter une réponse entièrement satisfaisante qu'en compensant les résultats des expériences publiées réussies par les résultats de toutes les expériences, publiées ou non, qui ont échoué. Une telle estimation serait extrêmement vague, à moins qu'elle ne s'appuie sur des recherches portant sur tous les travaux publiés ou inédits. Il faudrait que ces recherches soient plus approfondies que celles qui, à ma connaissance, ont eu lieu jusqu'à maintenant. Je pense quant à moi que de telles recherches viendraient très fortement à l'appui de la réalité de la précognition, mais il ne s'agit que d'une opinion; quelqu'un préférant considérer la précognition comme une impossibilité serait en droit de ne pas la juger convaincante.

Ce n'est cependant pas uniquement sur des expériences relatives à des sujets non sélectionnés, et présentant un pourcentage peu élevé de succès, que repose l'évidence de la réalité de la précognition. Il existe également (comme dans le cas de la perception extra-sensorielle simultanée) des expériences accomplies avec des sujets doués et qui ont obtenu un pourcentage de réussite uniformément élevé.

La première de ces expériences a été faite par Tyrrell avec son sujet Miss Johnson (Tyrrell, 1936). Dans une expérience extra-sensorielle d'origine, Miss Johnson devait ouvrir une boîte, parmi cinq boîtes, que l'expérimentateur avait désignée comme cible en appuyant sur un bouton. La boîte choisie comme cible était aussi déterminée par un commutateur mécanique qui entraînait le choix aléatoire de la boîte qui servait de cible, et empêchait l'expérimentateur de savoir laquelle des boîtes allait servir de cible. On passa à une expérience précognitive lorsque Mr Tyrrell demanda à son sujet de choisir la boîte une demi-seconde avant que l'expérimentateur ne presse sur le bouton, sélectionnant ainsi la boîte cible. On vit bien que le sujet avait suivi ces instructions puisque l'instant où les deux boutons furent actionnés fut enregistré sur une bande qui montra que le sujet appuyait vraiment sur son bouton une fraction de seconde avant que l'expérimentateur n'en fasse autant.

Cette expérience de précognition présenta un pourcentage de succès élevé et significatif. Sur 2 255 essais, il y eut 539 touches, c'est-à-dire 88 de plus que le taux de probabilité moyen qui était de 451. Cela représente un pourcentage significatif de 4 % environ. Le taux de probabilité est de moins de un pour dix mille, si bien que le résultat est nettement significatif. Le but de l'expérience est tel qu'il ne semble pas possible de pouvoir expliquer ses résultats autrement que par l'intervention de la précognition.

En dépit des preuves statistiques, la précognition est difficile à admettre...

La cause de l'existence de celle-ci a bénéficié de preuves expérimentales importantes au cours des dernières années, preuves qui venaient en grande partie d'expériences qui n'avaient pas pour but de mettre à l'épreuve la réalité de la précognition. Le mode opératoire précognitif est très commode. C'est pourquoi nombreux sont ceux qui se livrent à la recherche psi (Schmeidler, Ryzl, Freeman et Nielsen) ayant choisi un mode opératoire précognitif et qui se sont rendu compte qu'il n'était pas moins fécond que d'autres méthodes expérimentales en ESP.

Si l'on tient compte des diverses sortes de témoignages expérimentaux, il est manifeste que la cause en faveur de la réalité de la précognition est très forte. Pourtant, de nombreux chercheurs dans le domaine psychique ont eu tendance à rejeter ces preuves, non parce qu'ils ne les jugeaient pas assez flagrantes, mais parce qu'il leur semblait qu'une prévision de l'avenir qui ne découlerait pas de déduction est en soi impossible. Il est certes difficile d'insérer la précognition dans un système rationnel quelconque portant sur ce qui peut ou non arriver. Le Pr Broad (1967) a fort bien souligné ces difficultés. Le problème essentiel est que chaque cas de précognition implique qu'un événement futur inconnu (tel que l'ordre des cartes d'un jeu après qu'elles ont été battues et coupées) exerce une influence sur un événement actuel (la consignation, par écrit, de l'ordre des cartes par un sujet expérimental). Mais au moment où l'ordre des cartes est noté les résultats du brassage et de la coupe ne possèdent encore aucune existence et on ne peut pas supposer qu'ils influent sur quoi que ce soit.

Le conflit est essentiellement entre les réussites alléguées dans les épreuves précognitives et la manière dont nous considérons les relations temporelles entre les causes et leurs effets. Lorsqu'un tel conflit naît entre des phénomènes avoués et des prévisions fondées sur notre manière de penser, il est possible de le résoudre en niant la réalité des phénomènes apparents. Il semblerait qu'il vaudrait mieux accepter les phénomènes qui reposent sur des observations solides et considérer qu'il convient de revoir nos manières de penser. Il semblerait que ce soit là la bonne manière d'aborder les difficultés de la précognition; si les phénomènes de la précognition s'opposent à notre vision habituelle du temps, alors il nous faut modifier notre vision du temps. De nombreux esprits perspicaces se sont engagés dans cette voie. Il se peut qu'aucune des approches nouvelles suggérées jusqu'ici ne présente de solution satisfaisante au problème, mais l'on peut s'attendre à ce qu'une solution apparaisse un jour. Il se peut que ce dont on a besoin pour résoudre le problème soit une pensée plus originale; il se peut qu'il s'agisse d'une connaissance expérimentale plus grande de la précognition. Il est probable que les deux seront nécessaires.

Alors que certains chercheurs dans le domaine de la métapsychique ont rejeté la perception extra-sensorielle précognitive comme impossible, d'autres ont envisagé la possibilité selon laquelle toutes les réussites ESP seraient précognitives. Il est tout à fait possible qu'une expérience de divination de cartes ESP ordinaire, c'est-à-dire supposée impliquer la télépathie ou la clairvoyance, puisse être réussie parce que le percipient a vu à l'avance la position finale des cartes. Si c'était le cas, il serait inutile de supposer l'existence de la télépathie ou de la clairvoyance, puisque la réussite serait due alors, non à la réception d'une information émise par l'esprit de l'agent ou par les cartes elles-mêmes, mais à une prévision du résultat final. Bien que les recherches en ce sens soient loin d'être épuisées, les preuves dont nous disposons pour l'instant vont à l'encontre de cette position. Si cela expliquait la réussite à une épreuve ESP, nous devrions nous attendre à une diminution brusque du pourcentage de réussites dans la mesure où la vérification survient plus longtemps après le pronostic. Quoi qu'il y ait peut-être quelque rapport entre la réussite et le moment de la vérification, la relation n'est manifestement pas aussi étroite que nous pourrions le penser en fonction de cette théorie.

On peut apporter une objection plus sérieuse en disant qu'il peut y avoir réussite lorsqu'il n'y a pas d'ordre futur des cartes à connaître à l'avance. L'on peut s'en assurer par un mode opératoire dans lequel on n'enregistre que le nombre de réussites, sans vérifier les pronostics individuels que le sujet peut être censé avoir prévus. On s'est livré avec succès à de nombreuses expériences extra-sensorielles dans ces conditions qui semblent exclure l'éventualité, pour le percipient, de ne pas répondre à un phénomène actuel mais à un phénomène situé dans l'avenir.

L'état actuel des témoignages donne nettement à penser que la précognition du résultat final n'explique vraisemblablement pas la réussite dans les expériences de perception extra-sensorielle. Il semble plutôt que les expériences de type précognitif révèlent une forme particulière de perception extra-sensorielle dans laquelle la cible est un fait futur. On pourrait exprimer cela différemment en disant que ces expériences semblent montrer que la perception extra-sensorielle ne se borne pas à des cibles qui existent au moment présent, mais qu'elle peut s'étendre à des cibles qui, dirons-nous, comme nous le faisons habituellement lorsque nous parlons du temps, n'existent pas encore.

ROBERT THOULESS

Chapitre V

Les surprises d'un savant

Des témoignages constituant des invitations à s'interroger sur une dimension inconnue de l'esprit humain ont été présentés, après une sélection rigoureuse, par le Pr Charles Richet, prix Nobel de médecine en 1913 et membre de l'Académie des Sciences en 1914.

Ils sont toujours d'actualité. Ils montrent ce qui retient aujourd'hui comme hier l'attention de grands savants, qui cherchent d'autres schémas explicatifs de l'homme et de l'univers que ceux proposés par habitude mentale et sans preuves convaincantes.

La première étape n'est pas d'expliquer les faits paranormaux mais bien de s'assurer qu'ils existent, comme du silicium dans telle roche, ainsi que le dit Richet. L'honnêteté consiste aussi à ne pas exclure ceux qui paraissent à première vue les plus difficiles à expliquer, les plus incroyables.

Des adversaires de l'œuvre parapsychologique de Richet ont dit qu'il était trop crédule en se préoccupant des facultés psi, pour ensuite redevenir un expérimentateur exceptionnel dans d'autres disciplines. Cette hypothèse d'un renversement perpétuel de ses aptitudes à cerner la vérité est absurde. En fait, Richet a comme d'autres esprits encyclopédiques montré qu'il était possible de ne pas se laisser emprisonner dans un seul domaine et une vision trop étroite des choses. Il appartient à cette famille d'esprits qui croient que l'on a la possibilité de réfléchir à tout, à défaut de tout comprendre.

Il fut également romancier, sociologue, psychologue et l'un des précurseurs de l'aviation. Il mit au point, en 1897, avec Victor Tatin, un avion miniature de quelques dizaines de kilogrammes qui parcourut plusieurs centaines de mètres. « On me tenait pour un illuminé, désinséré du réel », écrit Richet. « Les compétences ne prenaient pas au sérieux notre certitude du vol mécanique plané... Les savants, malgré leurs prétentions, ne sont que des hommes ».

En parapsychologie (appelée alors métapsychique), Richet disait que toutes les théories lui paraissaient d'une «fragilité effarante». Il s'attacha à déterminer les faits.

81

◀ *Les prodiges apparaissent de façon insolite et inattendue dans notre univers quotidien comme des fragments de réalité. Pourquoi sont-ils là? A quelle réalité invisible se rattachent-ils? (Colonne à Baalbeck, Liban.)*

J'ai voulu prouver qu'il y a, atteignant la conscience humaine, des réalités dont nos sens normaux n'apportent pas la connaissance. Autrement dit, la notion d'un fragment de la réalité nous parvient parfois par des voies autres que les voies sensorielles normales. Ce sont ces voies, très mystérieuses encore, que j'appellerai celles du *sixième sens*.

Je n'entrerai dans aucune discussion sur les modalités hypothétiques de ce sixième sens. Mon dessein est plus étroit, trop étroit peut-être, car je tâcherai uniquement de prouver que le sixième sens existe, sans chercher à pénétrer son mécanisme même, sans prétendre approfondir les conditions dans lesquelles il apparaît. C'est très terre à terre, je le sais.

Et je prends tout de suite une comparaison. Voici un fragment de roche. Je veux prouver qu'il y a du silicium dans cette roche. Je pourrais, bien entendu, chercher sous quelle forme existe ce silicium, quelle est sa proportion, comment il est arrivé dans cette roche. Mais j'ai bien le droit de limiter ma recherche et de m'abstenir de toute discussion, accessoire, selon moi, en ce moment : « Y a-t-il du silicium dans cette roche? » Je ne cherche rien d'autre. Tous mes efforts se bornent à vouloir prouver qu'il y a du silicium, et intentionnellement je n'irai pas au delà.

De même, ici, je veux prouver qu'il y a un sixième sens, et, au risque de mutiler ma pensée, je n'irai pas plus loin.

Peut-être ainsi donnerai-je plus de force à ma démonstration.

Je commencerai par les hallucinations véridiques.

Voici la lettre de M. Frédéric Wingfield, Belle-Isle-en-Terre, Côtes-du-Nord, 20 décembre 1883 :

« Dans la nuit du jeudi 25 mars 1880, j'allai me coucher après avoir lu assez tard, comme c'était mon habitude. Je rêvai que j'étais étendu sur mon sofa et que je lisais, lorsqu'en levant les yeux je vis distinctement mon frère Richard Wingfield Baker, qui était assis sur une chaise devant moi. Je rêvai que je lui parlais, mais qu'il inclinait simplement la tête en guise de réponse, puis se levait et quittait la chambre. Lorsque je me réveillai, je constatai que j'étais debout, un pied posé par terre près de mon lit, et l'autre sur mon lit, et que j'essayais de parler et de prononcer le nom de mon frère. L'impression qu'il était réellement présent était si forte, et toute la scène que j'avais rêvée si vivante, que je quittai ma chambre à coucher pour chercher mon frère dans le salon. J'examinai la chaise où je l'avais vu assis, je revins à mon lit et j'essayai de m'endormir, parce que j'espérais que l'apparition se produirait de nouveau.

Je crois m'être endormi vers le matin. Mais, lorsque je me réveillai, l'impression de mon rêve était aussi vive que jamais, et elle est restée jusqu'à cette heure aussi forte. Le sentiment que j'avais d'un malheur imminent était si puissant que je notai dans mon journal : *Apparition, nuit du jeudi 20 mars 1880. R.B.W.B. God forbid.*

Trois jours après, je reçus la nouvelle que mon frère Richard Wingfield Baker était mort le jeudi soir, 20 mars 1880, à 8 h 30, des suites de blessures terribles qu'il s'était faites dans une chute de cheval en chassant.

Je dois ajouter qu'il y avait un an que j'habitais cette ville, que je n'avais pas de nouvelles récentes de mon frère, que je le savais en bonne santé et que c'était un excellent cavalier.

Je n'ai communiqué mon rêve immédiatement à personne, parce qu'aucun de mes amis n'était à côté de moi en ce moment, mais je racontai l'histoire après nouvelle reçue de la mort de mon frère, et je montrai la note écrite dans mon journal.

Je vous donne ma parole d'honneur que les choses se sont passées exactement comme je vous les raconte. »

Le prince Lucinge de Faucigny, ami de Wingfield, confirme en tout point ce récit.

Le *Times* du 30 mars 1880 et l'*Essex Independent* annoncent la mort de M. R.B. Wingfield-Baker à Orsett Hall (Essex), le 20 mars vers 9 heures.

Quatre hypothèses seulement se présentent :

1. Fraude, mensonge
2. Erreur, illusion
3. Hasard, coïncidence
4. Vibrations de la réalité, exercice du sixième sens.

L'idée que lord Wingfield a menti et qu'il a frauduleusement écrit les mots : *Apparition du 20 mars : R.B.W.B., Que Dieu nous préserve,* est d'une invraisemblance absolue. Wingfield donne sa parole d'honneur que les faits se sont passés ainsi, et cette parole venant d'un pair d'Angleterre, lorsqu'il n'a eu aucun intérêt à mentir, est suffisante, d'autant plus que cinq jours après il a raconté cette histoire au prince de Lucinge Faucigny, dont on ne peut pas plus suspecter la loyauté que celle de Wingfield.

Il est impossible d'admettre une erreur de date ou de souvenir. Les détails sont précis. W. essaie de parler et de prononcer le nom de son frère. Il quitte la chambre à coucher pour passer dans une autre pièce. Il examine la chaise où il a vu son frère assis. Il en a conservé le souvenir bien net et il en parle quelques jours après avec son ami le prince de Lucinge. Donc l'erreur de date, de personne, est aussi invraisemblable que le mensonge.

Coïncidence! Cette hypothèse a plus de force que les deux autres, encore qu'elle ne soit guère acceptable. Certes la mort de Richard Baker n'a pas été indiquée avec la précision d'un billet de faire-part. Même l'indication de la mort n'a pas été donnée. Pourtant la recognition de R.B. a été complète.

Wingfield n'a jamais eu d'hallucinations. Il en a eu une dans sa vie, et une seule. Elle coïncide exactement avec la mort de son frère, et ce n'est pas une hallucination quelconque. C'est la vision très nette de son frère qui n'était pas en danger, qui n'était pas malade, puisqu'il suivait une chase à courre. Il ne viendra à personne l'idée de prétendre qu'il n'y a pas rapport de cause à effet entre l'hallucination de Frédéric Wingfield et la mort de Richard Wingfield.

D'ailleurs, l'objection du hasard peut toujours être faite à toutes les expériences, quelles qu'elles soient, à toutes les observations, quelles qu'elles soient. Elle est tellement absurde qu'il vaut mieux n'en plus parler.

Par conséquent, puisqu'on ne peut admettre ni la fraude, ni l'erreur, ni la coïncidence, il ne reste qu'une hypothèse acceptable : c'est que la réalité, sous la forme d'une vibration quelconque (de nature inconnue) a touché l'intelligence de F. Wingfield, et mis en jeu son sixième sens.

Une vision trop paisible

Il s'agit encore d'une monition de mort. Elle est relatée par Emma Burger, une femme intelligente et dévouée qui a été à mon service pendant plus de vingt ans.

Elle était fiancée avec Charles B., et le mariage était convenu. Elle était alors en service chez la comtesse d'Ussel, en Corrèze. Le 1er août 1875, Emma partit de Paris pour Ussel. Le 7 août elle reçut une lettre de Charles, lui apprenant que pour affaires de famille il quittait Paris et allait passer quelques jours dans les Ardennes. La santé de Charles était bonne. Le mariage était décidé, et Emma n'avait aucune inquiétude sur la santé de son fiancé.

Le soir du 15 août, Emma couchait comme d'habitude dans un cabinet de toilette contigu à la chambre de la comtesse d'Ussel, dont la porte était ouverte. A côté de son lit, était la petite porte de l'escalier de service, porte masquée par le rideau du lit, de sorte qu'une personne qui était dans le lit devait écarter le rideau et se lever pour voir qui entrait par l'escalier.

Voici le récit que m'a fait Emma :

« Vers 11 h 30 du soir, je venais de me mettre au lit, Mme d'Ussel était couchée dans la chambre voisine. J'ai alors entendu un léger bruit, comme si la porte du petit escalier s'ouvrait. Je me suis mise à genoux sur le lit pour soulever le rideau et voir la personne qui entrait. Alors j'ai aperçu distinctement la personne de Charles B. Il était debout. Son chapeau et sa canne étaient dans la main droite. De la main gauche il tenait la porte entr'ouverte, et restait dans l'entrebâillement de la porte. Il avait son costume habituel de voyage. Une veilleuse était dans la chambre. (Cette lumière suffisait-elle pour expliquer l'extrême netteté avec laquelle j'ai aperçu tous ses traits, sa physionomie et le détail de son costume?) Sa figure était souriante. Il m'a regardée sans rien dire en s'arrêtant dans la porte. Alors je lui ai dit avec sévérité : « Que venez-vous faire ici? Mme d'Ussel est là. Partez, partez donc. » Comme il ne disait rien, j'ai répété de nouveau : « Partez, mais partez donc. » Alors il m'a répondu en souriant, et avec une grande tranquillité : « Je viens vous faire mes adieux, je pars en voyage. Adieu. » C'est à ce moment que Mme d'Ussel, qui, n'étant pas encore endormie, lisait dans son lit, ayant entendu parler tout haut, me dit : « Mais qu'avez-vous donc, Emma? Vous rêvez? » Moi, au lieu de lui répondre, croyant toujours que Charles B. était réellement devant moi, je lui dis à voix plus basse : « Mais partez donc. » Et alors il disparut, non pas subitement, mais comme quelqu'un qui ferme une porte et qui s'en va. C'est seulement alors, sur une demande plus pressante de Mme d'Ussel, que je répondis : « Mais oui, Madame, j'ai eu un cauchemar. »

« J'étais parfaitement réveillée. Je pensai alors que Charles B. était venu me surprendre, mais je ne me tourmentai pas outre mesure, et au bout d'un certain temps je m'endormis tranquillement.

« Le lendemain matin je fus fort étonnée de ne pas entendre parler de Charles B. Je demandai si on ne l'avait pas vu. On se moqua de moi, et je finis par croire que j'avais rêvé. »

Le surlendemain Emma recevait une lettre (que j'ai lue) lui annonçant que Charles B. était mort dans la nuit du 15 au 16 août. Il paraît qu'il est mort d'une maladie de cœur que tout le monde ignorait et qui ne s'était traduite par aucun symptôme.

Une amie d'Emma, Jeanne Aurousseaux, confirme ces faits. Voici ce qu'elle m'a écrit : « Le 16 août, au matin Emma me dit : « Vous m'avez donc envoyé quelqu'un cette nuit? J'ai vu mon fiancé dans ma chambre. » Alors je lui ai dit : « Vous êtes folle, taisez-vous. » Et nous nous sommes tous moqués d'elle. Mais elle dit : « Je suis sûre que mon fiancé est venu, vous pouvez vous moquer de moi, mais c'est vrai. »

L'avertissement d'un suicide

M. Gaston Fournier, qui fut un de mes excellents amis, m'a écrit la lettre suivante : « Le 21 février 1879, j'étais invité à dîner chez mes amis M. et Mme B. Je comptais rencontrer M. d'Escudet, leur commensal habituel, employé dans une maison de banque. Mais il paraît qu'on ne l'avait pas vu depuis deux jours. Nous devions après le dîner achever notre soirée au théâtre. Nous dînâmes gaiement, sans parler de d'Escudet. Au dessert, Mme B. se lève pour aller s'habiller dans sa chambre, dont la porte, restée entr'ouverte, donne dans la salle à manger. B. et moi étions restés à table, fumant notre cigare, quand après quelques minutes nous entendîmes un cri terrible. Nous nous précipitons dans la chambre, et nous trouvons Mme B. prête à se trouver mal.

Elle se remet peu à peu et nous dit : « Après vous avoir quittés, je m'habillais pour sortir, et j'étais en train de nouer les brides de mon chapeau devant la glace, quand tout à coup j'ai vu dans cette glace d'Escudet entrer par la porte. Il avait son chapeau sur la tête, il était pâle et triste. Sans me retourner, je lui adresse la parole : « Tiens, d'Escudet, vous voilà! asseyez-vous donc. » Et, comme il ne répondait pas, je me suis retournée et n'ai rien vu. Alors, prise de peur, j'ai poussé le cri que vous avez entendu. »

» B. essaie de rassurer sa femme et la plaisante, mais elle reste tremblante. Pour couper court, nous proposons de partir tout de suite afin de ne pas manquer le lever du rideau. Mais Mme B. nous dit qu'il y a là quelque chose d'extraordinaire, et veut avoir immédiatement des nouvelles de d'Escudet, qui d'ailleurs demeurait tout près.

» En arrivant chez d'Escudet, nous apprenons du concierge qu'il n'est pas sorti de la journée. Nous montons chez lui, nous sonnons et nous frappons. Pas de réponse. Alors, véritablement effrayés, nous faisons venir un serrurier. On force la porte et nous trouvons le corps de d'Escudet encore chaud couché sur son lit et troué de deux coups de revolver : sur la cheminée, il y avait une lettre de d'Escudet annonçant à M. et à Mme B. sa résolution, lettre particulièrement affectueuse pour Mme B. »

La télépathie n'explique pas tout

J'attache une grande importance à l'observation suivante; car je puis certifier, puisque j'en ai été le témoin, l'exactitude de tous les détails.

Au commencement d'août 1878, mon grand-père, Charles Renouard, âgé de 84 ans, est légèrement souffrant. Mais, comme sa santé était d'ailleurs excellente, cette petite indisposition ne l'empêche pas de rester levé, d'aller et de marcher comme d'habitude. Il demeurait alors au château de Stors (Seine-et-Oise), chez Mme Cheuvreux, sa belle-sœur.

Le dimanche 11 août, je vais à Stors, et je trouve mon grand-père très bien portant. Il est convenu que ma femme et moi nous irons la semaine suivante à Stors pour passer quelques jours avec lui. Nous étions alors à Meudon, aux environs de Paris.

Le samedi matin, 17 août, à 7 heures, comme j'étais déjà levé et que j'achevais de m'habiller, ma femme se réveille en pleurant et me dit : « C'est affreux, je viens de voir ton grand-père très, très malade; il était dans son lit, et ta mère était debout, penchée sur lui. »

Je ne tiens pas compte de ce rêve, car, à cette époque lointaine, je ne croyais pas du tout aux rêves véridiques. Je rassure ma femme facilement, et nous partons en voiture pour Paris avec mon beau-père. Je me rappelle très bien que nous avons été très gais pendant le voyage. Or, en arrivant à Paris, vers 10 heures du matin, j'apprends par un télégramme que mon grand-père était mort presque subitement dans la nuit du 16 au 17 août.

Voici ce qui s'était passé. Vers 2 h 30 du matin, subitement, mon grand-père s'était senti très souffrant. Il avait appelé, et ma mère était arrivée à son chevet. Elle est restée près de lui jusqu'au moment fatal (5 heures du matin). Les accidents (cardiaques) s'étaient aggravés rapidement.

J'ajoute que nous ne savions absolument pas que ma mère était à Stors. C'est par hasard qu'elle s'y trouvait.

Le rêve de ma femme retarde environ de 2 heures sur la mort de mon grand-père.

Faisons remarquer que presque toujours les personnes ayant eu des rêves ou des hallucinations véridiques en gardent tenacement le souvenir. Tout se passe comme si l'intelligence était alors fortement ébranlée, et que cet ébranlement se grave dans l'esprit de manière à se rendre indélébile.

Le Professeur Charles Richet.

Quant à la cause qui a déterminé cet ébranlement cérébral, ces cas sont insuffisants pour la déterminer avec certitude, et cependant déjà nous pouvons supposer que ce n'est pas la télépathie. En effet, Mme Ch. Richet voit mon grand-père mourant et ma mère penchée sur son lit, tableau conforme à la réalité. Si c'était simplement la pensée de mon grand-père se communiquant à ma femme, au moment où il meurt, il n'y aurait aucune raison pour que se fût présentée à l'esprit de ma femme la scène qui accompagne sa mort.

Remarquons aussi le symbolisme de ces hallucinations. Tout se passe comme si l'intelligence du percipient, atteinte par cette vibration du réel, reconstituait un drame. La scène peut être plus ou moins véridique, les détails peuvent être plus ou moins erronés. La trame demeure. Charles B. dit : « Je vais faire un voyage, je viens vous dire adieu ». Le fantôme apparaît comme une réalité alors qu'il n'est pas là. Des détails de l'habillement sont imaginés. (Veut-on que le fantôme apparaisse nu?) D'Escudet a son chapeau sur la tête. Ma mère est au chevet du lit de son père, penchée sur lui. Le rêve est conforme à la réalité, mais il s'y ajoute des éléments que l'intelligence, émue par une connaissance vague du fait, développe, amplifie, transforme pour rendre le sens de ces monitions accessible à nos conceptions qui ne peuvent être qu'anthropomorphiques.

Par conséquent, de ce premier examen sommaire nous pouvons déjà déduire qu'il y a perception confuse de la réalité par le secours d'un sixième sens [1].

Les visions collectives

Jusqu'à présent nous avons supposé que le phénomène hallucinatoire était purement mental, et que l'hallucination véridique ou le rêve véridique n'avaient pas une réalité objective, d'ordre mécanique ou physico-chimique, extérieure.

---

1. J'ai rapporté dans mon *Traité de Métapsychique* l'histoire curieuse du comte de Rambouillet et du marquis de Précy (dom Calmet, *Dissertation sur les apparitions,* 1745). Voici un autre document ancien que j'ai eu la joie de découvrir. Il est dans les *Histoires prodigieuses* (1578) de François de Belleforest, un Commingeois.

« Le propre jour que mon père mourut, comme je ne susse rien de sa maladie, ni moins de sa mort, le propre jour de la feste de notre Dame de Septembre, la nuit estait en un jardin, sur les onze heures de nuit avec mes compagnons, j'allai pour esbranler un poirier, où je ne fus pas sitôt écarté seul que je vis devant moi la propre figure de mon père tout blanc en couleur, mais d'une grandeur excédant la proportion naturelle, laquelle représentation s'approchant de moy pour m'embrasser, je m'escriai si haut que mes compagnons soudain y accoururent; et, la vision s'évanouissant, je leur rapportai ce qui m'était advenu, et leur dis que pour vray c'estait mon père. Notre pédagogue, adverty de ce fait, s'assura de la mort, laquelle pour vray advint sur l'heure mesme que ceste figure m'apparut. »

On rapprochera cette histoire curieuse de la prémonition de la mort du roi de France Henri II (1559) (*Traité de Métapsychique*, p. 487).

On a fait une autre hardie hypothèse. On a supposé, sans aucune preuve d'ailleurs, que chaque individu a un corps astral, et que le *corps astral* (?) de l'individu qui meurt se transporte en un point quelconque de l'espace pour aller frapper l'intelligence du sensitif. Et, en effet, dans quelques cas *très rares,* il y a monition collective, c'est-à-dire que plusieurs personnes perçoivent la réalité qui se présente à eux sous la forme d'une hallucination.

Mme Wickham, à Malte, allait tous les jours à l'hôpital où était soigné pour une blessure reçue à Mers-El-Kebir un officier anglais. La blessure se compliqua de gangrène et la mort était imminente.

Un soir, pensant que la fin n'aurait pas encore lieu pendant la nuit, Mme Wickham consentit à se retirer chez elle. Or, vers 3 heures du matin, son jeune fils, âgé de neuf ans, l'appelle en criant : « Maman, maman, voici M. B. ». « Je me lève précipitamment, écrit Mme Wickham. La forme de M. B. flottait dans la chambre à environ 15 centimètres du plancher. Il disparut au travers de la fenêtre en me souriant. Il était en toilette de nuit, mais le pied malade, gangrené, me parut semblable à l'autre pied. Mon fils et moi nous l'avons remarqué.

» Une demi-heure après on m'apprit que M.B. venait de mourir. »

Voici un autre témoignage. Mme Obalcheff, à Odessa, était couchée dans son lit avec son enfant. A côté d'elle dormait Claudine, sa servante. Soudain, levant les yeux vers la porte, elle voit, dit-elle, entrer lentement son beau-père en pantoufles, vêtu d'une robe de chambre à carreaux que Mme Obalcheff n'avait jamais vue. S'approchant du fauteuil sur lequel il s'appuya, il enjamba les pieds de la domestique et s'assit doucement. En ce moment la pendule sonnait 23 heures. « Quoique sûre de voir distinctement mon beau-père, écrit Mme Obalcheff, je m'adressai à la domestique, en disant : « Je ne le reconnais pas ». Claudine, tremblant de frayeur, me dit : « Je vois Nicolas Nilowitch » (le nom de mon beau-père). Alors, il se leva, enjamba de nouveau les pieds étendus de Claudine et disparut. »

Mme Obalcheff va réveiller son mari. On visite l'appartement, mais on ne voit rien.

M. Nilowitch, que Mme Obalcheff, Claudine ont vu simultanément, mourait en ce moment même à Tver [1].

Le témoignage suivant est personnel. Un matin, à l'heure du petit déjeuner, 8 heures, mon fils Georges, âgé de 20 ans, et ma fille Louise, âgée de 18 ans, se communiquèrent leurs impressions. « J'ai rêvé, dit Georges, qu'il y avait la mort d'un ami à moi. Pourvu que ce ne soit ni X., ni Ludovic. Mais ce n'est ni l'un, ni l'autre ». Louise, ma fille, dit : « J'ai rêvé que mon cousin Paul Aubry était mort et que je disais à Jacques, mon frère : ce n'est pas possible qu'il soit mort, puisque tu es allé avec lui au théâtre ».

1. Flammarion, *L'inconnu et les phénomènes psychiques,* p. 194.

Or, dans cette même nuit, Ludovic (pseudonyme), proche cousin de mes enfants, sans motifs, et n'ayant parlé à personne de ce sombre projet, s'était empoisonné avec de la strychnine.

On remarquera : 1° que cette monition est collective; 2° que Georges a pensé à Ludovic, quoique ce soit pour écarter cette pensée; 3° que Paul Aubry est un cousin de mes enfants au même titre que Ludovic; 4° que Ludovic avait été la veille de sa mort au théâtre avec mon fils Jacques.

Si je rapporte cette observation, encore que la recognition ne soit qu'ébauchée, c'est que je suis sûr de ces deux témoignages. Il est vrai qu'il n'y a eu *qu'une vibration funèbre* (je ne peux trouver de meilleure expression), se rapportant, quoique d'une manière très indistincte, à Ludovic, vibration qui fut perçue simultanément par mes deux enfants.

Je n'ai pas besoin d'ajouter que le triste dessein de Ludovic était absolument inconnu de qui que ce soit [1].

Le nombre des hallucinations collectives est bien moindre que celui des hallucinations véridiques isolées.

D'autres sortes d'avertissements paranormaux

1. Cette première observation est d'une véritable importance, car c'est celle qui a déterminé l'illustre William James à croire aux phénomènes métapsychiques.

Une jeune fille, Berthe, disparaît le 31 octobre 1898 à Enfield (New Hampshire). On la recherche activement. Plus de cent personnes sont envoyées pour explorer les bois et les rivages du lac. On savait qu'elle s'était dirigée vers le pont Shaker. Mais on ne l'avait pas vue au-delà. Un scaphandrier avait fait des explorations dans le lac et près du pont, mais n'avait rien pu trouver.

Or, dans la nuit du 2 au 3 novembre, Mme Titus, à Lebanonville, qui est à 8 kilomètres d'Enfield, rêve qu'elle voit le corps de Berthe à un endroit déterminé : le lendemain matin elle va sur le pont Shaker et indique au scaphandrier très exactement, à *un pouce près,* l'endroit où se trouvait le corps de Berthe : « La tête en bas, dit-elle, et de manière qu'on ne pouvait voir qu'un caoutchouc d'un de ses pieds. » Le scaphandrier, suivant les indications de Mme Titus, trouva le corps enveloppé dans les branchages à 7 mètres de fond. L'eau était très obscure. « Je fus très impressionné, dit le scaphandrier : les cadavres dans l'eau ne me font pas peur, mais j'avais peur de la femme qui était sur le pont. Comment une femme peut-elle venir de 8 kilomètres pour dire où est le corps? Il gisait dans un trou profond, la tête en bas. Il faisait si noir qu'on ne pouvait presque rien voir. »

1. *Traité de Métapsychique*, p. 437.

2. Pendant la guerre, à la fin de 1916, je fis passer une note dans le *Bulletin des Armées* pour demander aux combattants, officiers ou soldats, s'ils n'avaient pas quelque phénomène métapsychique à me communiquer. Voici ce que m'écrivit le capitaine V., du 13e bataillon de chasseurs alpins, le 14 janvier 1917.

« Le 3 septembre 1916, lors de l'attaque du Chemin Creux en Maulpas, le sous-lieutenant D. fut atteint par une balle aux deux bras et quitta la ligne pour aller se faire panser à l'arrière. Le soir, et pendant quinze jours de suite, il manqua à l'appel. On le chercha en vain dans toutes les ambulances : il fut porté disparu.

» Le 18 septembre 1916, le 13e bataillon revint dans le même secteur, où la ligne avait été portée environ à 3 kilomètres en avant. Dans la nuit du 18 au 19, un ami intime de D., le sous-lieutenant V., vit en rêve, dans un trou d'obus au bord du Chemin Creux, au pied d'un saule, D. agonisant qui lui reproche violemment de laisser ainsi mourir sans secours son meilleur ami.

» V., officier le plus froid du monde, calme, sceptique, était cependant obsédé par son rêve. Il alla trouver le commandant, qui ne le prit pas au sérieux d'abord, puis, par complaisance et pour en finir, accorda une courte permission à V. pour faire une enquête au Chemin Creux. V. y arrive et y retrouve le cadre de son rêve. Au pied d'un saule, une baguette, avec cette étiquette : « Ici deux soldats français. » Rien ne pouvait faire soupçonner la présence en cet endroit des restes de D. Pourtant on découvrit que c'était bien D. qui avait été inhumé là depuis quinze jours environ.

» Cet étrange fait pourra être attesté par les officiers du 13e bataillon de chasseurs, mais ils ont autre chose à faire. »

On notera à quel point ce rêve est symbolique. Il est difficile de supposer autre chose que la perception extra-sensorielle par V. de l'endroit où D. avait été inhumé. Et alors, sur cette donnée, l'intelligence inconsciente de V. a échafaudé une sorte de roman symbolique.

3. Mme Severn [1] étant dans son lit le matin, vers 7 heures, s'éveille en sursaut, ayant la sensation qu'elle a été coupée à la lèvre supérieure par un coup violent. Elle croit qu'elle saigne et applique son mouchoir à la partie atteinte, mais elle est étonnée de ne pas voir de sang. « Je conclus, dit-elle, que j'avais rêvé. Je regardai ma montre, je vis qu'il

---

1. Une des hallucinations véridiques (symboliques) les plus étranges est celle du Pr Charles Demay. M. Demay voit le 10 juillet un de ses anciens camarades, G., qui insiste pour obtenir un service. C'était à Paris près du pont Saint-Louis. Comme M. Demay ne pouvait rien pour lui, G. paraissait désespéré. M. Demay rentre à Dijon. Dans la nuit du 12 au 13 juillet, il rêve qu'il descendait en bateau sur la Seine, près de l'Ile Saint-Louis. Soudain il se sent la main mordue par un poisson. Il la retire, effrayé. Ce poisson avait la tête de G. Il était 2 heures du matin.
Or G. est mort vers 2 heures du matin en se jetant dans la Seine cette nuit même.
On peut concevoir qu'une monition vague s'est transformée en un drame dans la conscience de Demay (cité par Boirac, 1912).

était 7 heures, je remarquai que mon mari n'était pas là, et pensai qu'il était allé faire une promenade sur le lac dans son bateau à voile.

» Alors je me rendormis. Arthur, mon mari, arriva en retard au déjeuner, à 9 h 30, et je remarquai qu'il s'asseyait intentionnellement plus loin de moi que d'habitude, et que de temps en temps il portait furtivement son mouchoir à ses lèvres, exactement comme je l'avais fait, et au même endroit. Je lui dis : « Arthur, pourquoi faites-vous cela? » Et j'ajoutai, un peu plus inquiète : « Je sais que vous vous êtes fait du mal, je vous dirai après comment je le sais. » Il me répondit : « Pendant que j'étais en bateau, il arriva une rafale soudaine, la barre du gouvernail me frappa à la bouche (à la lèvre supérieure) et j'ai beaucoup saigné. Il devait être environ 7 heures. »

4. Voici un fait que mon fils, le Dr Charles Richet, m'a rapporté. « Le lundi 13 décembre 1926, j'étais endormi dans mon lit, à côté de ma femme, quand je me réveillai ayant fait un rêve pénible. Je m'imaginais, en mon rêve, lire dans un journal que mon excellent ami X... venait d'être tué dans un accident d'automobile. Il était 7 heures du matin. Je raconte mon rêve à ma femme, et, comme nous étions dans un demi-sommeil, nous nous rendormons tous les deux. Environ une demi-heure après, je suis appelé au téléphone, et là on m'avertit de chez X... qu'il venait d'avoir un accident sérieux et qu'il fallait me rendre chez lui en toute hâte. Je reviens auprès de ma femme à qui je raconte l'appel téléphonique et elle me dit alors : « Il y avait donc quelque chose de vrai dans ton rêve! »

En réalité, voici ce qui était arrivé à X. Le matin, vers 7 h, en se levant pour aller aux cabinets, il avait été pris d'une syncope, et était tombé brutalement sur une porte, si brutalement qu'il s'était fait une forte entaille (de 13 centimètres) au cuir chevelu. La blessure saignait abondamment, si bien qu'il fallut avoir recours à un chirurgien pour faire la ligature d'une artériole. L'accident, du reste, n'eut pas de suites.

Mme Charles Richet confirme en tout point le récit de son mari. Elle ajoute ce fait intéressant que Charles se rappelait à peine le rêve qu'il avait fait : il avait donc parlé dans l'état de demi-rêve.

Mes observations personnelles

Il y a plusieurs années, je rendais visite à une dame qui n'avait jamais visité mon laboratoire et qui n'entendait absolument rien aux choses de la physiologie. Je lui dis : « Je vais faire tout à l'heure une leçon sur le venin des serpents. » Elle me dit : « J'ai rêvé de serpents, ou plutôt d'anguilles, cette nuit. » Alors, et naturellement sans lui dire pourquoi, je la prie de me raconter son rêve.

Voici textuellement ses paroles : « C'étaient plutôt deux anguilles que deux serpents, car je voyais leur ventre blanc et leur peau visqueuse, et je me disais : je n'aime pas beaucoup ces bêtes-là, mais cependant cela me fait de la peine quand on leur fait du mal. »

Or, ce rêve a été étonnamment conforme à ce que j'avais fait la veille, 1er décembre. J'avais, ce jour-là, pour la première fois depuis vingt ans, expérimenté à mon laboratoire du boulevard Brune avec des anguilles (deux anguilles) pour leur prendre du sang. Je les avais fixées sur une table. Leur ventre blanc, nacré, reluisant, m'avait frappé. Naturellement je n'avais parlé de cette expérience à personne.

Un soir de l'hiver 1899, j'étais chez moi, dans ma bibliothèque. Ma femme avait été ce soir-là à l'Opéra avec ma fille Louise. Soudain, vers 22 h 30, je me suis imaginé, la première fois de ma vie, et sans qu'il y eût la moindre odeur de fumée dans la chambre, qu'il y avait un incendie à l'Opéra. Ma conviction fut assez forte pour que j'écrivisse sur un bout de papier : *feu! feu!* Quelques minutes après je me figurai que ce n'était pas assez, et j'écrivis! *Att.* (c'est-à-dire, attention.) Puis je me remis, sans aucune inquiétude d'ailleurs, à mon travail. Vers minuit, dès que ma femme et ma fille rentrèrent, tout de suite je leur demandai s'il y avait eu un incendie. Elles furent extrêmement surprises. « Non, me répondit ma femme, il n'y a pas eu d'incendie, mais une menace d'incendie. Même nous avons eu très peur. A un moment, dans un entr'acte, il y a eu une rumeur; je suis sortie précipitamment de la loge pour savoir ce qu'il en était. On m'a rassurée, et la représentation a continué sans encombre. »

Mais ce n'est pas le seul élément singulier. Au moment où j'écrivais sur un papier : *Feu! Feu! Att.!,* ma sœur, Mme L. Charles Buloz, dont l'appartement, au même étage, n'est séparé du mien que par une porte, s'imagine qu'il y avait le feu chez moi. Elle va jusqu'à la porte qui unit les deux appartements et, au moment de l'ouvrir, comprenant que sa crainte est chimérique, elle s'arrête en disant : « Non! je ne vais pas pour cette sottise déranger mon frère. »

Ainsi, au même moment, ma sœur et moi, nous avons eu *une impression d'incendie.* C'est l'expression la plus exacte que je trouve pour traduire la notion très vague que ma sœur et moi nous avons ressentie simultanément, alors qu'à un kilomètre de là il y avait, à l'Opéra, où se trouvaient ma femme et ma fille, une vraie menace d'incendie.

Vers 8 heures du matin, en 1907, j'étais assez profondément endormi. Je rêvais que j'étais avec Mme Charcot (pourquoi Mme Charcot, que je ne connaissais absolument pas, à qui je n'avais jamais parlé et que je n'avais même jamais vue?). Nous étions ensemble en automobile dans une avenue de platanes. C'était Mme Charcot qui conduisait, mais l'auto allait tellement vite que j'avais peur d'un accident. L'accident arrive, et me réveille. L'accident était tout simplement le facteur qui m'apportait une lettre chargée. Et, tout de suite, en prenant cette lettre – je ne sais vraiment à quoi attribuer cette impression – je me suis imaginé qu'il y avait quelque relation entre mon rêve et la lettre qui m'arrivait. J'en étais tellement persuadé que, pour le marquer par un signe matériel, je fis une petite croix (témoignage commémoratif qu'on pourrait retrouver sans doute encore) sur le registre postal des signatures. C'est, je crois bien, la seule fois que j'aie fait un signe sur le registre des signatures.

Or, la lettre venait des îles Açores. Elle était de mon ami le colonel Chaves qui me demandait un mot de recommandation pour le fils du Pʳ Charcot et de Mme Charcot, Jean Charcot, qu'alors je ne connaissais aucunement, lequel devait d'ici à quelques semaines arriver aux îles Açores avec son yacht.

Il est donc énormément invraisemblable qu'il s'agit, dans ces divers cas, de coïncidences fortuites.

Si l'on voulait leur appliquer le calcul des probabilités, quoique cette application soit bien peu scientifique, et très arbitraire, on arriverait à une probabilité si faible qu'elle serait équivalente à la certitude.

PROFESSEUR CHARLES RICHET

Chapitre VI

A travers le temps

Le rêve apparaît être l'état le plus favorable à la manifestation d'expériences prémonitoires. Sur les cent quarante-huit cas de prémonition sélectionnés par John E. Orme, professeur de psychologie à l'université de Sheffield, en Angleterre, cent neuf s'étaient produits pendant des rêves, c'est-à-dire les trois quarts. Une étude de Louisa Rhine, faite en 1961, parvint à des résultats identiques concernant l'importance du rêve en tant que cadre de ce type de perception extra-sensorielle.

La durée qui sépare, dans ces cas, l'événement annoncé et sa réalisation varie de quelques heures à une vingtaine d'années. Mais 39 % des cas portent sur le lendemain. Les prédictions à longue échéance sont plus rares et, souvent, sont accompagnées de visions ou d'apparitions qui sont aussi évoquées dans ce chapitre.

Les avertissements paranormaux concernant des catastrophes peuvent venir de plusieurs dizaines de personnes. Des tentatives ont été faites pour les centraliser et prévoir l'évacuation des habitants menacés par des séismes, inondations ou autres catastrophes naturelles. Pourtant, aucune des prémonitions ne suffit généralement à elle seule à prévoir le lieu et la date précis de l'événement. Toutes ensemble, elles comportent à l'inverse des détails essentiels qui, s'ils étaient réunis et correctement interprétés, pourraient servir à l'élaboration d'une sorte de système d'alarme.

Dans l'hypothèse où les facultés psi existeraient depuis toujours, dès la préhistoire et même dans l'univers animal et chez les préhominiens, ces avertissements prémonitoires répartis entre plusieurs individus n'étaient-ils pas destinés à provoquer des réactions collectives, des phénomènes de groupe? La parapsychologie redécouvrirait, en les intégrant dans nos concepts rationnels, des lois biologiques anciennes du comportement. Les preuves manquent encore en faveur de cette hypothèse, comme de toutes les autres hypothèses d'ailleurs, mais c'est vers un renouvellement aussi important de nos conceptions que nous entraînent les faits observés en parapsychologie.

Dans l'étude des phénomènes paranormaux, on étudie d'habitude en premier ceux que l'on peut qualifier de contemporains. C'est ainsi que, tant dans les projets expérimentaux que dans l'examen des cas spontanés, la télépathie et la clairvoyance sont les phénomènes auxquels on s'attache en premier lieu. De même, les chercheurs qui analysent les récits d'apparitions ont tendance à considérer que s'il se passe quelque chose de vrai, c'est plutôt à notre époque que dans le passé. Dans cet ensemble de phénomènes, la précognition tient une place particulière. L'une des raisons en est que l'on considère généralement que la précognition pose des questions théoriques particulièrement difficiles. En fait, comment peut-on expliquer ses manifestations, compte tenu de l'effet temporel? Si l'on envisage les phénomènes paranormaux dans leur ensemble, ceux-ci paraissent poser une question théorique analogue, question à laquelle nul n'a encore fourni de réponse satisfaisante.

Il conviendrait peut-être de voir dans la précognition le processus paranormal fondamental. Ou plus précisément, si l'on peut proposer un cadre théorique qui expliquerait la précognition, celui-ci pourrait également se révéler utile pour comprendre toutes les autres expériences paranormales. Un exercice important consiste à essayer d'examiner des expériences précognitives. Certains (par exemple Tyrrell, 1942, MacKenzie, 1971) se sont livrés à des études parallèles dans le domaine des apparitions. De telles études peuvent faire apparaître des courants et des tendances qui sont généralement ignorés et qui s'écartent même parfois considérablement des croyances courantes. C'est ainsi que le fantôme véritable diffère fortement du fantôme de la fiction.

La présente étude a fait appel à quatre sources d'expérience précognitive. Chacune d'entre elles présente un matériau recueilli selon des procédés différents et l'on pourrait donc dire que nous avons là une coupe assez représentative.

Par ordre chronologique, nous avons d'abord quarante-huit des expériences que décrivit Dunne dans son ouvrage publié en 1934 : *Une expérience sur le temps*. Sur ces quarante-huit expériences, il en réalisa lui-même vingt-deux et il obtint les vingt-six autres de personnes diverses. La deuxième source comprend trente des expériences décrites par Lyttleton (1937) dans *Quelques cas de prédiction*. Ces expériences consistaient surtout en des rapports transmis à Lyttleton après une émission de radio qu'elle effectua sur ce sujet en 1934 et au cours de laquelle elle fit appel aux expériences des auditeurs.

En troisième lieu, Saltmarsh (1938) décrit vingt-neuf expériences dans *Connaissance anticipée*. Cette publication reposait essentiellement sur une analyse d'expériences précognitives dont la Société de Recherches Psychiques anglaise avait eu connaissance au fil des ans.

La dernière source, qui nous donne quarante-et-une expériences, est représentée par l'article de Barker sur ses *Prémonitions du désastre d'Aberfan*[1]. Il s'agissait là de précognitions du désastre mises par écrit pour un journal en réponse à une enquête qu'il avait faite une semaine après.

Tous les cas empruntés à Lyttleton, Saltmarsh et Barker ont reçu une confirmation, sous une forme ou sous une autre. Ce qui signifie que le sujet a fait part de son expérience à une tierce personne avant que l'événement ne se produise et que le témoin a confirmé le fait par écrit. Ce total de cent quarante-huit expériences ne représente pas la somme des expériences décrites par les quatre auteurs. J'ai choisi uniquement celles qui faisaient état de la durée qui s'était écoulée entre la précognition et l'événement. Pour ce qui concerne Lyttleton et Saltmarsh, certains sujets ont rapporté plus d'une expérience et dans ce cas je n'ai cité qu'une expérience par sujet.

Les caractéristiques de l'expérience précognitive se présentent sous forme de quatre points fondamentaux.

Les conditions de l'apparition de la précognition

Saltmarsh (1938) découvrit trois cent quarante-neuf cas, dont deux cent quatre-vingt-un lui semblèrent dignes d'intérêt. Sur ces deux cent quatre-vingt-un, cent seize renvoyaient à des rêves et sept à des expériences qui avaient eu lieu dans cet état incertain entre la veille et le sommeil. Sur ces cent cinquante-huit expériences restantes, cinquante-sept se produisirent lors de pratiques médiumniques dont il est fort possible qu'elles aient compris des états de conscience altérés. Il apparut donc que le rêve est le véhicule le plus courant de l'expérience précognitive.

En fait, dans toutes les séries étudiées (Dunne, Lyttleton, Saltmarsh, Barker), le rêve est sans conteste le véhicule le plus commun de l'expérience précognitive. Sur l'ensemble des cent quarante-huit expériences précognitives qui sont étudiées ici, cent neuf (74 %) se sont produites durant des rêves. L'étude de L. E. Rhine (1961) fit également apparaître le rêve comme le véhicule précognitif par excellence.

On peut relier cela à un autre point. On a vu que, dans la série de Saltmarsh, un grand nombre des expériences précognitives qui n'avaient pas eu lieu pendant des rêves s'étaient produites durant des pratiques médiumniques dans lesquelles, selon toute vraisemblance, des états de conscience altérés étaient présents. Les cent-une expériences restantes en comprenaient soixante-deux que l'on décrirait plus justement comme des hallucinations (habituellement visuelles) et trente-neuf comme des « impressions ». Ces hallucinations, abstraction

1. *Premonitions of the Aberfan Disaster*, J. Barker, *J. Soc. Psych. Research*, 44, (1967), p. 169-181.

faite de leur connotation précognitive temporelle, ressemblent fortement à celles qui sont décrites dans les études sur les fantômes et les apparitions. Une découverte commune à ces études est la naissance de ces hallucinations dans des conditions de calme et de détente. Mac-Kenzie (1971), dans sa série, découvrit que ces expériences survenaient habituellement lorsque le monde extérieur était en quelque sorte exclu. Elles arrivaient à un sujet chez lui, lorsqu'il se sentait détendu. Hors de chez lui, il n'y avait guère qu'un nombre restreint de personnes aux alentours. MacKenzie ne trouva qu'une expérience dans un bureau et une dans un bar. Mais ces deux expériences survinrent dans des conditions de calme plutôt que dans celles que l'on associe généralement à de tels lieux.

Il semblerait donc que l'expérience précognitive tout comme celle de l'apparition survient généralement lorsque la conscience est en quelque sorte coupée du monde extérieur. La différence essentielle tient à ce que, dans l'expérience précognitive, le rêve l'emporte sur les incidents en état de veille. Mais il est évident que les études sur les apparitions s'intéressent uniquement au type d'expérience hallucinatoire, en état de veille. Il n'y aurait rien de remarquable dans le fait de rêver à un mort ou à un vivant – ce n'est que lorsqu'une précognition manifeste survient que l'intérêt naît.

Personnalité et psychopathologie

La question de la psychopathologie est importante. Des suggestions ont été faites à propos des liens qui unissent la personnalité aux résultats des tests ESP et à l'expérience des apparitions. Pour ce qui concerne cette dernière, on a suggéré que les sujets qui sont, en général, les plus détendus et les plus passifs sont les plus enclins à connaître ce genre d'expérience (condition, il convient de la noter, qui s'éloigne plutôt de la situation ESP expérimentale). En ce qui concerne le problème de la psychose, l'expérience des apparitions et des précognitions est avant tout visuelle et, donc, le contraire de l'hallucination schizophrénique qui est caractérisée par sa nature auditive.

L'hallucination visuelle, débattue en tant que telle, peut survenir dans l'hystérie. Ceci se rapporte à notre sujet étant donné que les phénomènes médiumniques, les transes, l'écriture automatique, etc., étaient déjà considérés à l'époque de Charcot comme des formes plus ou moins bénignes de la dissociation qui apparaît dans l'hystérie. Ce qui nous renvoie une fois de plus à l'idée que les expériences ESP, y compris la précognition, surviennent lorsque la conscience est coupée du monde réel.

La précognition considérée comme la croyance en ses propres possibilités de prédire l'avenir apparaît dans la schizophrénie, mais il est rare que le schizophrène puisse fournir des détails de ses prédictions. La précognition normale, au contraire, tend à apparaître comme un phénomène apparemment occasionnel chez des individus qui peuvent être déconcertés et surpris de ce qui leur arrive. Il s'agit normalement d'une expérience très limitée pour le sujet. Il est vrai que, dans toutes les séries, telles que celles dont nous parlons ici, nous avons des comptes rendus fournis par des sujets qui se livrent à des pratiques médiumniques. D'autres proviennent de gens qui, bien qu'ils n'aient pas d'activités semblables, affirment avoir souvent des expériences précognitives. Mais il est bien évident que la masse des comptes rendus vient de personnes pour qui ces expériences représentent un événement isolé et déconcertant.

La valeur de l'information

Qu'elles aient lieu pendant une période de veille ou pendant un rêve, les précognitions possèdent d'autres caractéristiques communes. Comme les apparitions, elles sont fugitives et, notamment en raison de leur brièveté, le « message » est à la fois vague et ambigu.

Mais l'absence de clarté dans la précognition, dans la mesure où celle-ci a tendance à survenir pendant un rêve, doit être envisagée à la lumière du problème général de la compréhension des phénomènes du rêve. Malgré les réserves que l'on doit faire à propos de l'interprétation freudienne des rêves, il ne fait guère de doute que Freud a eu raison de souligner la manière dont le rêve est constitué par un mélange kaléidoscopique d'éléments. Dans l'interprétation des rêves, on tient généralement pour acquis que ces éléments consistent en événements passés et que le mélange est causé par les motifs et les besoins, quels qu'ils soient, entrant en jeu. L'expérience du rêve précognitif survient pendant ce mélange kaléidoscopique et on ne peut généralement pas reconnaître la précognition tant que l'événement ne s'est pas produit. Ce qui signifie que l'expérience précognitive ne peut même pas être étudiée, à moins que les expériences ne soient limitées à des faits d'une certaine manière inhabituels, et que l'on puisse associer à un fait rêvé.

La nature vague et ambiguë de l'expérience précognitive (celle-ci faisant habituellement partie d'un rêve) signifie qu'il n'est pas rare que l'association entre l'événement et l'expérience précognitive devienne manifeste au moment seulement où l'événement se produit. Même quand le message est relativement clair, il manque généralement de précision quant à la date et au lieu. On trouve, certes, de bons exemples d'« avertissements » assez précis, mais il serait difficile d'agir à partir d'une expérience précognitive. A ce propos, il est intéressant de noter les commentaires de Barker relatifs à la quarantaine de précognitions enregistrées du désastre d'Aberfan. Aucune des précognitions n'aurait fourni, à elle seule, d'indications suffisantes pour que le percipient puisse situer la tragédie à venir et en prévenir les gens. Cependant, prises ensemble, tous les détails essentiels apparaissaient en fait. Barker pensa que cette caractéristique permettait d'envisager l'éventualité de la création d'un système d'alarme, en collectant systématiquement les précognitions et les prémonitions des gens. Mais le drame d'Aberfan ne fut pas seulement une tragédie inhabituelle par son ampleur; les circonstances qui l'accompagnèrent furent uniques. Evidemment, on trouve aussi des exemples intéressants d'événements qui ont été apparemment modifiés à partir d'une précognition manifeste.

Un autre trait caractéristique des expériences précognitives réside dans la prédiction d'événements d'une importance relativement mineure, voire ordinaires, dans une proportion aussi grande que les signes annonçant une mort ou un accident. Saltmarsh n'en observa pas moins qu'avec les précognitions de mort, la fréquence des expériences hallucinatoires était presque égale à celle des rêves. Tout se passe comme si, dans de tels cas, l'intensification du contenu du message se frayait un passage à travers l'attention.

Propriétés temporelles

Les expériences de précognition tendent à avoir pour objet des événements situés dans un proche avenir plutôt que très éloignés dans le temps. Bien qu'on ait pu citer des cas de précognition portant sur des événements relativement lointains, à des mois ou même des années de distance, la précognition concerne plus couramment des faits qui surviennent dans les quelques jours qui suivent.

La durée qui sépare la précognition de l'événement varie de moins d'un jour à vingt ans. Mais la portée de la précognition diminue brutalement à mesure que l'événement est plus éloigné dans le temps; cinquante-sept des cent quarante-huit expériences (38,5 %) portent sur le lendemain, contre quatorze seulement (9,5 %) sur le surlendemain. Cette diminution est progressive.

On admet souvent que la précognition est une forme particulière des expériences paranormales qui renferment la télépathie, la clairvoyance, les apparitions, etc. Comprendre l'une de ces formes pourrait bien être les comprendre toutes. L'une des premières découvertes à propos des phénomènes paranormaux comme la télépathie touchait à l'absence totale de rapport entre leur apparition et la distance spatiale qui séparait l'agent de l'observateur. Dans ce domaine, les chercheurs s'attachèrent tout particulièrement à découvrir s'il existait quoi que ce soit qui ressemblât à l'effet de carré inverse. Un tel effet tend à être commun à des effets physiques (par exemple, la lumière, le magnétisme) qui montrent que l'intensité tend à être inversement proportionnelle au carré de la distance. Ici, la relation attendue apparaît en termes de distance temporelle.

En fait, j'ai soutenu que les méthodes statistiques habituelles ne convenaient pas pour les études expérimentales sur la précognition. De manière caractéristique, dans une expérience de divination de cartes, on étudierait la précognition en examinant les correspondances entre ce qui a été deviné et la carte suivante, plutôt que celle qui correspond à ce qui a été deviné. On fit observer qu'aucune preuve ne permettait de penser que la précognition dépendait d'un intervalle particulier. Mais l'étude de toutes les estimations futures (ou antérieures) portant sur un jeu montrerait que le pourcentage de succès total d'un sujet ne peut jamais dépasser celui des réussites dues au seul hasard. Ce résultat pourrait bien donner à penser que, puisque la précognition apparaît étroitement liée à un intervalle de temps, on pourrait se servir de cette relation pour calculer des valeurs théoriquement attendues, quel que soit l'espacement dans le temps.

Cette possibilité même souligne néanmoins la nécessité de quelque idée qui expliquerait comment la précognition peut survenir, et comment elle le fait par analogie aux forces physiques dans l'espace. Il paraît évident que toute explication de la précognition doit entraîner une modification de nos conceptions quant à la nature du temps. J'ai suggéré en 1969 que l'on doit concevoir le temps comme possédant des propriétés étendues et non pas seulement, ainsi que nous le supposons, transitoires. Un organisme possède une organisation temporelle aussi bien que spatiale. Son présent et son avenir possèdent une continuité dans la durée. De plus, son organisation temporelle a un système de communication interne au même titre que son organisation corporelle spatiale. Ainsi, la précognition est communication entre une certaine partie future de l'organisme, et son présent. Il est certain qu'une telle organisation et une telle intercommunication doivent dépendre d'une similitude temporelle avec les forces spatiales; la diminution de puissance correspondant à un accroissement de la durée serait attendue d'une telle similitude. Il convient de noter au passage que la mémoire présente quelque ressemblance avec la précognition et qu'elle dépend de la communication entre la partie passée de l'organisation et sa partie future. Ce concept de la mémoire assume que le cerveau et le système nerveux n'emmagasinent nullement des souvenirs. Ils fonctionneraient plutôt en assurant la transmission de l'information du passé au présent. De nombreuses études de la mémoire, après les expériences d'Ebbinghaus au XIXᵉ siècle, montrent que la relation entre la conservation mnésique et le temps est une relation logarithmique, semblable à celle que l'on obtient avec des expériences précognitives.

Pour en revenir à la question des phénomènes paranormaux en général, il se pourrait que les phénomènes comme la télépathie, la clairvoyance soient, en fait, des expériences précognitives. Par exemple, un sujet A croit avoir reçu à un moment donné (moment I) un message d'une personne B. Le message reçoit une confirmation ultérieure (moment II). Cependant il se pourrait que la réalité soit différente et que le sujet A ait vécu, à un moment I, une expérience précognitive du moment II.

Des confusions possibles entre télépathie et précognition

Stevenson (1970) a publié un compte rendu d'impressions télépathiques reposant sur des cas spontanés qu'il a réunis et examinés lui-même. D'après l'ensemble de son rapport, on peut préciser dans trente-trois des cas le temps qui sépare l'impression de sa confirmation (c'est-à-dire, comme nous le suggérons ici, une précognition de l'événement qu'elle prédit). La durée est nettement limitée, plus de la moitié des impressions se trouvant confirmées dans un délai d'une heure. Mais c'est ici, bien sûr, que l'on découvre le principal critère qui permet de distinguer entre télépathie et précognition. Toutefois, on voit clairement que la diminution de la portée, correspondant à un allongement de la durée, présente les mêmes caractéristiques que les expériences de précognition. En fait, cela donne bien à penser qu'elles appartiennent à la même catégorie de phénomènes.

Dans les cinquante-sept cas pour lesquels le délai a été inférieur à un jour entre la précognition et l'apparition réelle de l'événement, nous ne disposons d'aucune donnée précise quant à ce délai. Ces cinquante-sept cas étaient répartis malgré tout proportionnellement en délais inférieurs à un jour selon les termes de la répartition connue des cas de télépathie. La relation est nettement linéaire et, en réalité, le coefficient de corrélation entre le logarithme de portée par rapport au temps et le logarithme de durée possède une valeur de 0,991. Un coefficient aussi élevé (indiquant que les deux variables présentent une variation commune supérieure à 98 %) doit montrer que l'éloignement dans le temps représente une variable très importante dans la description des phénomènes paranormaux.

Il est intéressant de noter à ce propos que les phénomènes paranormaux dans lesquels le lien se forme à partir du passé plutôt que de l'avenir semblent aussi entrer dans la même catégorie. Contrairement au fantôme relaté dans le domaine de la fiction, la fréquence des matérialisations d'un véritable fantôme (si tel est le nom qui convient) chute brutalement à mesure que le temps écoulé depuis la mort de la personne augmente. Si l'apparition d'un fantôme dépend de la communication d'un individu à travers l'espace-temps, depuis sa vie jusqu'à sa matérialisation, ses signaux s'affaibliront progressivement de manière prévisible à mesure que le temps passe.

Pourquoi ne pouvons-nous avoir des précognitions plus souvent et avec plus de précision? Pourquoi ces précognitions semblent-elles porter si fréquemment sur des événements banaux et non pas sur des faits importants?

En premier lieu, toutes les données laissent entendre que la précognition a tendance à porter sur des faits qui se situent dans un très proche avenir. (Même dans ce cas, l'on pourrait toujours se demander pourquoi nous ne pouvons pas avoir de précognition d'un événement important qui arrivera le lendemain ou le surlendemain.) Ensuite, la précognition survient normalement pendant un rêve et il est clair que, à l'état de veille, nous avons oublié la plupart de nos rêves. Enfin, si nous nous rappelions un rêve au cours duquel nous avons eu une précognition, il est vraisemblable que, comme tout ce qui constitue les rêves, il s'agirait d'un élément vague et ambigu.

L'observation des animaux en captivité ne permet pas de les connaître tels qu'ils sont dans la nature, où leurs liens avec leurs congénères pourraient impliquer, parfois, des facultés paranormales, par exemple dans des effets de groupe.

Je pense que ces questions sont importantes par rapport au problème du déterminisme. Comme dans le cas des faits qui ont été l'objet d'une précognition (on peut en général faire preuve de sagesse après l'événement), on pourrait soutenir que l'événement n'est pas entièrement inévitable, et cela expliquerait en partie le côté vague et ambigu des précognitions. Mais, d'un autre côté, certains comptes rendus suggèrent une inéluctabilité totale; les faits arrivent, quoi que fasse le sujet qui a eu une prémonition. Barker évoqua également, à propos du drame d'Aberfan, que, bien qu'aucun cas pris isolément n'eût fourni assez d'éléments pour permettre une action, la mise en commun de toutes les données fournissait l'essentiel, y compris le lieu de la tragédie. La seule condition, ici, aurait été qu'en raison du facteur temps que j'ai décrit les cas auraient tendu à voir leur fréquence augmenter quelques heures seulement avant la catastrophe. A ce moment-là, il aurait été trop tard pour espérer le moindre succès d'une intervention.

Je pense qu'une conception de la durée ne suffit pas mais qu'elle doit être complétée par l'idée que cette durée possède au moins deux dimensions. S'il en est ainsi, notre chemin dans le temps, à condition que l'analogie soit convenable, revient toujours à deux alternatives lorsque, sur deux événements probables (ou davantage) l'un survient réellement. Cette diversité de choix se situe évidemment toujours dans la même direction générale. Il est des lieux où deux chemins se croisent ou se rejoignent, rendant les choix moins difficiles. Chacune des victimes d'Aberfan aurait pu à titre individuel rester à l'écart de la catastrophe, mais il est clair que cela n'aurait modifié en rien le résultat qui fut que la grande majorité subit cette catastrophe. De plus, ce qui est possible mais non probable pour un individu peut se révéler réel pour un autre. En fait, les individus peuvent être des instants du tout.

Des progrès minimes au XXᵉ siècle

J'aimerais faire une autre remarque à propos des théories sur le temps et la précognition. Dans divers aspects de la physique, proposer des manières nouvelles de considérer le temps consiste en général à se borner à expliquer des phénomènes particuliers. Ce que l'on apprécie rarement à sa juste valeur, c'est que si nous avons besoin de quelque modification essentielle dans notre conception du temps pour comprendre la précognition, cette modification aura une portée considérable quant à nos conceptions du comportement et de l'expérience en général, et finalement quant aux processus biologiques dans leur ensemble.

La parapsychologie ressemble assez à ses parentes, la psychologie et la psychiatrie. Dans tous ces domaines, les progrès fondamentaux de la connaissance ont été relativement minimes au cours du XXᵉ siècle. Nous en savons peut-être plus sur ce qui n'intervient pas, sur ce qui

Notre chemin dans l'espace et le temps est-il tracé ou à inventer en tenant compte de nos possibilités réelles? (Désert en Algérie.)

n'est ni important ni utile. On a conduit de nombreuses expériences dans ces domaines, qui devenaient de plus en plus compliquées à mesure qu'elles se développaient.

L'une des raisons qui explique cette absence de progrès apparent a été la rareté de la découverte de faits cumulatifs sur une grande échelle. Aujourd'hui encore, dans le domaine de la psychologie paranormale, les discussions et les expériences portent surtout sur la réalité des phénomènes paranormaux. En psychiatrie, le parallèle concerne l'éternelle discussion sur la nature de l'hystérie, de la schizophrénie ou de la dépression endogène. Ces trois phénomènes existent sans conteste. Qu'ils soient dans la réalité ce que différents individus pensent qu'ils sont ne peut être prouvé que par une recherche et un agencement systématiques des faits. Ce que j'ai tenté de faire à propos de l'expérience précognitive allait dans ce sens. Il me semble, personnellement, que des modifications radicales de nos idées sur la nature du temps sont nécessaires. Alors seulement comprendrons-nous la précognition et d'autres phénomènes paranormaux. De telles modifications appelleront certainement des transformations radicales de nos vues sur le comportement et l'expérience en général. Cela permettra peut-être de jeter une lueur nouvelle sur des problèmes fondamentaux en psychologie et en psychiatrie et, en fin de compte, sur la nature des processus biologiques.

PROFESSEUR JOHN E. ORME

La parapsychologie et ses conceptions nouvelles représentent un des plus forts courants de pensée, qui nous entraîne au seuil d'un monde inconnu.

Chapitre VII

Le futur
au rendez-vous du présent

Le tremblement de terre qui détruisit Messine le 28 décembre 1908 avait-il été annoncé? La guerre de 1914? L'attentat de Sarajevo a-t-il été vu en rêve? Des prémonitions d'ordre général jusqu'à la connaissance d'anecdotes précises, une faculté psi se déploie en certains individus, qui nous mène « au seuil d'un monde inconnu », comme l'écrivait Alexis Carrel dans L'homme, cet inconnu.

S'il existe des clairvoyants ou métagnomes qui n'utilisent aucune méthode pour obtenir des connaissances paranormales, d'autres emploient des objets – cartes, marc de café, boule de cristal, etc. – afin d'en faire les supports de leurs facultés psi et provoquer le déclenchement d'un mécanisme inconnu. Inutile d'insister sur le fait que nombre de ces derniers, ne réussissant pas systématiquement à obtenir une connaissance paranormale, recourent à la fraude pour amplifier leurs « pouvoirs », surtout lorsqu'ils en font une profession.

Si nous sommes assez bien renseignés sur la perception de la pensée d'un individu par l'accord de résonance qui peut se faire entre deux cerveaux, il n'en est pas de même de la préconnaissance de l'avenir, qu'il s'agisse de pressentiments personnels, de prémonitions ou de prédictions devant se réaliser dans des temps plus ou moins éloignés.

Pour extraordinaires que paraissent ces faits, ils n'en sont pas moins exacts et posent des problèmes jusqu'ici tout à fait insolubles.

En voici quelques exemples :

A la suite d'un duel à l'épée avec Georges Vanor, Catulle Mendès fut atteint d'une blessure profonde de l'abdomen. Il échappa, par miracle, à une péritonite et, comme on le félicitait de cette guérison quasi inespérée, il répondit : « Je savais que ma dernière heure n'était pas sonnée. Je mourrai par accident dans un endroit très sombre. »

Quelques années plus tard, il tombait d'un train sous le tunnel de Saint-Germain.

Le poète Verhaeren, en visite chez le peintre Le Sidaner, devient soudain très triste, regarde les toiles de son ami et lui dit : « Je m'en emplis les yeux, car c'est la dernière fois que je les vois. » Et comme Le Sidaner cherche à le réconforter, il lui répond : « Inutile, j'ai reçu l'avertissement ». Quelques semaines plus tard, le grand poète belge était écrasé par un train en gare de Rouen.

Une prémonition très intéressante et rapportée par le Pr Charles Richet est la suivante, relative à l'assassinat de l'archiduc François-Ferdinand à Sarajevo, le 28 juin 1914 :

M. Joseph de Lanyi, évêque de Grosswardein, rêve au matin du 28 juin (4 heures du matin), qu'il voit sur sa table de travail une lettre bordée de noir portant les armes de l'archiduc. (M. de Lanyi avait été professeur de hongrois de l'archiduc). Alors, dans son rêve, M. de Lanyi ouvre la lettre, et en tête de cette lettre voit une rue dans laquelle aboutit une ruelle. L'archiduc était assis dans une auto avec sa femme : en face de lui un général, et sur le siège à côté du chauffeur, un officier. Foule autour de la voiture, et de cette foule sortent deux jeunes gens qui tirent sur les altesses royales. Quant au texte de la lettre, il était le suivant :

« *Cher Docteur Lanyi, je vous annonce que je viens d'être, avec ma femme, à Sarajevo, victime d'un crime politique. Nous nous recommandons à vos prières. Sarajevo, 28 juin, 4 heures du matin.* »

« Alors, dit M. de Lanyi, je m'éveillai tout tremblant; je vis que l'heure était 4 h 30 et j'écrivis mon rêve en reproduisant la forme des lettres qui m'étaient apparues dans la lettre de l'archiduc.

» A 6 heures, quand mon domestique arriva, il me trouva à ma table, tremblant, et disant mon chapelet. Je lui dis aussitôt : « Appelez ma mère et mon hôte, afin que je leur annonce le sombre rêve que j'ai fait. »

» Dans la journée m'arriva un télégramme m'annonçant la terrible nouvelle. »

Il s'agit là d'une prémonition en rêve dont les détails sont extrêmement précis, sauf le cas du coup de feu simultané, car en réalité il y eut lancement de bombes à deux reprises.

Une autre prémonition se rapportant à la guerre de 1914 et imprimée dans la *Vie Nouvelle* en février-mars 1914 émane d'une simple paysanne qui, pendant un état de transe, parle comme si elle était Jeanne d'Arc, guide de la France.

« Dans un avenir très prochain, la France va être envahie par une masse d'ennemis du côté du N.-O. (par rapport à Domrémy). Leur entrée sera triomphante à cause de leur nombre et de l'ignorance où on est encore en France de leur dessein. Au moment où cette invasion aura lieu, nos corps d'armée seront loin de s'y attendre. Ce sera par la frontière N.-O. donnant sur deux départements que se fera l'invasion. La Masse envahissante sera tellement grande qu'elle atteindra plusieurs villes appartenant à un autre département. Il faudra céder. Le nord et l'est auront beaucoup à souffrir. L'ennemi descendra en ligne droite parallèlement à la frontière. »

La voyante décrit alors une bataille autour d'une place forte (Verdun peut-être) en ajoutant : « l'ennemi trouvera la place trois fois plus forte qu'il ne s'y attendait. » Puis elle ajoute : « Mais la France n'est pas seule, la violation d'un territoire neutre a mécontenté d'autres puissances qui s'unissent aux Français; car il est clair que cette violation a été faite dans le but d'en prendre possession pour avoir un passage direct sur la frontière française... La voix des puissances alliées se fera entendre, mais l'ennemi n'en tiendra aucun compte... persistance de l'ennemi à agir en territoire neutre comme en pays conquis. La lutte va désormais continuer chez ce petit peuple et elle sera sanglante. »

Enfin, après plusieurs passages un peu obscurs, elle ajoute : « L'ennemi fléchit malgré les objurgations des chefs. Ce n'est plus le découragement, mais la consternation, l'anéantissement, on ne se défend plus. On se laisse tuer et c'est la fin.

» Les Français et leurs alliés se réunissent pour poser les bases d'un traité de paix équitable, en vue d'unir ensemble toutes les nations dans un même sentiment de justice et de fraternité. »

La voyante a vu la *Société des Nations* quatre ans avant sa constitution et la guerre six mois avant son déclenchement, avec la plupart de ses péripéties.

Le tremblement de terre qui détruisit Messine avait été annoncé par une dame de l'aristocratie romaine le 2 décembre 1908 pour le 8, le 18 ou le 28 décembre suivant.

Une lettre avait été envoyée par elle, fixant ces dates, au roi d'Italie. Or, Messine a été détruite par un tremblement de terre le 28 décembre.

A noter dans cette prévision la fixation des dates, fait assez rare.

A rapprocher de cette prémonition celle de la destruction d'Alep et d'Antioche en 1922; elle est également fort curieuse.

En 1922, comme M. Wolff était à Alep à un dîner auquel assistaient MM. Barker, de Lesseps, Maseyk, consul du Danemark, on plaisanta sur une lettre écrite par Lady Stanhope à M. Barker, lui recommandant de ne pas se rendre à Alep dont la destruction était prochaine, d'après une communication prophétique obtenue d'un Français, M. Lusteneau. Mais on ne fit qu'en rire. Quelques jours après, un tremblement de terre épouvantable, qui fit 6 000 morts, détruisait Alep et Antioche. M. Barker n'échappa que par miracle.

Un des exemples les plus remarquables de connaissance anticipée de l'avenir est celui rapporté par le Dr Tardieu, du Mont-Dore. Au mois de juillet 1869, se promenant dans le Luxembourg avec son ami Sonrel, astronome, celui-ci lui fit la prédiction suivante que nous résumons. Sonrel voit la guerre de 1870, la défaite rapide, puis sa propre mort. Il voit ensuite son ami Tardieu s'occupant de ses enfants, s'établissant, se lançant dans la politique. Et, enfin, après avoir indiqué un certain nombre d'événements qui tous se réalisèrent, il s'écrie : « Ah! la voilà sauvée, elle va jusqu'au Rhin. O France, te voilà triomphante! ».

Parvenu en 1912 à la réalisation d'un épisode scientifique qui lui avait été prédit par Sonrel quarante-trois ans auparavant, le Dr Tardieu pensa que le moment était proche de la nouvelle épreuve de la France. En avril 1914, il communiqua au D^r Ch. Richet toute la prémonition de son ami, avec l'indication de ses réalisations successives.

Un autre message de prémonition aussi remarquable concerne les prédictions extraordinaires faites dans le cours de la dernière guerre russo-polonaise par Mme Przybylska. Le 10 juin 1920, le 6 juillet, le 12 juillet, le 21 juillet, le 6 août, le 14 août, le 19 août, toutes les péripéties de la bataille sont annoncées à l'avance et le dernier message du 19 août est le suivant : « Dans un mois, de grandes victoires et un nouveau désastre des Bolcheviks. Défaite complète des ennemis. » Ce fut en effet la victoire de Rovno.

Nous nous demandons comment de telles préconnaissances peuvent être perçues, soit des années, des mois ou des jours à l'avance.

Nous avons pu enregistrer une autre prémonition curieuse.

En juin 1938, M. Labadié rapporte qu'un médium spécialisé dans la voyance, M. Charley, déclara à Cannes, en présence d'un certain nombre de personnes :

– « Du 28 août au 28 septembre, ce sera le *chaos (sic)*.

– Qu'entendez-vous par là?

– Le chaos d'un cornet de dés. Le 28 septembre, les gouvernements abattent les dés...

– Alors?

– Pas de guerre, je l'affirme. »

Le 27 septembre, à deux pas de la frontière italienne, M. Labadié fit cependant les valises de deux enfants dont il avait la charge. A neuf heures, message d'un autre médium : « Pas de guerre, Mussolini notre ami... »

Cependant le 28, quelle angoisse jusqu'à l'annonce de la radio annonçant l'arrangement final de Munich.

Et c'est là le moment de se demander si, faisant appel aux sciences conjecturales, il n'y aurait pas une « Astrologie subconsciente » qui permettait à ces voyants de lire le destin de quelques-uns de leurs semblables ou de prévoir des événements comme une guerre, une victoire, ou des accidents, comme un accident d'auto (prédiction faite au Dr Osty, et s'étant réalisée exactement dans les conditions où elle fut prédite).

A rapprocher de ces faits l'expérience suivante dont le Dr Subert a communiqué le protocole et qui présente un haut intérêt.

Y prirent part le Pr C., sa femme, son frère et M. Treyve, le radiesthésistebien connu.

Il était convenu que Mme C. resterait avec M. Treyve dans son bureau et que le Pr C. et son frère iraient en ville faire chacun un achat, dont le montant ne devait pas excéder 500 F. Ils devaient d'abord aller dans un café de leur choix et là attendre qu'il soit 15 heures pour partir faire leur emplette. Il était 14 heures quand l'expérience fut décidée. Mme C. et M. Treyve devaient indiquer sur un papier le coût de chaque objet et l'heure de son achat; ce papier devait être mis sous enveloppe à 14 h 45, c'est-à-dire un quart d'heure avant qu'ils ne se dirigent vers le magasin.

Les résultats furent les suivants.

Mme C. indiqua que son beau-frère commençait par acheter un objet de 4,50 F puis son mari un de 15,50 F. M. Treyve indiqua que M. C. faisait à 15 h 10 un achat de 4,80 F, puis que le professeur en faisait un de 15,50 F, chiffre de Mme C.

En réalité, le professeur avait fait un achat de 15,50 F et M. C. un de 5,10 F. Il y avait donc réussite complète au sujet du professeur et erreur de 0,30 F de la part de M. Treyve et de 0,60 F de la part de Mme C. à propos de M. C.

M. Treyve, outre l'heure de l'achat, avait indiqué exactement le café où avaient attendu les deux acquéreurs et la rue où se trouvait le magasin.

L'expérience avait donc réussi presque totalement.

Que devient devant ces faits la liberté humaine?

Les conclusions d'Alexis Carrel

Dans ces sortes de révélations d'un avenir plus ou moins éloigné dans le temps, il n'est plus question de souvenirs de systèmes dynamiques vécus et conservés dans le cerveau; il n'est plus question de réalités passées ou présentes qui peuvent s'expliquer par communication entre psychismes, ou par accord de résonance, mais de *réalités futures*, en état de *néant* actuel.

Le cerveau humain nous est apparu jusqu'ici comme un organe récepteur de sensations actuelles. Or, pour certaines personnes, des prémonitions, des avertissements leur font connaître des réalités qui sont encore inexistantes, et pour d'autres leur suggèrent des événements à date plus ou moins éloignée, et qui se réalisent exactement de la façon dont elles ont été averties!

« Certains individus, dit Carrel, paraissent susceptibles de voyager dans le temps. Les clairvoyants perçoivent non seulement les événements qui se produisent au loin, mais aussi des événements passés ou futurs. On dirait que leur conscience projette ses tentacules aussi facilement dans le temps que dans l'espace. Ou bien que, s'échappant du *continuum physique,* elle contemple le passé et le futur, comme une mouche contemplerait un tableau si, au lieu de marcher à sa surface, elle volait à quelque distance de lui.

« Les faits de prédiction de l'avenir nous mènent jusqu'au seuil d'un monde inconnu. Ils semblent indiquer l'existence d'un principe psychique capable d'évoluer en dehors des limites de notre corps. » [1].

Les spirites interprètent certains de ces phénomènes comme preuve de la survie de la conscience après la mort. D'après Broad, il persisterait, après la mort, non pas l'esprit, mais un facteur psychique capable de se greffer temporairement sur l'organisme d'un médium, et dont l'existence serait transitoire. Mais cette explication ne nous révèle pas pourquoi un clairvoyant est capable de saisir également le passé et le futur.

Et nous voici arrivés à nous demander, avec le Dr Osty : « Le cerveau de l'homme est-il capable de propriétés physiologiques, dépassant en qualité tout ce que nous avons pu imaginer, ou bien le cerveau de l'homme est-il vraiment le producteur de toutes les manifestations de la pensée humaine? »

Troublante énigme à laquelle aucune réponse satisfaisante n'a encore été faite.

Comment peut-on en effet imaginer la transmission de pensée, la projection de la pensée d'un individu dans un cerveau voisin ou lointain pour établir ce mystérieux accord de résonance qui établit cette communication entre les deux psychismes?

Selon Carrel, il n'est pas certain que les phénomènes télépathiques soient dus à la propagation dans l'espace d'un agent physique. « Il est même possible, dit-il, qu'il n'y a aucun contact spatial entre les deux individus qui entrent en communication. En effet, nous savons que l'esprit n'est pas entièrement inscrit dans les quatre dimensions du *continuum physique*. Il se trouve donc à la fois dans l'Univers matériel et ailleurs. Il s'insère dans la matière par l'intermédiaire du cerveau et se prolonge hors de l'espace et du temps, comme une algue qui se fixe à un rocher, et laisse flotter sa chevelure dans le mystère de l'océan. Il nous est permis de supposer qu'une communication télépathique consiste en une rencontre, en dehors des quatre dimensions de notre Univers, des parties immatérielles de deux consciences. »

Pour le moment, il faudrait donc continuer à considérer les commu-

1. Carrel : *L'homme cet inconnu.*

nications télépathiques comme produites par une extension de l'individu dans l'espace.

Ainsi qu'on a pu s'en rendre compte, toutes ces théories éliminent l'hypothèse spirite.

En effet, si dans la plupart des faits que l'on cite de révélations *post mortem*, la révélation paraît, selon certains, provenir d'un esprit, il s'agit d'une « personnification » que le sujet a une tendance à faire intervenir, d'après ses croyances latentes, et non d'une réalité.

Il y a cependant une hypothèse intermédiaire : il s'agirait non pas de la personnalité réelle du décédé, mais de *quelque chose* laissé par lui dans l'air ambiant, ce quelque chose paraissant s'attacher plus spécialement à des objets ayant été en contact avec une personne.

Procédés employés par les médiums pour provoquer la transe

Les clairvoyants, métagnomes, très entraînés, n'ont souvent besoin d'aucun procédé accessoire pour mettre en action leur faculté de « double vue ».

D'autres emploient, comme les diseuses de bonne aventure, le marc de café, un blanc d'œuf jeté dans un verre d'eau, un jeu de cartes, des racines, des os, une boule de cristal.

Le radiesthésiste qui « lit » sur un plan ou une photographie et qui exerce ainsi des facultés métapsychiques ou l'intuition, se sert du pendule qui, selon nous, lui est un moyen de fixer son attention et sa mise en rapport ou en accord avec le sol, ou un individu plus ou moins éloigné. Dans ce cas il est très probable que ceux qui réussissent ces expériences sont le plus souvent des sujets métagnomes. Nous avons vu que certaines personnes indiquent très nettement les sensations qu'elles éprouvent quand elles « accrochent ». Chez les sourciers et les radiesthésistes, nous avons pu établir que des modifications physiologiques ou motrices se produisaient quand l'opérateur se trouvait au-dessus d'un cours d'eau, ou en présence d'une radiation qu'il décelait. Des sensations de frémissement dans les mollets, dans les muscles du bras, à la face, etc., ont été ainsi constatées.

Etant donné les rapports qui existent entre le système nerveux périphérique et le cerveau, on s'est demandé si l'excitation de certaines zones cutanées ne serait pas susceptible de provoquer des phénomènes psychiques de double vue, de dédoublement de la personnalité, de lecture de pensée, d'accord de résonance entre deux cerveaux situés à proximité ou à distance l'un de l'autre. Si cette question était résolue par l'affirmative, un grand pas aurait été fait pour expliquer certains phénomènes métapsychiques dont la solution nous est encore inconnue.

Les faits indéniables de transmission de pensée, de prémonition, de

113

prise de connaissance paranormale tels que ceux qui ont été rapportés, devaient fatalement amener les chercheurs passionnés à se demander si des lois ignorées ne présidaient pas à ces manifestations d'un psychisme exalté; et si d'autre part on ne pourrait pas provoquer ces états anormaux, comme on peut provoquer le sommeil hypnotique par un procédé physique, agissant sur le système nerveux ou les organes des sens.

DOCTEUR ALBERT LEPRINCE

Chapitre VIII

Les erreurs
des clairvoyants

La perception extra-sensorielle emprunte des chemins capricieux. Le constat de ses réussites pour la connaissance de l'avenir, ou la détection de la pensée d'un autre individu par la télépathie, ne doit pas masquer l'existence des erreurs nombreuses dont la formation suit, elle aussi, un chemin complexe et intéressant à connaître. « Rien n'est plus curieux que de suivre, dans la répétition des séances, leur destinée, écrit le Dr Eugène Osty. On assiste ainsi à la rectification d'erreurs antérieures, à leur amplification ou à leur suppression ».

Dans ce chapitre, l'auteur s'attache aussi à montrer que les clairvoyants, les métagnomes testés en laboratoire établissent, avec les personnalités qu'ils ont à découvrir par des voies paranormales, des échanges psychiques qui sont plus ou moins fructueux selon les individus. La connaissance de l'avenir personnel atteint ainsi un degré de précision qui varie largement. Tout se passe comme si le clairvoyant puisait dans la personnalité même qu'il a à étudier les éléments descriptifs de son avenir.

S'il est un phénomène difficilement acceptable, et en général résolument inaccepté, c'est celui de la connaissance anticipée de l'avenir. Nos esprits farcis de préjugés y opposent leurs croyances, leurs illusions, ne se rendant pas compte que, ce faisant, ils retardent malencontreusement l'étude positive de la manifestation de la vie la plus lourde de conséquences et de découvertes utiles.

Le phénomène de « préconnaissance de l'avenir » domine tous les phénomènes qui sont l'objet de cette branche de la science connue sous le nom de métapsychique. Sans doute, il est solidaire des autres, puisque tous sont des aspects divers de propriétés psychiques et physiques, inconnues dans leur nature, de l'être humain, mais, comme j'essaierai de le montrer plus loin, il les surpasse par l'intensité du bouleversement qu'il apportera dans nos idées le jour de son entrée officielle dans la science. Je n'hésite pas à dire tout de suite que c'est par l'étude progressive de ce phénomène que nous pouvons espérer arriver à comprendre ce qu'est le psychisme humain et ce que représente dans l'univers l'individualité humaine.

Que faut-il entendre par « préconnaissance de l'avenir »? Il semble qu'une définition en soit inutile. Il en faut une toutefois, car à l'égard de ce phénomène se sont élevées des objections poussant le parti pris jusqu'à créer la confusion sur la signification des mots.

Par « préconnaissance de l'avenir » j'entends : le fait de prendre, par des voies informatrices jusqu'ici inconnues, une connaissance d'événements futurs en des conditions où l'exercice rationnel de l'intelligence sur l'apport des sens connus resterait absolument ininformé.

Cette définition élimine toutes les sortes de prévision de l'avenir faites par la raison humaine, soit quand elle suppute l'avenir d'après les données du présent, soit quand elle projette dans le futur ses observations du passé.

Accumuler sans cesse et toujours des faits fortuits de pressentiments, de prémonitions, ce n'est pas faire une étude.

Provoquer le phénomène de préconnaissance de l'avenir en se servant d'une personne douée de cette faculté, consigner par écrit ses paroles, comparer plus tard les informations prémonitoires avec ce qui se réalise et, sur l'aspect des textes et des circonstances, s'efforcer à imaginer la source de cette préconnaissance, ce n'est pas davantage faire une étude.

Pour qu'il y ait investigation scientifique réelle, c'est-à-dire marche progressive dans l'explication du déterminisme du phénomène, il faut qu'il y ait *expérimentation*. L'institution d'expériences faisant varier indéfiniment les conditions de la production du phénomène est la seule manière de ravir à la nature son secret.

C'est parce qu'ils n'ont pas appliqué à l'étude de ce phénomène le processus de la méthode expérimentale que les métapsychistes sont restés pendant quelque cinquante ans au stade initial : celui de la constatation simple du phénomène, l'entourant imprudemment, pour la plupart, d'explications de pure fantaisie. D'où le sort singulier de ce phénomène, d'avoir été si abondamment observé et d'être toujours contesté quant à son existence.

A l'aide de notions acquises dans la pratique expérimentale pure, je me propose ici de faire connaître, le plus succinctement possible, ce qu'il faut savoir pour faire aux autres ou pour obtenir pour soi la démonstration, par l'expérience, de l'existence du phénomène de préconnaissance de l'avenir.

Qu'on laisse de côté l'accidentel, le non provocable à volonté, c'est-à-dire les faits spontanés de préconnaissance : pressentiments, prémonitions, survenant chez quelques personnes, à l'état de veille ou en rêve. Ces faits relèvent de la méthode historique, de l'enquête. Il ne peut en advenir qu'une conviction plus ou moins forte de probabilité du phénomène. On ne peut pas en attendre une démonstration absolue, encore moins un enseignement explicatif.

S'il n'y avait que la « phénoménologie accidentelle » de la préconnaissance, il faudrait désespérer de rendre jamais ce phénomène objet de science. Selon les occasions, on y croirait ou pas.

Mais il existe des personnes douées de la propriété de préconnaître, avec une acuité perceptive variable, l'avenir. Chez quelques-unes cette propriété se trouve assez forte et habituelle pour que le phénomène en devienne observable et provocable, pour ainsi dire, à volonté. Par cette faculté l'expérimentation est rendue possible. On est, certes, devant du très complexe, mais on y est avec les ressources de la méthode expérimentale et avec la certitude, pour peu qu'on soit prudent et sans préjugés, qu'on n'intellectualisera pas la nature et qu'on avancera dans l'exploration de ce secteur de l'inconnu.

Étant admis qu'il est des êtres capables – en certaines conditions psychologiques – de percevoir, par un processus mental encore ignoré, des lambeaux de l'avenir inaccessibles à nos ordinaires sens et à notre raison, on peut donner deux buts à leur faculté :

Prendre une connaissance anticipée d'événements futurs, *de l'avenir en général.*

Ou d'événements concernant telle ou telle *individualité humaine.*

Cette distinction, il faut la faire. Elle est d'une très grande importance. Elle est même absolument nécessaire. Voici pourquoi.

La préconnaissance d'événements collectifs, ou extra-humains, est d'observation rare. Les quelques faits cités dans la littérature métapsychique ont été fortuits ou quasi fortuits. A ma connaissance, il ne s'est pas effectué de séries d'expériences provoquées ayant donné des résultats positifs incontestables. Personnellement, j'ai fait de multiples essais dans ce but. Sans pouvoir encore aujourd'hui les juger tous, je puis dire toutefois que, dans l'ensemble, ils ont été décevants. Des sujets ayant produit de remarquables prémonitions vraies pour des individualités ont été de faux prophètes pour « le général », et avec une telle constance dans l'erreur que mon expérience personnelle m'oblige à penser que cette préconnaissance de *l'avenir en général,* si elle est une possibilité humaine, ne l'est que pour de très rares personnes et en de très rares cas. De sorte que si nous ne disposions que de ce genre de préconnaissance, à moins qu'il ne se rencontre un jour un sujet exceptionnellement et spécialement doué, il faudrait encore désespérer de rendre la préconnaissance de l'avenir objet de science.

J'ajoute que, de ce point de vue, il ne faut pas trop regretter cet état de choses, parce que cette catégorie de la préconnaissance ne mènerait certainement pas à l'explication progressive du déterminisme du phénomène, laquelle est le but réellement scientifique. Dans les cas les plus heureux, on ferait l'acquisition de faits positifs prouvant l'existence de la propriété humaine de préconnaître, on ignorerait autant qu'avant d'où sont venues au sujet ses informations prémonitoires.

Pour les deux motifs ci-dessus, cette catégorie de phénomènes, la plus rare, la plus aléatoire, la moins enseignante, est à écarter au départ de la recherche expérimentale.

C'est à la *préconnaissance du devenir individuel humain* qu'il faut localiser l'étude. Il s'agit alors d'une expérimentation véritable, parce qu'une série d'expériences conduit, par un courant logique, à une autre série différant de la précédente par ses conditions, et ainsi de suite indéfiniment.

Autant sont rares, s'il en est, les sujets doués du pouvoir de préconnaître l'avenir en général, autant sont relativement nombreuses les personnes capables de percevoir le devenir de leurs semblables. Le processus psychologique dans les deux cas n'est d'ailleurs pas le même.

Et quand il s'agit de la préconnaissance de l'avenir d'un être humain, le phénomène s'étudie en fonction des deux facteurs humains intéressés à sa production. On observe les variations des informations fournies en corrélation avec les variations psychologiques, physiques, physiologiques du sujet métagnome et de la personne donnée pour objectif, variations que l'on peut provoquer à son gré.

Déjà l'étude expérimentale de ce phénomène, faite par les seules variations des conditions psychologiques, mène à des acquisitions étendant étrangement le champ d'étude de la psychologie et transforme complètement l'aspect de cette science.

Les notions issues de cette pratique, que je vais exposer ici, seront celles seulement nécessaires au double but de cet article : apprendre comment s'obtient expérimentalement le phénomène de préconnaissance et montrer quelles voies ce phénomène ouvre à la recherche.

Ce qu'il faut savoir avant de s'assurer expérimentalement de la réalité de la précognition

Je crois utile d'émettre ici quelques conseils liminaires. Notre éducation scientifique, philosophique, sociale, etc., a mis en nous des préjugés nombreux, tenaces, puissants, c'est-à-dire tout ce qu'il faut pour nous cristalliser dans le parti pris de négation au nom de principes; elle n'a rien mis en nous qui nous y attire ou nous prédispose à comprendre. Pour nos esprits, c'est un monde nouveau. Ayons le respect de la nature, je veux dire soyons soucieux de la regarder telle qu'elle est et de ne pas la vouloir, en fantaisistes, autrement qu'elle existe.

L'analyse des erreurs commises par les clairvoyants montre que devant plusieurs possibilités, ils hésitent parfois, choisissent de mauvaises directions ou portes.
(Les ghorfas, près de Médénine, Tunisie.)

Si les constatations nouvelles ne s'adaptent pas avec nos systèmes intellectuels, soyons prêts à changer ces systèmes, ne pouvant pas espérer changer la nature. Puisqu'il est question de s'assurer si la connaissance anticipée de l'avenir est ou n'est pas une possibilité de l'esprit humain, n'ayons que ce seul but et abandonnons, au moins provisoirement, tous les principes au nom desquels nous prenons à l'égard d'un phénomène de la vie une attitude hostile. Soyons intellectuellement neutres. Il n'est pas de meilleure disposition à bien observer et à tirer bon parti de ce que l'on constate.

Je demande aussi à celui qui aborde l'observation de ce phénomène d'abandonner un autre préjugé, bien plus dangereux celui-là, parce qu'il adhère très longtemps à l'esprit alors que ceux ci-dessus s'effacent vite. Ce préjugé est celui de l'« inconscient classique », au nom duquel on enclôt indûment en des limites artificielles et étriquées la capacité humaine de connaître.

Ce préjugé scientifique suggère aux psychologues, aux physiciens, aux physiologistes que le phénomène de préconnaissance de l'avenir est une impossibilité; il les écarte d'un champ de travail dont leur esprit ne cherche même pas à supputer la fécondité.

Ce préjugé suggère aux métapsychistes, certains de la réalité du phénomène, que la source des informations prémonitoires n'est pas dans l'homme. Pendant cinquante ans ils l'ont cherchée hors l'homme. N'ayant absolument rien trouvé, ils se sont comportés différemment selon leurs tendances intellectuelles. La plupart, incapables de rester sur un point d'interrogation, ont masqué le néant de leurs investigations d'hypothèses restées complètement stériles. Quelques-uns, inaccessibles à la fantaisie, ont désespéré de la recherche et pensé qu'il fallait se contenter d'accumuler les faits et laisser aux générations futures la mission d'expliquer.

Le préjugé de l'« inconscient classique », tel que les psychiatres l'ont construit, par synthèse de leurs observations, on ne saurait trop le signaler, le fait comprendre. Il est le grand obstacle au progrès de l'étude du psychisme humain.

Car il n'est pas vrai que le panpsychisme se compose seulement du « conscient » et de l'« inconscient » classiques. Il y a autre chose, le plus important, l'essentiel peut-être, que le monde universitaire, dispensateur de l'enseignement et par cela générateur de l'opinion commune, ignore et s'est refusé jusqu'ici même de constater.

Quand William James disait : « Nous vivons à la surface de notre être », il entendait par là que notre vie pratique ne nécessite que le travail fonctionnel de la pensée sur les apports de nos cinq sens, mais que derrière ces couches fonctionnelles il y a le principal du psychisme constituant sa fondamentale nature. L'observation fait la démonstration irréfutable qu'il y a, latente et réalisable en certaines conditions, la faculté de connaître par d'autres voies informatrices que celles des sens connus, par d'autres procédés mentaux que ceux de la logique rationnelle.

L'« inconscient » d'aujourd'hui, dans l'esprit universitaire et psychiatrique, est la fonction de la pensée hors l'attention et l'acceptation, sorte de plan fonctionnel de pensée où s'élaborent des idées, des constructions imaginatives multiformes, des sentiments, dans l'interaction et les conflits des états affectifs, des tendances mentales constitutionnelles et acquises, des impulsions instinctives, des réveils mémoriels, des suggestions incessantes du dehors : sorte de fabrication d'idées et de sentiments livrée à l'activité spécifique du cerveau, elle-même commandée par des incitations exogènes ou endogènes.

Or, on ne saurait trop le redire, cette fonction sous-consciente du psychisme ajoutée à la fonction dite consciente ne représente que ce qu'ont observé jusqu'à ce jour les psychologues de naguère explorant le conscient par analyse introspective, et les psychiatres de notre temps observant, en médecins, les troubles pathologiques de la pensée.

L'acquis obtenu dans ces conditions d'observation n'est pas une somme de savoir au nom de laquelle il faut juger de la possibilité du phénomène de « préconnaissance de l'avenir » ni se croire fourni de notions suffisant à cette étude.

Celui qui veut s'adonner à l'étude expérimentale du phénomène de préconnaissance du futur, pour ne pas s'égarer tout de suite en des voies sans issue, doit libérer son esprit de ce dogme limitatif de la faculté de connaître. Ici encore il doit être neutre.

Quand on met en présence d'un sujet métagnome [1] successivement, et en nombre aussi important qu'on veut, des individus pris au hasard, on constate que la faculté de perception paranormale du sujet métagnome, si bien doué qu'il soit et mis dans les meilleures conditions d'emploi, n'est pas de même rendement pour tous les individus. Il n'a pas la même connaissance des caractéristiques d'une personne et de sa vie écoulée, c'est-à-dire de ce qui est immédiatement contrôlable. Certains individus se montrent « favorisants » du phénomène métagnomique, d'autres « stérilisants », avec tous degrés entre ces extrêmes.

Cette constatation s'effectue indéfiniment, quel que soit le nombre des personnes données comme objectif à la métagnomie.

Elle se confirme et se complète par cet autre mode d'expérience consistant non plus à employer un seul sujet à l'égard de multiples personnes, mais à mettre une seule personne, en séances successives, en présence de multiples sujets métagnomes. Alors on constate qu'une même personne obtient un rendement métagnomique de quantité et de qualité très différent suivant le sujet utilisé et indépendamment de la valeur de connaissance paranormale de ce sujet. Le rendement métagnomique excellent avec tel sujet, est nul avec tel autre, ou varie entre ces deux extrêmes.

De ces constatations principales, il ressort que l'information métagnomique, variant en fonction des variations du sujet métagnome et de la personnalité-objectif, est le produit de ces deux facteurs humains.

Si maintenant on observe, avec les mêmes conditions expérimentales, comment se comportent, à n'envisager que la préconnaissance de l'avenir individuel, les sujets métagnomes et les personnalités-objectifs employées, il en est exactement de même.

Pour la connaissance paranormale du futur, comme pour celle de l'effectué, le rendement métagnomique varie suivant le couple psychique mis en présence. Tel sujet, excellent prémoniteur pour telle personne, est incapable de faire une prémonition vraie à telle autre personne.

---

1. Qui a la faculté de connaître au-delà du commun.

Telle personne obtenant de bonnes prémonitions de tel sujet métagnome n'obtient qu'erreurs ou rien avec tel autre.

Voilà ce que dit l'expérimentation, et c'est très clair pour qui a réussi à nettoyer son esprit des préjugés du jour. Elle montre nettement que c'est dans la personne dont on lui donne à révéler le devenir que le sujet métagnome prend, dans une collaboration intermentale, pour nous encore obscur, ses informations prémonitoires.

Et une logique rigoureuse nous impose cette conclusion que si le sujet trouve dans autrui la connaissance de son futur, c'est parce que tout être humain possède un plan de pensée connaissant son futur, plan de pensée possédant d'autres moyens de connaître que le conscient et le subconscient jusqu'ici connus et enseignés.

Ces notions issues exclusivement de la pratique, j'ai dû, en les résumant, les reproduire ici, parce qu'elles sont la clef ouvrant, comme on le verra plus loin, la voie vers un monde nouveau de recherches. De plus, si on les ignore, il ne saurait être question de démonstration scientifique du phénomène de préconnaissance de l'avenir individuel, car sans elles tout est obscur.

Qu'on sache donc que, pratiquement, il est des individus dont le devenir est relativement facile à révéler par les sujets métagnomes vraiment doués, qu'il en est pour lesquels il y a nécessité de chercher le sujet métagnome favorable, qu'il en est aussi pour lesquels presque aucun sujet, sinon aucun, ne pourra rien saisir de son futur. La méconnaissance de cet état de choses compromettrait le résultat d'une vérification expérimentale qui se restreindrait à l'emploi d'un sujet métagnome à l'égard d'un ou deux individus.

La connaissance paranormale de l'avenir est plus rare que celle du passé

Derrière ce déterminisme psychologique du phénomène métagnomique à objectif humain, on soupçonne le déterminisme psycho-physique qui le conditionne. Et de cette psycho-physique intermentale, sous-jacente aux manifestations psychologiques, l'expérimentation prend un tout autre aspect que celui qu'elle aurait si le sujet métagnome, comme il a été cru jusqu'ici, était le seul producteur humain de la précognition pour tous les individus donnés en but à sa faculté, précognition dont les éléments informateurs seraient pris par son esprit on ne sait où. Toutes les bizarreries déconcertantes que les métapsychistes ont constatées et par lesquelles ils passaient, sans s'y arrêter, d'hypothèse à hypothèse, trouvent, à la lumière des notions ci-dessus, leur explication de surface. Ces bizarreries apparentes ne sont que les corollaires de la collaboration intermentale telle que les faits la démontrent. Elles demandent à être connues et comprises parce qu'elles sont des aspects divers du déterminisme du phénomène.

Quand, pour un sujet métagnome donné, telle personne s'est montrée « favorisante » pour la détection de sa personnalité et de sa vie écoulée, elle n'est pas, en raison de cela, nécessairement « favorisante » pour la détection de sa vie à venir. Il est, en effet, bon nombre de personnes qui, avec certains sujets, obtiennent une abondante métagnomie du réalisé et n'obtiennent qu'erreurs pour le futur.

Il faut bien savoir que les couples mentaux (sujet métagnome et personnalité-objectif) entraînant par leur collaboration intermentale le phénomène de précognition sont moins fréquemment rencontrés que ceux entraînant la connaissance de l'écoulé. De sorte que, pour un sujet donné, il est des personnes « favorisantes » pour la métagnomie de leur passé, qui sont « stérilisantes » pour la métagnomie de leur devenir.

Cette constatation, très fréquente dans la pratique expérimentale, suggère avec insistance que le substrat physique du plan psychique transcendant n'est pas le même que celui des plans plus superficiels (conscient et subconscient classiques), et qu'il faut un accord psychophysique spécial pour que le plan transcendant de la personne à détecter entre en jeu.

Dans la nombreuse catégorie des personnes « favorisantes » pour le réalisé et « stérilisantes » pour l'avenir (comme d'ailleurs pour le passé non sensoriellement enregistré, dont il n'est pas question ici), les sujets métagnomes, mis en demeure de détecter leur devenir, ne restent pas toujours cérébralement inertes. Souvent des informations jaillissent dans leur conscient, exactement comme cela se passe devant des personnes favorisantes du présage, mais ces informations ne sont que de fausses prémonitions.

Rien n'est plus instructif que l'étude, en séances successives, de la genèse et de l'évolution de ces erreurs. Il est généralement aisé d'en faire l'analyse.

Elles sont souvent, en effet, non pas de pures constructions de l'imagination des sujets, mais la détection de croyances, de désirs, de craintes, de projets, de conceptions diverses, etc., peuplant le psychisme des personnalités-objectifs dans son plan superficiel travaillant, consciemment ou subconsciemment, sur les données des sens. Si quelquefois il arrive que l'écoulement de la vie amène un événement conforme à ces supputations du futur, il y a apparence de vraie prémonition; en vérité, il y a eu concordance chanceuse entre le conjecturé et un morceau du réel futur. Bien plus souvent le faux présage se juge tel dans la suite des temps, et l'expérimentateur se rend exactement compte que le sujet métagnome avait saisi chez la personne à détecter des « réalités mentales » ne correspondant à aucune réalité extérieure. Pour le psychologue, ces séances productrices de fausses prémonitions apprennent parfois beaucoup sur le subconscient (classique) des personnes objets de métagnomie. Quand la psychiatrie saura utiliser les sujets métagnomes, elle trouvera en eux de merveilleux instruments de psychanalyse.

Cette détection défectueuse de la métagnomie travaillant, pour ainsi dire, en surface des psychismes, fournit les séances les plus remarquables d'apparence. Le sujet saisit parfaitement les caractéristiques morales, intellectuelles, corporelles, sociales de la personnalité à détecter; il indique la coulée globale, parfois avec épisodes, de la vie écoulée, montrant ainsi qu'il travaille sur un psychisme « favorisant ». Puis, le bilan d'existence correctement établi, il s'attaque au devenir. Ce qu'il en dit étant conforme aux inclinations de la personne et à son cours de sentiments et d'idées, prend un air de vraisemblance si impressionnant que presque tous ceux qui assistent à une séance de ce genre tiennent les prémonitions faites pour vraisemblablement justes. D'où une confiance dans les présages ainsi venus, présages heureux ou funestes, laquelle, dans l'usage populaire et tout empirique des métagnomes, a été la cause de beaucoup d'actes inopportuns, voire néfastes. Des années passent, et la vie, juge impartial, montre que le prodige n'était qu'un étrange, et psychologiquement magnifique, reflet d'un contenu mental.

La fausse prémonition de cette origine est abondante. Nombreux sont les couples mentaux qui la produisent.

Pour souligner cette notion, voici, en exemple, un fait typique du genre :

En février 1923, M. B., industriel parisien, se présente devant Mme Morel, sujet métagnome en hypnose, pour expérience.

Mme Morel étant mise en état de transe hypnotique, il sort d'une enveloppe un premier paquet de papiers pliés et pose cette question :

D. – « Voulez-vous me dire ce que représente ce qu'il y a sur ce papier?

R. – Ce sont des dessins de maisons, de grandes maisons, quelque chose de très grand, de très important, comme des usines... une partie de ces dessins existe dans la réalité, une autre partie n'existe qu'à l'état de projet...

D. – Décrivez la partie qui existe?

R. – Je vois d'abord un grand bâtiment à trois étages, entièrement vitré, précédé d'une grande cour... De chaque côté de ce bâtiment, je vois un bâtiment beaucoup plus important... Cette maison est déserte. Il n'y a actuellement personne dedans, mais elle entrera en activité incessamment...

M. B. retire des mains du sujet ce premier paquet de papiers et le remplace par un second.

D. – Dites-moi de quoi il s'agit maintenant?

R. – Ce sont d'autres plans de maison, et, je crois bien, d'usine...

Cette fois il ne s'agit pas d'une usine existante, mais d'une usine à l'état de projet... L'emplacement de cette usine est déjà choisi... il n'est pas très éloigné de l'endroit où est l'usine que j'ai vue tout à l'heure...

Je le vois également près des fortifications d'une ville et, de plus, à proximité d'un chemin de fer...

D. – Que deviendra ce projet?

R. – Il sera réalisé à très bref délai. Les travaux commenceront incessamment. La nouvelle usine commencera de fonctionner à la fin de la présente année... »

Le premier paquet de papiers que M. B. avait présenté à Mme Morel était un ensemble de plans de son usine, située à Paris, près des fortifications, et momentanément arrêtée, correspondant à la description globale faite par le sujet. Il était exact aussi que ce paquet de plans comprenait plus de bâtiments que ceux existants. Une partie des plans n'avait pas été exécutée et l'a été depuis.

Le deuxième paquet de papiers consistait également en un ensemble de plans d'une autre usine en projet. Le terrain d'emplacement était choisi, à proximité du chemin de fer du Nord.

A cette époque M. B. avait comme projet de vendre son usine existante qu'il trouvait trop vaste pour son genre de production, et de construire une autre usine plus petite.

La facilité avec laquelle Mme Morel saisit la réalité et son projet, au simple contact de plans, le frappa d'étonnement.

Voici ce qui dans la suite arriva. Le cours des choses fit que l'usine de M. B., celle existante, prit un développement bientôt si important que les bâtiments auparavant trop vastes devinrent trop petits, au point qu'il fallut construire et réaliser ce qui du plan primitif n'avait pas été construit.

Pour cela, le projet de la plus petite usine n'eut plus de raison d'être. Il fut abandonné.

L'expérimentation, par variation des conditions psychologiques des expériences, suggère incessamment que ce qu'il y a de plus aisément « détectible » dans le psychisme humain, c'est le plan fonctionnel subconscient de la pensée, entendu dans ses limites aujourd'hui classiques. D'accès plus difficile est le plan transcendant.

Aussi rencontre-t-on assez souvent des sujets métagnomes, bons détecteurs des plans de pensée d'informations sensorielles, presque incapables de jamais faire un véritable présage.

C'est encore en raison du déterminisme psycho-physique de cette phénoménologie que l'on fait des constatations qui seraient d'une déconcertante bizarrerie si la source informatrice des sujets était, selon la croyance commune et tenace, de source extra-humaine.

On a, par exemple, la fréquente occasion de remarquer que certaines personnes n'obtiennent avec tel ou tel sujet métagnome de prémonitions vraies que dans la première séance. Ensuite ce n'est plus que redites ou du faux. Comme si le premier contact avait déclenché la collaboration intermentale avec le plan transcendant utile de la personne-objectif et qu'ensuite cette collaboration s'en tenait aux plans fonctionnels de surface.

Quand, en de pareils cas, on laisse un assez long temps s'écouler sans remettre le même couple mental en présence, il arrive généralement que la production prémonitoire réapparaît.

Cela donne à croire que la cryptesthésie des sujets s'émousse par l'accoutumance, et, devenant moins sensible à la psycho-physique du plan transcendant de pensée, tombe aussitôt sous l'influence de la psycho-physique du plan subconscient classique, de plus forte action radiante vraisemblablement, peut-être parce que moins subtile.

Pour analogie simplement, je rapprocherai de cela le fait que Ludwig Kahn sent croître la difficulté de perception de la pensée écrite quand il donne des séances successives aux mêmes personnes. A partir d'un certain moment la difficulté devient assez forte pour qu'il demande le renouvellement des scripteurs. Pour les membres de sa famille avec lesquels il vit ordinairement, sa faculté est inopérante.

En opposition à cette sorte d'accoutumance qui émousse la réceptivité perceptrice des sujets métagnomes, je signale cette autre constatation, également fréquente dans la pratique : que telle personne avec tel sujet n'obtiendra de prémonitions nettes et véridiques qu'après quelques séances, comme si une adaptation était nécessaire pour que le sujet détecte le plan psychique utile.

Ces phénomènes d'*accoutumance stérilisante* et d'*adaptation* dépendent des couples mentaux mis en présence. Un sujet métagnome donné se comporte de l'une ou l'autre manière suivant la personne qu'on lui donne à détecter.

Pour compléter la notion de la nécessité d'un accord psycho-physique spécial nécessaire à la production du phénomène de préconnaissance du devenir individuel, je rappelle qu'il est des personnes n'obtenant presque jamais, pour ne pas dire jamais, de prémonitions vraies avec aucun sujet, comme si leur plan transcendant de pensée ne trouvait pas de détecteur approprié; alors qu'il est des personnes à l'égard desquelles la préconnaissance est abondante, très souvent exacte et de production indéfinie.

Il est une autre constatation de la pratique expérimentale importante à connaître et qui fournit aux psychologues une masse considérable de faits de transmission de pensée à propos d'essais de production prémonitoire. Quand on met une personne, une première fois, devant un sujet métagnome pour essai de détection de son devenir, il arrive quelquefois que le couple mental mis en travail ne soit pas favorable à la saisie du plan transcendant informateur de l'avenir, et que le sujet prenne les révélations qu'il fait dans le plan fonctionnel dit subconscient classique. Les présages sont alors, sauf coïncidences heureuses et toujours partielles, de faux présages. Pour certaines personnes ces faux coups de sonde initiaux déterminent une sorte de prépondérance sug-

gestrice de ces notions erronées, compromettant toutes séances ultérieures avec d'autres sujets. Tous ou presque tous les nouveaux sujets
employés à l'égard de cette personne peuvent reproduire les mêmes
erreurs, malgré parfois l'adjonction de prémonitions vraies. En de tels
cas, le processus mento-mental du phénomène est d'une évidence écla-
tante. Comme ce phénomène se rencontre assez souvent, et prend parfois une complexité prodigieuse, le psychologue trouvera encore là un
champ excessivement fécond d'observation de la transmission de la
pensée. Mes dossiers contiennent des exemples si impressionnants de
ce travail polypsychique sous-conscient, constructeur d'erreurs, qu'il
en est auxquels j'ai pris plus d'intérêt qu'à la prémonition vraie.

Ce qu'il importe encore de savoir c'est que la production prémonitoire, susceptible de s'accroître dans sa quantité par répétition des
séances, est en même temps « évoluante » dans sa qualité. Je vais m'expliquer.

Les choses se passent comme si le sujet métagnome avait difficulté
à se mettre en rapport productif avec le plan transcendant de la pensée
d'autrui. Généralement, dans une première séance, ce qu'il saisit est
synthétique, et les indications qu'il fournit concernent le sens général
du devenir. Ce n'est souvent que dans des séances ultérieures qu'il met-
tra à jour tel ou tel événement, dont le complexe circonstanciel sera
progressivement révélé. Dans le jaillissement informateur, il est une
sorte de fantaisie apparente. La connaissance de tel ou tel événement
parvient brusquement au conscient passif et attentif du sujet. Cette
sorte de pêche dans le plan transcendant d'autrui a des résultats bien
différents suivant les séances. Quelquefois elle fournit sur les événements déjà prédits des compléments circonstanciels qui les précisent.
Pendant une ou plusieurs séances rien de nouveau n'est parfois saisi,
alors le sujet reproduit les prémonitions faites. Parfois, subitement, un
nouvel événement est décrit dont jamais jusquà ce moment il n'avait
été question.

On comprend que dans cette collaboration intermentale à production difficile, les omissions soient nombreuses. Elles le sont d'autant
plus que le nombre des séances aura été réduit et la qualité du couple
mental de petit rendement.

Tenir une omission pour une erreur de la faculté prémonitoire du
sujet serait ignorer le déterminisme général présidant à la production
du phénomène de préconnaissance de l'avenir individuel.

L'omission est une nécessité de ce déterminisme; c'est à l'expérimentateur à la réduire au minimum par échelonnement plus ou moins
dense des séances quand le couple psychique collaborant le permet.

La répétition des séances a pour autre avantage de permettre aux
prémonitions faites d'évoluer. Elles vont généralement de la préconnaissance globale à la préconnaissance détaillée et circonstanciée.
C'est dans le détail que les erreurs sont le plus abondantes. Rien n'est

plus curieux que de suivre, dans la répétition des séances, leur destinée, le sujet restant naturellement dans l'ignorance absolue de la personnalité-objectif et de l'écoulement de sa vie. On assiste ainsi à la rectification d'erreurs antérieures, à leur amplification, ou à leur suppression, parfois à l'organisation d'un système erroné à côté de préconnaissances exactes et, un jour, à la dislocation spontanée de ce système, reconnu par le sujet comme faux à la lumière de jaillissements prémonitoires nouveaux.

La répétition des séances, espacées judicieusement suivant le couple mental, et aussi suivant le type prémonitoire des sujets utilisés, est pour l'observateur un spectacle psychologique prodigieux, très riche d'enseignements.

La fluctuation inévitable des résultats

Les notions ci-dessus rendent évident, je l'espère, que la simple connaissance de la psychologie classique ne donne au meilleur des psychologues aucune compétence expérimentale s'il ignore l'acquis de ceux qui ont étudié pratiquement ce prolongement spécial de la psychologie.

Ici, comme dans toutes les autres branches de la science, le savoir n'est pas infus, il faut l'acquérir soit par la recherche personnelle, soit en tenant compte de celle des autres.

Le premier temps d'une démonstration du phénomène de préconnaissance de l'avenir consiste donc à faire comprendre aux hommes de science, qui voudraient vérifier, qu'ils ont auparavant quelque chose à apprendre.

Le sujet métagnome étant choisi, il convient de s'adapter au déterminisme de sa faculté spéciale et de ne pas chercher à l'adapter à nos propres manières de voir. Le but étant d'obtenir un phénomène, tout ce qui est nécessaire à sa réalisation doit être mis en jeu. Il y a ce qu'il faut faire; il y a aussi ce qu'il ne faut pas faire.

Comme il s'agit d'un instrument psychique doué d'une très grande sensibilité, hyperémotif le plus souvent, il est indispensable de savoir que le travail délicat de sa faculté s'inhibe si, par des paroles ou une attitude inopportunes, on provoque une émotion pénible diffusant dans le cerveau et tenant en inquiétude et en éveil l'attention qui ne devrait plus s'occuper d'autre chose que d'enregistrer le jaillissement des représentations mentales informatrices. Empêcher un instrument complexe de fonctionner, au moment où l'on veut juger sa qualité sur son fonctionnement, ne serait pas un acte de raison. Pour disposer le sujet à un bon rendement, il faut le faire travailler dans une atmosphère de bienveillance. Le scepticisme n'est pas un obstacle, si l'expérimentateur a souci de le cacher. Ce conseil est d'une élémentaire psychologie. On peut le croire superflu. Il ne l'est pas.

*L'apparente solitude de chacun au cœur des foules doit-elle être en partie rectifiée
par les travaux sur les facultés psi qui révèlent des liens nouveaux entre les êtres?*

Nous sommes tous, sans exception, fluctuants dans la qualité de nos diverses facultés. Attention, mémoire, volonté, intelligence varient extrêmement sans que nous en prenions une conscience exacte; les courbes de ces variations nous stupéfieraient si un psychologue s'attachait à en faire les graphismes. Qu'on ne s'étonne pas qu'il en soit de même de la faculté des sujets métagnomes, au travail si subtil et complexe. Ils ont leurs bonnes et leurs mauvaises dispositions, dépendant de causes physiologiques aussi difficiles à saisir que celles faisant varier les communes facultés. Le comportement expérimental idéal serait de ne se servir d'un sujet qu'à ses meilleurs moments et d'interrompre toute séance dans laquelle il se sent en mauvais état de travail. Pratiquement cet idéal est, dans l'ensemble, quasi impossible à atteindre, en raison du temps perdu.

Chaque sujet métagnome a découvert initialement l'existence de sa faculté à propos de circonstances qui ont conditionné souvent la forme consécutive de son entraînement. Il est des sujets qui se sont révélés détecteurs de l'être humain en essayant ce que donne telle ou telle doctrine mantique. Il en est, et très nombreux, qui ont manifesté leur don en croyant se mettre en communication avec un esprit, tenu ensuite pour guide inspirateur, etc. Ces habitudes mentales doivent être respectées. Quelles qu'elles soient, le travail mental est de même nature pour tous les sujets. Ce qui seulement doit importer au psychologue, c'est de se mettre dans les meilleures conditions de provoquer le phénomène qu'il recherche.

Que l'on respecte aussi l'exécution de son travail mental si délicat. Il n'est pour cela que de savoir que sa faculté est le fonctionnement d'une autre conscience que celle classique. Le conscient classique est dans une sorte d'éclipse, le sujet en est abstrait. Interrompre par des questions, des acquiescements, des négations, des rectifications, etc., c'est chaque fois le sortir de l'état psychologique qui lui est nécessaire et s'appliquer à stériliser ses efforts. La bonne attitude est le mutisme bienveillant. Toutefois, aux temps de repos, on peut, s'il y a lieu, encourager le sujet s'il a nettement saisi la personnalité à détecter; encouragement qui ne lui fournit aucune indication, mais qui, l'assurant qu'il ne s'est pas fourvoyé dans l'erreur, suffit parfois à provoquer une séance beaucoup plus productive qu'elle ne le serait sans cela.

Étant donné que le sujet métagnome, quand on lui donne comme objectif l'être humain, se comporte en détecteur du psychisme, c'est nuire à la qualité de sa production que de ne pas limiter au minimum les présences humaines.

L'idéal est la séance où seuls sont en présence le sujet métagnome et l'individualité-objectif. Pour certains sujets, cette condition est presque indispensable. D'autres s'accommodent de la présence d'un tiers.

Le rôle amoindrissant des présences multiples est si logique, et si manifeste dans la pratique, que je souligne son importance.

En outre de l'influence radiante perturbatrice de la présence de plusieurs psychismes, il s'y ajoute pour certains sujets, les timides surtout, l'inquiétude de se savoir observés et jugés, tenant leur pensée en perpétuelle et nuisible alerte.

Quand on se donne pour but d'obtenir seulement la preuve du fait prémonitoire, qu'on ne croie pas rendre l'expérience plus simple et plus pure en demandant au sujet de limiter son travail à la seule perception de l'avenir de la personne mise en présence. Ce faisant on peut lui rendre le travail impossible. Voici pourquoi.

Ses informations ne lui viennent pas « d'en haut », mais de la personne présente et, quand il s'agit de préconnaissance, d'un plan psychique de cette personne très difficile à détecter. Mis pour la première fois devant quelqu'un, le sujet métagnome procède d'instinct à une sorte de pénétration progressive du psychisme. Il commence par démêler les caractéristiques morales, intellectuelles, organiques, sociales, etc., de la personnalité. Puis il cherche à faire la synthèse de la vie écoulée et à situer la personne dans son ambiance actuelle et son existence du moment. Ce n'est qu'après ce travail de prise progressive de connaissance qu'il aborde la perception de la vie à venir. On dirait qu'alors il ne se sent plus gêné par l'influence suggestrice du contenu mental globalement liquidé et qu'il peut plus aisément atteindre un autre plan de pensée détenteur des connaissances du devenir.

Ce procédé psychologique, d'apparence instinctif, il faut le connaître et en tenir compte.

Une autre recommandation que je dois faire, c'est que l'esprit du sujet métagnome, vierge de toute indication sur la personnalité-objectif au début de la première séance, doit le rester entièrement dans la suite. Le sujet doit toujours ignorer ce qu'il a dit de vrai ou de faux et le déroulement de la vie de la personne, sans cela une masse d'observations instructives échapperait et, de plus, il en adviendrait inéluctablement de l'erreur. On n'assisterait pas à l'évolution pure et spontanée de l'organisation de la préconnaissance allant du synthétique au circonstancié. On ne suivrait pas le sort des erreurs. On laisserait le sujet peupler son conscient d'indications d'après lesquelles son subconscient imaginerait l'avenir. Un sujet informé même partiellement du présent d'un individu, peut devenir quelquefois inemployable à l'égard de cet individu, parce que détourné de la source des indications vraies du futur.

Pour tirer bon parti d'un instrument, surtout psychique, il importe, en somme, de savoir comment s'en servir.

Le choix des sujets d'expérience

Pour obtenir une production abondante et excellente de préconnaissance d'avenir et se mettre en conditions idéales d'une démonstration expérimentale du phénomène, on devrait choisir les personnes objets de métagnomie prémonitoire par une sélection à deux degrés.

Une première série d'épreuves déterminerait, par contrôle du nombre et de la qualité des informations métagnomiques sur le réalisé, quelles personnes sont favorisantes de la collaboration intermentale pour chacun des sujets employés, étant d'évidence qu'un sujet incapable de connaître l'évolution effectuée d'une personne ne saurait connaître son devenir [1].

Par une deuxième série d'épreuves on déterminerait, pour chaque sujet métagnome, les personnes dont seuls les plans superficiels de pensée sont saisis, et pas, ou presque pas, le plan transcendant informateur du devenir.

Ainsi seraient connus et constitués, par élimination, les couples mentaux fevorables à la production de la connaissance de l'avenir.

Cette manière de faire sera celle à employer quand une commission scientifique, officiellement désignée, voudra s'assurer par l'expérience si le phénomène de prémonition est une réalité.

Pour une vérification moins solennelle et de verdict moins grave, il suffit de savoir qu'il faut étendre l'essai au-delà de la présentation d'une seule personne devant un seul sujet métagnome, pour donner à la constitution du couple mental favorable ses chances de réalisation. L'emploi de deux ou trois bons sujets, sollicités à travailler à l'égard d'une dizaine de personnes, représente un stock humain largement suffisant à une épreuve de vérification.

Si, par nécessité, on veut réduire le lot des individualités-objectifs, je conseille qu'on les choisisse parmi les personnes dites « intuitives », c'est-à-dire menées souvent à la connaissance du réel par le sentiment, selon l'expression courante, plutôt que par la raison. De telles personnes, en plus grand nombre dans le sexe féminin, se comportent, par leur présence auprès des sujets, comme si le plan transcendant de leur psychisme était plus manifestement apte à une active collaboration intermentale.

Autant que cela est présumable, il est bon de choisir les individualités objets de métagnomie parmi celles dont la vie actuelle fait supposer un devenir chargé d'événements rationnellement imprévisibles, sans doute, mais sortant de la banalité des faits qui peuplent les vies ordinai-

---

1. Ce procédé est totalement opposé à la manière de voir de presque tous les psychistes, pour ne pas dire tous, à qui la méconnaissance du processus psychologique général du phénomène de métagnomie à objectif humain laisse croire qu'il faudrait absolument écarter les personnes entraînant la transmission de la pensée, exclusion qui supprimerait radicalement le phénomène prémonitoire recherché.

res. La prémonition d'un événement fréquent suggère toujours la possibilité de coïncidence, alors qu'il est des événements si rares, qu'en outre de la précision de leurs circonstances, le fait qu'ils aient été annoncés exactement comme devant survenir à une personne désignée rend la probabilité de coïncidence inconsistante. En de tels cas, l'annonce des circonstances caractéristiques donne au présage l'incontestabilité.

Comme l'expérimentation se fait avec du matériel humain pensant et libre d'exprimer sa pensée à son gré, et en des conditions seulement psychologiques, il ne faut pas perdre de vue que le contrôle du futur sera, au moins pour une part, à la merci du témoignage de la personnalité-objectif. Quand il s'agira de faits de la vie intime, la vérité des choses ne sera pas souvent attestée. D'où cette indication, dans le choix du lot des individualités à détecter, de préférer celles donnant le plus de garantie de sincérité, et surtout celles à l'égard desquelles l'expérimentateur est bien placé pour pouvoir effectuer lui-même le contrôle.

Une expérimentation bien faite comporterait la division des personnalités-objectifs en deux lots.

Un lot serait dans la situation psychologique des personnes qui demandent leur avenir à des devins; chacun saurait ce qui a été dit sur son devenir.

Un autre lot l'ignorerait.

La comparaison du sort des prémonitions à l'égard de ces deux groupes, surtout si le nombre des personnes en est assez important, fournirait des renseignements de diverses sortes, valant d'être provoqués.

Comme il n'est question ici que d'apprendre comment démontrer qu'il est possible à certains êtres humains de révéler l'avenir à leurs semblables, c'est-à-dire, en définitive, de connaître l'avenir, l'expérimentation à mettre en œuvre est simple.

Il suffit de présenter un certain nombre de personnes à un certain nombre de sujets métagnomes, en tenant compte de toutes les notions de psychologie spéciale énoncées ci-dessus.

Durant la succession des séances, le rendement des couples mentaux signalera les manières diverses de les employer.

Pour les couples de grand rendement, il conviendra de les faire travailler le plus longtemps possible, et à des intervalles à évaluer selon le type de détection du sujet.

Il est des sujets dont la saisie psychique s'en tient aux grandes lignes du devenir; avec ceux-là, l'intervalle des séances ne saurait qu'être grand. Il est d'autres sujets qui détectent progressivement les détails de la vie. J'en ai utilisé un avec lequel j'ai pu expérimenter à mon égard tous les huit jours, pendant des années, sans autre fléchissement dans le rendement que celui inhérent aux fluctuations de l'acuité d'une faculté.

Une sorte d'expérience que je recommande est celle qu'on pourrait appeler « conjugale ». Un expérimentateur, par exemple, se donne comme objectif de préconnaissance d'avenir à quelques bons sujets métagnomes. Il écrit exactement ce qui est dit et en garde le secret. Un mois ou quelques mois après, il demande à sa femme, laissée ignorante des prémonitions faites, de reproduire les mêmes essais avec les mêmes sujets et d'écrire mot à mot ce qu'ils diront. La comparaison des textes obtenus ainsi par deux personnes, à vie pour une grande part commune, avec des sujets mis en condition de ne pouvoir connaître leurs liens sociaux, est généralement un spectacle psychologique fort intéressant. Quand il se trouve, ce qui est assez fréquent, que les deux époux sont des « favorisants », ils constatent, à leur grand étonnement, que les présages obtenus sont les mêmes pour les événements communs, mais souvent saisis sous des angles différents. Fait plein d'intérêt pour le psychologue, ils sont quelquefois les mêmes, quand les présages sont de faux présages. Il est arrivé alors ceci : que les informations pseudo-prémonitoires, prises dans le subconscient (classique) du mari, ont été reproduites à l'occasion du travail métagnomique sur la femme, laquelle les ignorait, et par un ou deux sujets n'ayant aucune notion du rapport social entre ces deux individualités. Ainsi, dans l'engendrement et l'évolution d'erreurs se pose – condition parmi beaucoup d'autres – le très intéressant problème de la collaboration intermentale polypsychique.

Plus impressionnante encore, parce que plus complexe, est « l'expérience familiale » (mari, femme, enfants, et quelques collatéraux très proches), expérience faite selon le même protocole que celle conjugale. A la comparaison des textes on s'aperçoit que les événements futurs ont été donnés à chacun selon une répercussion individuelle et souvent en proportion. Si les prémonitions s'avèrent exactes dans la suite, on se trouve en présence d'un fait prémonitoire excluant l'objection de coïncidences. Quant, au contraire, la vie écoulee est venue faire la preuve qu'il y a eu faux présages, le spectacle psychologique n'en reste pas moins stupéfiant, tant la complexité d'influences interpsychiques s'y montre grande et dirigée par une logique étrange dans l'erreur.

Cette saisie des événements à venir dans leur rapport avec les individualités humaines permet – je le signale en passant – d'envisager des séries d'expériences ayant pour but de s'assurer s'il est possible d'obtenir une connaissance anticipée de l'avenir prochain d'une nation à travers les vies individuelles de ses personnalités dirigeantes.

De telles expériences sont rendues difficiles, et aléatoires dans leurs résultats, par ce fait que les personnalités connues seront presque toujours reconnues des sujets.

La divination par le vol ou le cri des oiseaux, ou ornithomancie, fut utilisée par les Hittites, les Etrusques, les Grecs, etc., dans un esprit superstitieux.

Comment faire les comptes rendus des séances

Pour qu'un compte rendu de séance ait toute sa valeur enseignante, il doit être établi suivant ce protocole :

1° Toutes les paroles du sujet sont écrites à mesure qu'il les dit. Se garder de ne jamais changer des mots, ou d'ajouter, ou de supprimer des phrases, dans le but de rendre le texte plus clair. Quand celui qui écrit est en même temps l'objet de la séance métagnomique, il imagine, d'après ce qu'il entend, son futur éventuel et cet exercice quasi inéluctable de l'esprit l'incite par instant à transposer les dires du sujet en ce qu'il juge être l'équivalent plus intelligible. Cette manière de faire ajoute une source d'erreurs aux autres sources.

2° Après séance, si l'expérimentateur n'est pas la personne-objectif, il doit, hors la présence de cette personne, demander au sujet s'il y a des prémonitions à ajouter. S'il y en a, il les consigne à la suite du texte de séance. Souvent, en effet, le sujet ne peut pas exprimer devant l'intéressé des prémonitions néfastes pour lui ou pour l'un des siens. Ces présages, restant inconnus de la personne qu'ils concernent, n'auront que plus de valeur probatoire si la réalité future en confirme la vérité.

3° Ensuite du texte ci-dessus, il y a lieu de consigner :

Ce que le sujet, par les moyens ordinaires, peut savoir concernant la personne livrée à son investigation spéciale et supputer de son avenir.

Le contenu mental de l'expérimentateur et de la personne en cause, par rapport aux prémonitions enregistrées.

On comprend en effet l'importance qu'il y a de savoir si tel événement présagé, que le devenir le confirme ou l'infirme, était une saisie du contenu mental des assistants ou sans rapport possible avec lui.

A la fin de chaque séance nouvelle, il y aura lieu de noter, avec circonstances et dates, les événements réalisés depuis la séance précédente, et aussi ce que la personnalité-objectif aura appris modifiant son contenu mental quant à ses supputations de l'avenir.

Cette consignation minutieuse est nécessaire si l'on veut, non seulement comparer les prémonitions aux événements qui s'effectuent, mais observer l'évolution des informations métagnomiques, prémonitions et autres, par rapport à l'évolution du contenu mental de la personne donnée en but, et aussi de l'expérimentateur. Ne pas se soucier des variations de l'information prémonitoire en fonction de celles des contenus mentaux ne serait pas faire œuvre scientifique.

Le contrôle des résultats

A quel moment sera-t-on en droit de rendre un verdict sur la qualité des prémonitions obtenues en séances correctes?

Là est le point délicat d'une démonstration expérimentale que des vérificateurs pressés voudraient rapide.

Quand, en effet, les événements préannoncés tardent à se réaliser, il est en certains cas possible de les juger faux, lorsque, par exemple, le cours de la vie de la personnalité-objectif est devenu tel que la prémonition ne peut plus être vraie.

Souvent on doit suspendre son jugement. Rien ne permet d'affirmer, malgré qu'on soit sceptique, que tel présage est à partir d'un certain moment une impossibilité certaine. On est contraint d'attendre et parfois un long temps, d'être fondé à émettre un jugement définitif.

En raison de l'écoulement de temps plus ou moins long nécessaire au contrôle des prémonitions, il y a indication de multiplier, en vue de démonstration accélérée, le nombre des personnalités-objets de préconnaissance du devenir, pour que dans le nombre il en soit qu'attendent des événements de forte saillie dans la vie.

Lorsque, pour les prémonitions vraies et réalisées, les comptes rendus des expériences seront à compléter, je conseille qu'on ajoute à l'exposé de l'événement, tel qu'il s'est effectué, l'historique des causes intercalaires qui l'ont déterminé. La connaissance de la filiation des causes préparantes montre souvent combien les plans psychiques classiques de la personne-objectif et du sujet étaient incapables d'une telle préconnaissance de l'avenir par supputations rationnelles.

Un procès-verbal d'expérience s'établit donc ainsi et dans cet ordre :

1° Consignation des conditions diverses de l'expérience.

2° Consignation des prémonitions dans les paroles propres du sujet.

3° Consignation de ce que le sujet peut rationnellement supputer d'après ses moyens normaux d'information et par rapport aux indications prémonitoires fournies.

4° Consignation de ce que l'expérimentateur et la personne objet de métagnomie peuvent supputer rationnellement par rapport aux prémonitions faites.

5° Consignation des événements effectués et du déroulement général de la vie.

Un procès-verbal ainsi établi n'a pas besoin de commentaires explicatifs. Il introduit une telle objectivité dans un phénomène de subjectif, que ce phénomène devient d'une sûreté expérimentale devant satisfaire les esprits les plus exigeants.

Quand plus tard on connaîtra le déterminisme physique régissant l'interaction des divers plans fonctionnels de la pensée entre le sujet métagnome et la personnalité qu'il détecte, on saura alors avec précision, dans le cours des séances, à quel moment le plan transcendant de pensée, informateur du devenir, influence le psychisme du sujet.

Aujourd'hui nous n'en sommes encore qu'au stade psychologique de l'étude précédant et préparant les ères physique et physiologique. L'acquis psychologique pur ne nous donne aucun moyen de présumer du degré de probabilité de la correspondance d'une prémonition avec le réel futur.

La répétition impressionnante de mêmes prémonitions au même individu par un nombre plus ou moins grand de sujets métagnomes, ignorant chacun les prémonitions faites par les autres; la prédiction d'un même événement à divers membres d'une famille, suivant l'angle d'incidence sur chaque individu, chaque sujet employé ayant été tenu dans l'ignorance des liens de parenté unissant les personnes, et chaque individu n'ayant rien su des prémonitions faites aux autres : de telles constatations si suggestrices de véridicité ne doivent jamais donner croyance à la probabilité du présage.

Toute prémonition doit être tenue pour suspecte, surtout si elle est conforme aux conjectures, aux désirs, aux projets de la personne qu'elle concerne. Le déroulement ultérieur de la vie en sera le seul juge.

Le fait prémonitoire probant

Quelles sont les caractéristiques d'un fait de prémonition réalisée pour qu'il prenne valeur de certitude?

Le bon sens veut que ce ne soit pas du nombre qu'il faut attendre la certitude, mais de la qualité. Cent prémonitions approximativement justes et concernant des événements fréquents dans la vie des hommes laisseront le doute dans l'esprit. Quelques prémonitions ayant trait à des événements rares et nettement prévus dans leurs circonstances et leurs répercussions diverses sur la vie feront des preuves que personne ne songerait à contester.

La condition expérimentale la plus pleinement probante, et par surcroît instructive, est celle où l'expérimentateur donne son propre devenir à détecter. Nulle position, pour observer, ne vaut celle-là. Les variations du contenu mental et l'écoulement de la vie se comparent exactement aux informations prémonitoires. L'influence des présages sur les actes et l'orientation de l'activité et des sentiments peut être pleinement évaluée. Il est parfois des prémonitions si étrangères aux désirs, ou ayant trait à des événements si indépendants de notre action personnelle, et pour cela si inattendus, que leur conformité ultérieure à ce qui a été prédit entraîne la certitude qu'il y a eu préconnaissance, sans possibilité de coïncidence.

Plus difficile est la détermination du présage probant quand il a été fait sur le devenir d'autrui.

On peut, pour être prudent, ne retenir comme prémonitions probantes que celles informant d'un événement relativement rare, avec détails circonstanciels, et se réalisant en dehors de la volonté de la personne intéressée.

Un expérimentateur se croyant très difficile n'accepterait pour valables que les prémonitions faites à l'égard des personnes qui seraient et resteraient dans l'ignorance des présages. Cette sécurité est toute théorique, rien ne garantissant contre une indiscrétion du sujet métagnome ou des tentatives « de savoir » de la part de sa personne-objectif. Toutefois, en prenant toutes précautions utiles, il est de grand intérêt d'expérimenter sur un lot de personnes soustraites aux suggestions de prémonitions entendues.

En suivant la technique psychologique ci-dessus exposée, la démonstration de la réalité du phénomène de connaissance du devenir individuel, c'est-à-dire d'événements futurs de l'avenir, pourra être faite à une commission de savants qui se donnerait pour but de s'assurer si ce phénomène, connu de tous temps, nié a priori par la plupart des gens de science, tenu pour vrai par ceux qui ont voulu le juger par la pratique et non en théorie, est une illusion ou une réalité.

Le jour où le phénomène de préconnaissance de l'avenir individuel humain entrera définitivement dans la science sera un jour sans précédent dans l'histoire de l'humanité, car ce jour ouvrira à l'investigation expérimentale diffusée un horizon de travail dont peu d'esprits, je crois, ont eu l'idée.

DOCTEUR EUGENE OSTY

La parapsychologie nous conduit à considérer si nous voyons la réalité ou son reflet.
(Maisons sur pilotis, à Bergen, Norvège.)

Chapitre IX

Les quatre visages de l'ESP

*Entre la télépathie et la prémonition, les apparitions et les hallucina-
tions, il n'est pas aisé de distinguer les témoignages qui entrent dans
une catégorie plutôt qu'une autre. L'analyse détaillée de ces témoignages conduit à l'idée qu'une classification trop stricte est artificielle.*
*Louisa E. Rhine, qui a fait des recherches sur la perception extra-
sensorielle avec son époux J.B. Rhine au laboratoire de parapsychologie de l'Université Duke, en Caroline du Nord, a distingué quatre
formes d'ESP [1], malgré leur diversité apparemment plus grande.*

Dès qu'on se penche sur une quantité importante de cas d'ESP, on
ne peut s'empêcher de constater la grande variété des moyens par
lesquels elle se manifeste dans notre conscience. Certes, on peut distinguer entre les rêves et les phénomènes à l'état de veille, mais en dehors
de cette ligne de partage particulièrement évidente, les variations sont
grandes dans chacun de ces deux groupes. Les bases de notre travail
expérimental en matière de parapsychologie ne nous aident guère à
nous orienter dans ce chaos. Les expériences, en effet, y sont conduites
dans le milieu restreint du laboratoire, où il est difficile de décrire des
rêves. Dans les circonstances de la vie, ce « conditionnement » n'existe
pas, et cette variété de moyens et de formes n'est pas surprenante. Or
il se vérifie en fin de compte que le nombre des types d'ESP n'est pas
illimité. Dès qu'on commence à rechercher leurs similitudes fondamentales, il n'est pas difficile d'entrevoir sous les variations superficielles
certaines grandes lignes d'ordre et de ressemblance. Parmi celles-ci,
quatre seulement semblent essentiellement différentes et rendent finalement compte de toute la variété des formes : les expériences vécues
peuvent être réalistes, irréalistes, hallucinatoires, et intuitives.

1. E S P : *Extra Sensory Perception.* Perception extra-sensorielle.

Les formes d'expériences réalistes

La première chose, ou presque, qu'on remarque concernant la manière dont les expériences d'ESP affleurent à notre conscience est que beaucoup d'entre elles ont un caractère pictural accentué. Les comptes rendus contiennent souvent des détails si vrais et si réalistes qu'on dirait la description d'une photographie, celle de l'événement. Cette forme réaliste est la plus frappante de toutes : on la retrouve dans la plupart des comptes rendus, et la similitude de l'expérience et de l'événement y est saisissante.

Il y a quelques années de cela, une femme de la Virginie-Occidentale a vécu une expérience semblable. Son père avait décidé de déménager pour s'installer dans l'Utah, où il avait acheté une étendue de terrain qu'aucun d'eux n'avait vue. Son mari et elle avaient décidé de partir, eux aussi, pour l'Ouest.

Dans le rêve qu'elle fit, avant de quitter la Virginie-Occidentale, elle se trouvait dans l'Utah en train de regarder, d'une certaine distance, la ville la plus proche de la propriété de son père. Elle la voyait s'étendre à plat dans la lumière du soir, sous un soleil couchant qui faisait briller les toits. Mais autour, aussi loin que portait son regard, tout était gris et offrait un spectacle de désolation. Le désert se déployait sur des kilomètres et des kilomètres, aride et morne, l'image même du vide. En le contemplant, elle ressentit un tel déchirement qu'elle s'éveilla, prenant conscience que ce n'était qu'un rêve, malgré toute sa netteté.

Ils partirent pour l'Utah, où elle et son mari furent terriblement déçus. Ils n'étaient pas préparés à un tel changement. Comme elle le dit, ils n'étaient pas « de la pâte des pionniers », et ils commencèrent bientôt à regretter les collines boisées de la Virginie-Occidentale. Aussi chargèrent-ils un jour tout ce qu'ils possédaient sur une charrette, et le père les emmena à la ville la plus proche pour prendre la diligence. Il leur fallait traverser un haut plateau, et ils arrivèrent soudain au versant où la route amorçait sa descente.

Et là, c'était son rêve! Exactement la même vue! A quelque distance, la ville s'étendait sur un sol plat, les rayons du soleil se réfléchissaient sur ses toits, sur le désert qui se déployait aux alentours. Elle avait l'impression de tout connaître : son rêve et la réalité étaient identiques.

La plupart de ces expériences réalistes d'ESP sont des rêves, mais il y a des exceptions, comme le cas de la femme qui assiste à l'arrivée de la voiture de ses amis quelques jours avant qu'ils ne lui rendent réellement visite. Il en est de même de cette fermière qui, alors qu'elle faisait la vaisselle par temps froid, voit soudain « par les yeux de l'esprit » son plus jeune fils tomber dans un lac situé à quatre kilomètres environ de la maison et de plus caché complètement par le verger. Il lui était impossible d'apercevoir quoi que ce fût, et pourtant elle a « vu » son mari entrer dans l'eau pour repêcher l'enfant, l'emporter en direction de la maison avec ses vêtements dégouttant d'eau, entrer dans la cuisine, l'installer près du fourneau, le sécher en le frottant avec plusieurs serviettes.

Elle eut encore le temps de terminer sa vaisselle et de commencer à pétrir le pain, sans cesser de se sentir opprimée par sa « vision ». Au moment où elle jetait un coup d'œil par la fenêtre, elle aperçut son mari : il entrait dans la cour avec dans ses bras l'enfant complètement trempé. Comme elle avait les mains pleines de pâte, ce fut son mari qui déshabilla le garçonnet et se mit à le frotter pour le sécher et le réchauffer. Selon ses mots, la « vision » s'était déroulée sous ses yeux « comme un film ».

On retrouve dans ce type de cas où tout est « vrai », détaillé, pictural, un élément presque constant : la scène ou le tableau apparaissent au sujet sous l'angle de vue spécifique. La jeune femme de l'Utah, par exemple, n'a reconnu le paysage qu'à partir de l'endroit précis où elle s'était « trouvée» dans son rêve.

Il est intéressant de noter que quelquefois le bord, c'est-à-dire la limite, de ce point de vue supprime une partie du tableau et peut même exclure un élément informatif important. Profitant de l'été, plusieurs industriels étaient partis pêcher dans la région des grandes forêts. L'un d'eux était le directeur régional d'une société de laminage de feuilles de tôle. Ils passèrent dans la profondeur des bois près de deux semaines, coupés de tout le monde extérieur.

La nuit qui précéda leur retour, le directeur en question fit un rêve si précis, si vivant, qu'il ne put se rendormir :

« Une de nos grues à vapeur déchargeait un wagon de ferraille sur la voie qui longe le fleuve, près du château d'eau où les locomotives font leur plein. Pour quelque raison inexplicable, l'énorme aimant, après avoir soulevé une lourde charge de déchets, bascula en tournant au-dessus de la rive. Le conducteur, dont je connaissais le nom, parvint à sauter de la grue alors qu'elle chancelait, tombait, rebondissait et s'immobilisait six mètres plus bas au bord de l'eau. Entre-temps, j'avais perdu de vue le conducteur. J'ai parfaitement distingué le numéro de la grue, le nombre et l'emplacement des wagons sur la voie ferrée et même les vêtements que portait l'homme. J'ai pu constater jusqu'aux dégâts essentiels subis par la machine, mais sans savoir ce qu'il était advenu de lui, car il avait disparu sous la grue ou derrière elle. En d'autres mots, j'ai vu l'accident soit de la rivière elle-même, soit de l'autre rive.

» A mon arrivée le lendemain à l'usine, le premier homme que je rencontrai fut le contremaître mécanicien. Il m'emmena avec lui à l'atelier de réparations pour examiner la grue dont j'avais rêvé et pour parler au conducteur qui s'était tiré de l'accident sans une égratignure. Ce miracle était dû au fait que la grue, dans son ultime rebondissement, avait atterri juste devant lui alors qu'il venait lui-même de faire un dernier saut. Tout, jusqu'au moindre détail, correspondait à mon rêve à l'exception de l'heure : l'accident avait eu lieu deux heures après que je l'eus rêvé. »

Il est encore trop tôt pour émettre une hypothèse quant aux raisons pour lesquelles certaines expériences sont une reproduction aussi fidèle de la réalité. Contentons-nous pour l'instant d'observer que l'intérêt personnel du rêveur n'a pas été déterminant, car, dans ce cas, il aurait « su » ce qui était arrivé au conducteur alors qu'au contraire il a noté le numéro de la grue!

Cette forme de reproduction réaliste est non seulement courante dans les cas d'ESP, mais elle est facilement reconnaissable à la précision des détails qui rendent peu probable une simple coïncidence.

La catégorie d'expériences irréalistes

De même que la fiction est aussi capable qu'une description exacte d'exprimer la vérité d'un fait, de nombreux messages dus à l'ESP nous parviennent de façon irréaliste. Une femme de San Francisco nous écrit :

« En janvier 1945, j'ai rêvé que mon jeune fils et unique enfant, alors servant dans le sud et le sud-ouest du Pacifique, entrait dans la cuisine où j'étais occupée et me tendait son uniforme trempé et dégouttant d'eau. Son visage d'adolescent exprimait une grande détresse. Troublée et confuse, mais sans mot dire, je commençai automatiquement à tordre l'uniforme pour en faire couler l'eau bleuie par la teinture du tissu bleu marine, me sentant de plus en plus mal à l'aise et désorientée.

» C'est alors que Billie, qui était debout près de moi, me prit l'uniforme des mains et le laissa tomber dans le bac à linge. Me faisant tourner sur moi-même et m'attirant contre lui, il me dit : « Est-ce que ce n'est pas terrible! Oh! maman, c'est si terrible! »

» Pendant les dix-neuf ans que je l'avais élevé, il ne m'avait jamais causé d'ennuis ni commis de bêtise grave, et pourtant, dans mon rêve, j'ai pensé qu'il se trouvait impliqué dans une difficulté d'un ordre tel que cela me touchait profondément, car il a ajouté aussitôt : « C'est vraiment la seule chose que je voulais t'épargner. » Aussi lui ai-je répété ce que je lui disais souvent quand il était enfant : « Rappelle-toi, Billie. Tu ne peux rien faire de si terrible dont nous ne puissions parler tranquillement, assis l'un en face de l'autre, tous les deux. ».

» Nous sommes entrés dans le salon, je me suis installée dans mon fauteuil, et il est venu s'asseoir sur mes genoux. Il a mis ses bras autour de mon cou, sa tête sur mon épaule en sanglotant, mais calmement. Et moi aussi je l'embrassais, quand soudain je n'ai plus tenu contre moi qu'un tout petit bébé que je berçais comme jadis. Il a cessé de pleurer et je me suis réveillée brusquement, mais le rêve est demeuré gravé en moi, extrêmement vivant.

» Cela s'était passé dans la nuit du lundi au mardi. L'après-midi du dimanche suivant, un aumônier de la 13e Base navale de Long Beach, en Californie (j'habitais alors la Californie du Sud), vint m'apporter un message : le navire de Bill avait sombré, il y avait de nombreux disparus, et le nom de mon fils se trouvait sur la liste. La confirmation de la mort de ces deux cent cinquante garçons est venue plus tard : ils avaient été littéralement mis en miettes par l'explosion de leur bateau qui, chargé de plusieurs tonnes de munitions, de bombes et de grenades sous-marines, avait été torpillé par l'ennemi à Lunga Beach, Guadalcanal, au cours de cette nuit du 20 janvier où j'ai rêvé de Billie avec une telle intensité. »

Ce rêve a-t-il été l'expression de la réalité? Il comporte à peine un détail qui soit réel, depuis la scène où la mère tord un uniforme dégouttant d'eau et à la couleur délavée, jusqu'à la transformation du jeune marin en ce bébé qu'il avait été jadis. Et pourtant, dans son sens le plus profond, ce rêve était vrai. Bien qu'il fût totalement différent de ceux qui reproduisent fidèlement un fait, son côté dramatique, imaginaire, n'en impliquait pas moins la tragédie qui avait eu lieu. On peut le considérer comme un mélange d'information par ESP et de souvenirs maternels. Dans l'ensemble, il s'agit d'un processus assez compliqué, mais cette tendance qu'a l'esprit qui rêve à dramatiser une situation ressort encore plus clairement quand la mémoire du rêveur n'intervient pas.

En 1945, la serveuse d'un café de Caroline du Nord avait pour client un beau jeune homme qui commença à lui témoigner beaucoup d'attention. Il était, disait-il, représentant de commerce, célibataire, et il l'invita à aller au cinéma.

Après plusieurs sorties, elle commença à ressentir un certain sentiment pour lui, et bientôt ils parlèrent mariage. Il l'avertit un soir qu'il allait faire un rapide voyage d'affaires à Boston, et qu'ils fixeraient la date de leur mariage à son retour, dans une semaine. La nuit suivante, elle fit un rêve : une femme triste et frêle, avec tous les signes d'une grossesse avancée, lui apparut et lui révéla qu'elle était l'épouse de cet homme.

Le lendemain, la jeune fille apprit par un tiers, qui avait surpris par hasard une conversation téléphonique, que son soi-disant fiancé n'était pas à Boston pour affaires, mais à cause de sa femme qui allait accoucher.

Une semaine plus tard, l'homme revint. Interrogé à propos de la conversation téléphonique, il admit finalement sa tromperie; quant à la description de sa femme, elle concordait point par point.

Presque tous les cas d'ESP irréaliste sont des rêves, mais quelques-uns se produisent à l'état de veille. On peut alors se demander s'il existe une différence essentielle entre rêver éveillé et rêver en dormant. C'est ainsi qu'à Cincinnati, il y a quelques années, au cours d'un après-midi, une femme était en train de faire la vaisselle du déjeuner, seule chez elle, alors que son mari voyageait pour affaires.

Soudain, en regardant par la fenêtre, elle eut, comme dans une sorte d'étourdissement, une vision de la Mort elle-même, qui remontait en courant la pente de la pelouse. Le tout ne dura que le temps d'un éclair, mais la laissa frissonnante, abattue et terrorisée. Elle sut immédiatement que quelque chose de terrible venait de se passer.

Elle attendait son mari vers 3 heures de l'après-midi, mais les heures passèrent en vain. A 7 heures, elle allait et venait chez elle, de plus en plus effrayée, quand le téléphone sonna. Un hôpital l'avertissait que son mari avait eu un accident et était inconscient : à l'heure de cette extraordinaire apparition, une voiture avait heurté la sienne de plein fouet, et il avait été projeté contre le pare-brise. Grièvement blessé, il survécut.

Chez les personnes religieuses, les images qui leur apparaissent s'adaptent à leurs conceptions. Une femme venait de subir une grave opération dans un hôpital du Minnesota : en reprenant conscience, elle entendit un malade qui, dans une autre chambre, gémissait et pleurait constamment. L'infirmière la rassura : on faisait tout ce qui était possible pour lui et tout irait bien. Mais, profondément troublée, cette femme se mit à prier et à demander à Dieu de le soulager :

« Minuit était passé depuis longtemps. L'infirmière partit chercher un soporifique pour que je puisse m'endormir. En sortant, elle referma doucement la porte derrière elle. »

Certes, on ne peut se fier à la distinction qu'une personne affaiblie peut établir entre l'état de sommeil et celui de veille; dans ce cas précis, la patiente affirme qu'elle n'a pas eu conscience de s'assoupir. Elle faisait face à la porte, et soudain après quelques minutes, elle la vit se rouvrir. Elle crut d'abord que c'était l'infirmière mais « en regardant, je vis la silhouette du Christ, habillé dans une longue robe blanche flottante comme sur les tableaux que je connaissais. Lentement, calmement, il s'approcha de mon lit. J'ai pensé qu'il venait pour moi, mais en mettant sa main sur mon oreiller, il sourit et me dit : « C'est pour lui que je suis venu. Tout va bien. »

« Puis, il sortit aussi tranquillement qu'il était venu et referma doucement la porte derrière lui. Rien de tout cela ne m'a alors semblé étrange. J'ai tourné la tête pour regarder l'heure : il était 3 heures moins 20 du matin. »

Le lendemain matin, cette femme dit à l'infirmière : « Ce malade de l'autre côté du couloir est mort, n'est-ce pas?

– Oui. Mais comment le savez-vous? »

Elle lui raconta sa vision de la nuit. Finalement, l'infirmière, après avoir objecté qu'elle ne pouvait donner aucun renseignement sur un

146

*Les ossements qui reprennent vie et chair, selon une vision d'Ezéchiel, sont un exemple de prémonition, vraie ou fausse, intégrée dans une doctrine religieuse.
(Gravure du XVIIᵉ siècle.)*

autre patient, avoua qu'il était bien décédé à 3 heures moins 20.

L'idée du Christ venant chercher un mourant est naturellement symbolique, et le symbole que matérialise un tel rêve est assez clair pour ne pas avoir besoin d'être interprété.

Toutefois, les rêves symboliques et mystérieux abondent, et certains sont légendaires. On en retrouve à toutes les époques. Leur côté obscur et énigmatique leur confère une attirance et une fascination bien supérieures à celles des rêves ordinaires. Mais, soumis à l'examen lucide de la science, leur rapport avec la réalité qu'ils symboliseraient est souvent peu convaincant et impossible à établir. Leur sens est fréquemment « forcé ».

147

Et pourtant, dans certains cas, on retrouve dans les rêves d'ESP de quelques personnes un processus dont on pourrait penser qu'il s'agit d'un symbolisme « personnalisé ».

Par un chaud après-midi de juillet, en Caroline du Sud, une fillette de douze ans dont la mère était très malade est envoyée à l'extérieur par l'infirmière pour qu'elle y joue. Elle s'installe sur la balançoire et s'y endort.

« J'ai rêvé que je voyais ma mère. Elle descendait une magnifique allée d'arbres, s'éloignait de moi. J'ai couru aussi vite que possible et me suis aperçue que je ne pourrais jamais la rattraper. Je l'ai appelée. Elle s'est retournée, a levé la main et m'a dit : « Retourne chez toi, ma fille, ton père a besoin de toi. »

» Je me suis réveillée immédiatement et me suis précipitée dans la maison. Dans l'entrée, mon père est venu à ma rencontre et m'a prise dans ses bras : « Ma petite fille, je vais avoir grand besoin de toi. Ta mère vient de nous quitter. » Quand je lui ai raconté que je venais de la voir marchant très vite le long d'une allée bordée d'arbres qui m'était totalement inconnue, il m'a dit : « Elle a voulu t'adresser un dernier adieu. » Je n'ai jamais oublié ce rêve; au cours des nombreuses années qui ont suivi, j'ai souvent revu dans mon sommeil et dans d'autres occasions cette même allée bordée d'arbres.

» La première fois, mon jeune frère était malade à l'hôpital, dans un autre État. J'étais moi-même souffrante et, quand il est mort, je n'ai pu l'assister, comme mon père et mes autres frères. Or, cette nuit-là, j'ai rêvé qu'il suivait l'allée bordée d'arbres que j'avais aperçue une douzaine d'années plut tôt, et quand j'ai voulu le rattraper, il m'a dit de ne pas le suivre et de revenir sur mes pas. Mon père a ramené son corps pour l'enterrer près de nous. Je lui ai raconté mon rêve en précisant l'heure : mon frère avait expiré quelques minutes avant que je me réveille.

» Puis, en janvier 1947, après une soirée passée à jouer au bridge avec des amis, nous nous sommes couchés, mon mari et moi, et j'ai fait de nouveau le même rêve : cette fois, c'était mon mari qui s'éloignait en marchant vite. Et je courais, courais, lui criais de s'arrêter. Comme dans les deux autres rêves, mon mari a levé la main et m'a dit : « Pense avant tout à nos enfants, ils ont besoin de toi, retourne près d'eux. » J'avais peur et m'agitais dans mon sommeil, si bien que je l'ai pris dans mes bras et l'ai réveillé. La première chose qu'il me dit fut : « Je ne me sens pas bien, appelle le docteur. » Il est mort en quelques minutes.

» Puis le Vendredi Saint de 1934, mes filles et une de leurs amies sont allées danser. Avant leur retour, j'ai rêvé que ma fille aînée et son amie avaient un accident juste devant chez moi et j'ai revu la même allée d'arbres. A une heure, mes filles sont rentrées et je leur ai raconté mon rêve, heureuse qu'elles soient revenues saines et sauves. Le lendemain soir, le samedi de Pâques, mes filles ont organisé chez nous une soirée de danse. Leur amie s'est tuée à proximité de notre maison en rentrant chez elle, et l'accident a eu lieu comme je l'avais rêvé. »

C'est ainsi qu'un symbole purement personnel semble pouvoir naître et se développer. Mais le danger de voir un rapport là où il n'y en a point demeure évident. Il est probable que les rêves où l'ESP prend un aspect purement symbolique sont extrêmement rares. Beaucoup d'entre eux ne sont sans doute que la répétition d'un premier rêve frappant, mais normal, que le rêveur associe ensuite au premier décès dont il entend parler. Quant à la cause de cette répétition, elle est simplement psychologique et n'a rien à voir avec la perception extra-sensorielle.

Mais pourquoi ces expériences symboliques, qu'une ESP y soit impliquée, ou non? On a formulé bien des hypothèses à ce sujet, mais aucune d'elles n'est prouvée et ne semble correspondre à tous les cas. La plus courante est qu'un rêve irréaliste au sens plus ou moins caché est le moyen détourné que prend notre esprit pour nous annoncer une mauvaise nouvelle. Mais le nombre des rêves qui nous avertissent brutalement, sans déguisement, de l'approche ou de la réalité d'un malheur semble beaucoup plus élevé que celui des rêves symboliques ou seulement irréalistes. Quelle que soit l'explication proposée, les songes qui manifestent une tendance à l'affabulation plutôt qu'à une représentation exacte du fait peuvent être considérés comme une forme distincte d'ESP, qui contraste vivement avec son expression réaliste.

Les expériences hallucinatoires

De nombreuses expériences d'ESP sont vécues à la frontière du sommeil et de l'état de veille. Dans quelques-unes d'entre elles, il n'est pas facile de discerner si le sujet dort encore ou est éveillé, et pourtant ce qu'il ressent ne lui semble pas relever d'un rêve typique. Ce qu'il perçoit est plus « vrai », presque comme lorsque, sortant du sommeil, il reprend conscience de son milieu par l'intermédiaire de ses sens. Qui donc n'a pas fait une fois un rêve normal, mais si vivant qu'il s'est poursuivi après le réveil, paraissant plus réel que la réalité? Cette impression se prolonge parfois à tel point qu'on croit voir et entendre les images de son rêve. C'est ce qui se passe dans certains cas d'ESP : du fait que la personne en question s'imagine employer ses sens, il s'agit de quelque chose de plus qu'un simple songe.

Pendant la Seconde Guerre mondiale, l'un des parachutistes qui sauta sur le sol de France le jour du débarquement était un jeune homme de Pennsylvanie, Jack. Au cours des deux nuits qui suivirent l'opération, sa mère eut des rêves où il intervenait, mais la troisième nuit, celui qu'elle fit différa des deux autres, car il se produisit dans cette zone frontière indistincte dont nous parlons. Dans la première apparition, il était couché avec d'autres soldats dans un long fossé, sans pouvoir en sortir malgré tous ses efforts. Il en avait été de même pendant la seconde nuit, sauf que tous ses camarades étaient couverts de sang, et non lui : il semblait protégé par les autres.

Mais la troisième nuit, elle crut se réveiller et s'asseoir dans son lit. Jack debout devant elle, souriant, la rassurait : tout allait bien.

Son mari, à qui elle raconta ses trois expériences, les consigna par écrit en notant les dates. Ils apprirent par la suite que Jack se trouvait dans un camp de prisonniers, mais n'eurent aucune nouvelle de sa main pendant un certain temps. Neuf mois plus tard, il revint chez les siens. Son père l'interrogea. Pendant les trois nuits où sa mère avait fait ces rêves, il était resté caché dans un fossé avec ses camarades pour éviter le mitraillage et le bombardement des avions allemands qui les survolaient. En vain avait-il essayé de s'éloigner quand les appareils ennemis étaient à quelque distance. La seconde nuit, il s'y trouvait encore; la plupart de ses compagnons furent alors tués ou grièvement blessés, tandis qu'il était presque enseveli sous leurs corps. Au cours de la troisième nuit, il était enfin sorti du fossé pour être aussitôt fait prisonnier avec tous les survivants.

De telles images, que l'on croit voir et entendre, du moins pendant un instant, peuvent se répéter, mais la seconde fois déjà elles ne semblent plus aussi réelles, aussi convaincantes, et le sujet en conçoit le caractère hallucinatoire. Pendant la dernière guerre, une habitante de New Jersey, dont le mari se trouvait au-delà des mers, connut une série de ces expériences « frontière ». Elle entendit son mari l'appeler, frapper à la porte et lui dire : « Viens, Ronnie. Je vais très bien, regarde... »

Elle bondit de son lit, croyant l'apercevoir : il n'y avait personne. Ce n'était qu'un rêve, mais qui se répéta dès lors tous les matins. « Chaque fois, dit-elle, je m'avançais vers son image pour le toucher et il disparaissait alors. Depuis longtemps, je ne recevais plus de lettres de lui car il se trouvait sur le front, et je continuais à prier qu'il demeure sain et sauf.

» Finalement, j'ai décidé de ne plus me lever, et je me cachais la tête sous l'oreiller quand je l'entendais. Un jour, on frappa vraiment à la porte : c'était un télégramme du ministère de la Guerre : mon mari avait été grièvement blessé.

» Il m'a dit à son retour que pendant toute la période où je l'avais entendu, il était demeuré inconscient, mais que, paraît-il, il n'avait cessé de m'appeler et de dire : « Viens, Ronnie, je vais très bien, regarde... »

Le plus souvent cette sorte d'expérience n'a lieu qu'une fois, et de ce fait l'effet de réalité est durable et son rapport au rêve beaucoup moins évident. Fréquemment, on ne se souvient pas du rêve qui a précédé – et peut-être n'y en a-t-il pas eu? Aussi incline-t-on à considérer cette suite d'images comme une « vision » bien plus mémorable et significative qu'un simple songe.

Lorsque quelqu'un croit percevoir quelque chose d'inexistant sans qu'aucune perception extra-sensorielle ne soit impliquée dans ce phénomène, les psychologues estiment qu'il s'agit d'une hallucination. Jadis, les rêves eux aussi étaient considérés comme une sorte d'hallucination puisqu'on y voyait des choses inexistantes. Aujourd'hui, on emploie ce terme uniquement lorsque le sujet éveillé s'imagine, ne serait-ce qu'un instant, que ses sens interviennent quand ils ne le font pas, et il y a hallucination dans toute expérience où les sens semblent jouer un rôle alors que rien ne les excite. Les hallucinations ordinaires sont en général le fait de personnes malades, droguées, ou délirantes. Que l'hallucination provienne d'un état d'esprit anormal ou d'une forte émotion, elle se caractérise par l'impression (erronée) que l'image est enregistrée par les sens.

Mais les cas ci-dessus, bien qu'hallucinatoires, diffèrent des hallucinations ordinaires en ce qu'ils sont le résultat indiscutable de la faculté psi de la personne intéressée, et nous pouvons les considérer comme des ESP hallucinatoires. Peut-être devraient-ils porter un nom spécial, autre qu'hallucination, tant la différence est grande. Mais jusqu'à ce qu'on ait trouvé une expression différente, nous devons nous en tenir à la terminologie existante.

Les hallucinations psi se distinguent par bien des raisons des hallucinations ordinaires. La plus importante de toutes est que l'image qui semble être sur place possède une réalité quelconque, ne serait-ce qu'en tant que simple pensée issue de l'esprit de quelqu'un. Elle est une réalité dans le sens le plus large de ce mot, et bien que les sens n'y soient pour rien, la perception extra-sensorielle atteint la réalité en question. Ainsi, contrairement aux autres hallucinations, celles dont nous parlons sont en quelque sorte vraies car elles se fondent sur une base réelle. Mais pour être certain qu'il s'agit d'une ESP hallucinatoire, il est nécessaire de vérifier cette base et d'en prouver la réalité. Dans le cas que nous avons cité et où une femme s'imagine voir le Christ entrer dans une chambre d'hôpital, il n'y a naturellement aucune preuve de l'identité du personnage qu'elle a vu, en admettant qu'elle ait vu quelqu'un. L'image peut être simplement le résultat d'une dramatisation onirique.

Autre différence : les hallucinations psi affectent des personnes absolument normales, dont le discernement n'est affaibli par aucune drogue ou aucune maladie. Comme nous l'avons dit, elles ont lieu fréquemment au moment où le sujet se réveille, aussi est-il souvent difficile de distinguer s'il y a rêve ou hallucination. Mais ce n'est pas toujours le cas : il arrive que la personne en question soit totalement éveillée, que son expérience soit visuelle ou auditive, si, dans ce dernier cas, elle « entend » seulement quelque chose qui concerne un être alors absent.

Les ESP hallucinatoires où il est question de voix qu'on entend sont les plus fréquentes dans nos comptes rendus, mais elles sont loin d'être les mieux connues. L'hallucination visuelle l'est davantage, parce que la figure humaine y joue presque toujours un rôle important.

Ces expériences pseudo-sensorielles impliquent naturellement d'autres sens que la vue et l'ouïe, l'odorat par exemple, et parfois certains effets psychologiques telles une douleur ou une gêne physique. Elles sont souvent du type télépathique. On dirait que la personne « projette » dans son propre organisme une réplique des sensations éprouvées par une personne lointaine, ou son interprétation, toute personnelle, de ces sensations.

« En 1951, ma mère a été gravement atteinte d'un cancer, écrit une femme de Philadelphie. Nous attendions sa mort d'un moment à l'autre. Un certain matin du mois d'août, je venais de terminer le café de mon petit déjeuner quand j'ai été saisie d'une douleur insupportable à la poitrine, dans la région du cœur. Jamais je n'avais ressenti quelque chose de semblable, mais j'étais sûre que j'étais en train de mourir d'une attaque cardiaque.

Je me suis massé la poitrine, tâchant de diminuer cette souffrance, pensant à mes deux enfants et à leur effroi si je mourais devant eux. Après quelques minutes atroces, la douleur s'est apaisée peu à peu et a cessé complètement après peut-être un quart d'heure.

Peu après, le téléphone a sonné. Ma sœur me demandait de prendre un taxi et de venir tout de suite chez ma mère qui habitait à environ vingt minutes d'auto de chez moi. J'ai pensé que maman était en train de mourir et je me suis précipitée chez elle. Mais c'était mon père qui était mort d'une attaque au cœur, et on faisait tout pour que ma mère n'en sût rien.

En faisant un retour en arrière, j'ai dû admettre que j'avais ressenti cette douleur horrible à peu de chose près pendant que mon père se mourait. Les conditions étaient, elles aussi, identiques. Nous reposions tous les deux notre tasse de café lorsque la même souffrance insupportable nous a saisis. Je croyais que mon père se portait tout à fait bien. »

En 1947, une jeune fille américaine, qui venait d'Allemagne où elle avait souvent parcouru une route en voiture avec un ami de l'armée d'occupation, rendait visite à la mère de cet ami, laquelle vivait en Angleterre. C'était un mercredi après-midi. Voici son récit :

« J'ai été très énervée cet après-midi et j'ai répété continuellement à la mère d'Allen que quelque chose était certainement arrivé à son fils. Un ou deux jours plus tard, j'ai reçu une lettre de lui où il me demandait si je me trouvais en Allemagne ce mercredi-là et comment j'étais habillée.

» Le fait est qu'avec deux autre soldats, il emmenait un prisonnier à une prison située à une vingtaine de kilomètres de leur point de départ. Ils devaient suivre la route que je connaissais pour l'avoir faite

Un soldat blessé à l'épaule gauche pendant la Première Guerre mondiale relata avoir eu la prémonition détaillée de cet événement.

avec lui. A un endroit où cette route longe une forêt coupée de chemins vicinaux qu'on ne peut distinguer de la voiture, une femme leur était soudain apparue, agitant les deux mains pour qu'ils s'arrêtent.

» Au même moment, une remorque s'est détachée d'un camion et s'est écrasée dans un chemin vicinal. S'ils n'avaient pas été à l'arrêt, le choc était inévitable et sans doute y perdaient-ils la vie. Je sais que cette histoire est invraisemblable, mais cette femme, c'était moi. Et elle portait les vêtements que j'avais sur moi ce mercredi-là. Allen m'a dit que c'était moi qui étais là, au milieu de la route, à agiter les bras. Le conducteur allemand, qui ne me connaissait pas, a stoppé net en murmurant quelque chose au sujet de « ces idiotes de femmes ». Mais les deux compagnons d'Allen, qui me connaissaient, n'ont pas eu un moment d'hésitation. L'un d'eux, Gerry, a crié : « Regarde, c'est Pat! » et Allen a répondu : « Je la croyais en Angleterre. »

» Et la fille a disparu aussi subitement qu'elle avait surgi. Gerry et Allen sont descendus pour voir où j'étais allée. L'apparition était si réelle qu'ils ont fouillé la forêt.

» Gerry s'est marié quelques mois après, j'étais à son mariage, et il m'a confirmé mot pour mot ce que m'avait écrit Allen. »

Dans un tel cas, il est clair que la personne qui apparaît n'a rien à voir, ou peu de chose, avec le fait lui-même. Si cette jeune fille s'est sentie préoccupée, elle était en Angleterre, ignorait tout du danger qui menaçait son ami, et elle n'a jamais eu l'impression de se transporter près de lui à un moment quelconque de la journée.

Nous savons maintenant que ceux auxquels ce genre d'expérience arrive perçoivent une certaine information d'une manière extra-sensorielle. La clairvoyance peut expliquer cette perception. Et l'« apparition », la personnalisation de cette information provient sans doute de la dramatisation inconsciente du processus.

Pourquoi une ESP adopte-t-elle cette forme hallucinatoire? La rareté de ces cas suggère que seuls quelques individus sont bâtis de telle sorte qu'ils parviennent à avoir l'état d'esprit nécessaire. Avant de pouvoir répondre de façon satisfaisante, il faudra approfondir la psychologie de ces individus et définir les caractéristiques qui leur sont propres.

Les formes d'expériences intuitives

En dehors de la forme du rêve et de l'hallucination, toutes les expériences d'ESP existantes entrent dans une catégorie qu'on définit communément par le terme d'intuition. C'est une « connaissance soudaine » inexplicable, comme dans le cas de cette jeune femme qui « sait » subitement que son alliance se trouve dans le casier à glaçons du réfrigérateur. Quelquefois, au lieu d'une idée, le sujet ressent seulement l'émotion que comporte le cas. On encore, il se sent forcé d'agir, sans savoir pourquoi, dans le sens convenable.

Évidemment, nous avons tous eu un jour ou l'autre une intuition, le pressentiment de quelque chose ou de quelqu'un qui est arrivé ou va arriver, même sans savoir exactement comment et pourquoi cette pensée nous vient. On peut souvent remonter à la cause : interférence inconsciente de faits connus, observation, souvenir, etc. Mais il arrive également qu'on ne parvienne pas à retrouver l'origine sensorielle, même indirecte, de certaines informations. La majorité de ces cas se produit quand les intéressés sont tout à fait éveillés. Dans tous, le sujet ne suppose rien, ne craint rien, n'a nullement l'impression préalable qu'un événement lointain, au-delà de la portée de ses sens, va avoir lieu : le plus souvent, il semble en prendre conscience directement, immédiatement.

En 1907, un étudiant se trouvait en vacances chez lui, dans l'Iowa, lorsqu'il a été le témoin d'un cas dont sa mère a été le sujet. L'événement a été pour lui inoubliable; aussi malgré les années, ce souvenir demeure-t-il toujours aussi vivace dans son esprit :

« Mes parents avaient divorcé en 1905. Ma mère considérait ce divorce comme une honte et une cause de chagrin; c'était pour elle une véritable défaite. Chacun de mes parents correspondait avec moi à l'université, mais jamais entre eux. Lorsque j'étais avec l'un d'eux, je ne parlais jamais de l'autre, comme j'avais vite appris à le faire.

» Ce jour-là, nous étions assis, ma mère et moi, en train de converser, quand je vis sa figure changer, exprimer une sorte de stupeur, puis de chagrin. Je m'écriai : « Maman, qu'y a-t-il donc? » Elle me répondit : « Ton père est en train de se marier. » Je me suis mis à rire : « C'est impossible, il m'aurait prévenu. J'ai reçu une lettre de lui quelques jours seulement avant d'arriver ici. »

Mais rien ne put la convaincre; elle était persuadée que mon père se remariait à l'instant même. Et quant à moi, j'étais sûr qu'il m'aurait averti, car j'entretenais avec lui des relations très intimes, comme le prouvait notre correspondance.

» Mais quelques jours plus tard, je reçus une lettre de lui : son mariage avait eu lieu à New York, dans la soirée du jour où ma mère et moi étions dans l'Iowa. »

Le fait caractéristique de cette forme d'ESP est ce que nous pourrions appeler son manque de contour. Contrairement à ce que nous avons déjà vu, elle ne comporte aucune imagerie. Les rêves, réalistes ou irréalistes, laissent dans la mémoire des traces de tableau mental, et les hallucinations ont toute la vigueur d'une perception sensorielle. Rien de cela n'existe dans l'intuition ESP. C'est une idée ou une impression dont l'intéressé prend subitement conscience alors qu'il n'a aucune raison manifeste d'en être touché et en l'absence de tout rapport rationnel entre le phénomène et les pensées qu'il a interrompues.

Cette forme d'expérience ESP convainc difficilement d'autres que soi-même. Survenant à l'improviste sans aucun « fil conducteur », sans aucun détail ou apprêt qui puisse la confirmer, il est naturel qu'elle ne puisse impressionner la personne à qui l'intéressé se confie. Et lui-même, à la réflexion, peut douter de la véracité du « message » et de la validité de son intuition.

Dans la plupart des cas, l'intuition ne concerne pas un événement futur mais un fait concomitant : la femme divorcée « sait » soudain que son ex-mari est en train de se remarier. Mais il arrive parfois que l'intuition rende compte d'un événement qui est encore dissimulé au fond de l'avenir.

Pendant la Première Guerre mondiale, un New-Yorkais a vécu l'expérience suivante :

« J'étais en 1918 en France avec le 6e régiment de Marines, et, pour préciser, à la 74e compagnie. De juin à août, nous avons été plongés dans d'horribles batailles et j'avais souvent remarqué que des camarades avaient le pressentiment que leur temps sur terre était fini. Chaque fois, hélas! ce pressentiment était bientôt justifié par l'événement. Aussi étais-je enclin à prendre au sérieux ce genre de prémonition.

» Le 12 septembre 1918, j'étais l'un des rares à demeurer en service de tous ceux qui avaient constitué le premier effectif de la compagnie. Je me sentais épuisé, fiévreux. Gazé récemment, j'avais refusé d'être évacué. Dans un tel état, je n'étais guère utile et, pour compléter les choses, j'ai « su » soudain que je serais blessé si nous n'étions pas relevés le lendemain matin. En vain ai-je essayé de me débarrassser de cette idée. Pendant la nuit, nous avons reçu l'ordre de monter au front. Loin d'être résigné à mon sort, j'ai commencé par me débattre de toute ma volonté, comme un rat pris au piège. Finalement, puisque je ne pouvais chasser de moi cette idée, je me suis mis à espérer que ma blessure ne me transformerait pas en un invalide inutile à la charge de tous (jamais il ne m'est venu à l'esprit que je pouvais être tué). Avec énergie, j'ai refusé d'être atteint dans telle ou telle partie de mon corps, optant finalement pour une balle dans la chair de l'épaule gauche.

» A l'aube du 14 septembre 1918, nous avons découvert que notre compagnie avait pris position sur un saillant où elle était exposée presque complètement au feu de l'ennemi. Les Allemands n'étaient pas mieux logés que nous, mais ils avaient eu le temps de s'enterrer et pouvaient donc nous infliger de lourdes pertes. Pratiquement, nous étions face à face. Je commandais alors un « détachement suicide », et l'on me donna l'ordre de m'installer avec mes hommes sur une petite butte. A peine avais-je repéré l'endroit, j'ai su que c'était là que je serais blessé. Nous avons gagné la butte. Une mitrailleuse allemande nous arrosait de sorte que l'air déplacé par les balles faisait bourdonner mon casque. J'étais allongé par terre quand un obus passa juste au-dessus de moi pour éclater un peu au-delà de mes pieds, juste dans la figure des servants d'une de mes mitrailleuses. J'ai ressenti une douleur, comme une brûlure à l'épaule gauche. J'ai rampé en arrière du monticule, et j'ai constaté que j'étais bien blessé à l'épaule gauche! Certes, cette blessure était causée par un éclat d'obus et non par une balle de mitrailleuse. Je reste convaincu que c'était « écrit » et que je ne pouvais rien éviter. Peut-être fut-ce le moyen que Dieu a choisi pour m'accorder un peu de repos alors que mon corps et mon esprit étaient dans un état si misérable que je n'en pouvais plus. »

Un tel récit nous incline à penser que dans des situations où ne peut opérer aucun des sens auxquels nous nous fions habituellement, lorsque ni l'observation normale, ni la mémoire, ni l'acuité de l'intelligence ne peuvent entrer en jeu et que même l'anxiété ou l'espoir sont impuissants à nous guider, l'ESP intuitive peut devenir notre dernier recours. En tout cas, l'intuition est alors si précise qu'on n'a nulle peine à la reconnaître. Sans doute renforce-t-elle la mémoire, la logique, le jugement de l'individu et lui confère t-elle de l'à-propos, de la décision. Mais s'il en est ainsi, la chose n'est pas toujours manifeste. Ce n'est que lorsque la situation souligne l'étrangeté du phénomène qu'on peut y soupçonner l'intervention d'une perception extra-sensorielle.

Ces ESP, bien qu'assez fréquentes, le sont moins, d'après le nombre des rapports reçus, que celles qui s'expriment par les rêves. Peut-être cette différence est-elle due à la difficulté qu'ont les intéressés à se convaincre qu'ils ont vécu autre chose qu'une coïncidence. Les rêves ESP, lorsqu'ils sont réalistes, comportent une infinité de détails qui les confirment, si bien qu'il est alors difficile d'invoquer le hasard, qu'on en soit le sujet ou un enquêteur.

La liste des formes essentielles de la perception extra-sensorielle comporte donc deux sortes de rêves (réalistes et irréalistes), les ESP hallucinatoire et intuitive. On retrouve dans ces formes toute la gamme des états mentaux, depuis le sommeil jusqu'à l'état de veille total.

L'une des raisons pour lesquelles on a initialement l'impression que ces formes sont si différentes provient du tracé zigzagant que décrit d'un cas à l'autre la ligne sommeil-veille, avec certaines expériences pseudo-oniriques, réalistes ou non, mais qui se produisent quand le sujet est complètement éveillé. Une seconde raison est qu'il y a parfois dans une seule expérience combinaison de deux de ces formes. C'est ainsi que dans les trois types d'ESP que nous avons distingués : télépathie, clairvoyance et précognition, on peut retrouver n'importe laquelle des formes ci-dessus, du rêve réaliste à l'intuition, cette forme variant chaque fois, à l'infini, selon les circonstances et la réaction individuelle du sujet.

Une fois qu'on a reconnu la nature de cette variation, l'aspect confus et troublant des cas d'ESP s'atténue et l'on constate que ce phénomène se produit de façon naturelle et même familière. Car, après tout, chacun de nous a des rêves ou des intuitions, avec ou sans perception extra-sensorielle. Et nous avons tous entendu parler de l'hallucination, même sans en avoir, même sans admettre qu'elle peut devenir le véhicule d'une information qui nous parvient par une voie secrète. Ce sont des formes normales, courantes et familières de notre vie mentale. Et lorsqu'on a accepté ce fait, on constate immédiatement qu'un autre en découle : l'ESP, ou perception extra-sensorielle, qui n'a pas de forme qui lui soit propre.

LOUISA E. RHINE

DEUXIÈME PARTIE

Les nouvelles énigmes du cerveau

Chapitre X

Les enquêtes de police avec un clairvoyant

Le clairvoyant Gérard Croiset a été étudié, aux Pays-Bas, par le Pr W.H. Tenhaeff, directeur de l'Institut de parapsychologie d'Utrecht. Quelques-unes des expériences pratiquées sont relatées dans ce chapitre. Des enquêtes ultérieures furent parfois nécessaires pour contrôler minutieusement l'exactitude d'événements qui ne pouvaient pas être connus de façon ordinaire par le clairvoyant.

Il n'est pas toujours indispensable que ce dernier soit en présence des personnes sur lesquelles il est chargé de donner des informations; il peut se trouver dans un autre lieu, à des centaines de kilomètres.

Gérard Croiset a été utilisé en certaines circonstances par la police pour retrouver des personnes disparues. Il ne s'agit plus, dans ce cas, d'expériences proprement dites, mais de l'emploi d'une technique originale, lorsque toutes les autres ont échoué, pour résoudre des problèmes difficiles ou dramatiques. La conclusion inattendue du Pr Tenhaeff montrera le sérieux des relations de Gérard Croiset avec la police dans ce type de situation, ainsi que son refus de toute publicité inutile.

Le 24 février 1961, il fut procédé, sous ma direction et en présence de quelques dizaines de membres de la Société de « Psychical Research », à des expériences ayant pour sujet Gérard Croiset.

Pour l'une d'entre elles, les assistants placèrent – hors de la présence du sujet – des objets destinés à servir d'inducteurs dans une boîte de 48 centimètres sur 33. Cette boîte était divisée en 24 cases de 8 centimètres de côté, contenant chacune un seul objet, de telle sorte que les inducteurs ne se touchaient pas.

Quand les cases furent toutes remplies, la boîte, placée sur une table, fut recouverte d'un foulard. Après l'avoir fait pivoter en tout sens, pratiquement aucune des personnes présentes, à supposer qu'on lui en eût

◄ *Les Pays-Bas connaissent actuellement un des clairvoyants les plus étonnants et les mieux étudiés : Gérard Croiset.*

fourni l'occasion, n'aurait été en mesure de désigner avec précision la case où elle avait déposé son objet. Gérard Croiset, qui avait entre-temps rejoint l'assemblée, fut invité à faire part de ses impressions concernant l'un des objets de la boîte située absolument hors de sa vue. Le sujet et la table étaient distants de 5 mètres environ. Les déclarations de Croiset furent enregistrées sur un magnétophone de l'Institut de parapsychologie.

Après avoir donné ses « impressions », Croiset fut autorisé à extraire de la boîte un objet appartenant, selon lui, à telle personne. Sous la surveillance du président (commissaire de police) et de moi-même, Croiset ôta le foulard devant tous les participants et, presque sans hésiter, il en sortit un bracelet. En disant : « A qui appartient cet objet ? », il le montra à l'assemblée. Mlle L.H. (laquelle n'avait jamais auparavant rencontré le sujet) déclara qu'elle avait déposé ce bracelet dans une des cases. Ensuite, la bande magnétique fut enroulée à nouveau, et l'on entendit, l'une après l'autre, les données que Mlle L.H. fut priée d'assortir chaque fois d'un commentaire. Celui-ci fut enregistré sur un second appareil. De cette enquête provisoire, il apparut d'emblée, de façon indiscutable, que les informations fournies par le sujet devaient être qualifiées d'exactes, en grande majorité.

Quelques jours après cette expérience, les données enregistrées furent dactylographiées à l'Institut et transmises à Mlle L.H. avec la prière d'y joindre un commentaire écrit. Dans le rapport ci-dessous, l'on trouvera point par point les informations fournies par Croiset, suivies chaque fois du commentaire.

Croiset : J'aperçois en ce moment une dame... qui... vue de là où je me tiens... habite du côté gauche de la rue, tout près d'un bâtiment assez élevé... où un peu plus loin se dresse une sorte de statue, je veux dire une colonne avec une sculpture dessus.

Commentaire : En effet, j'habite du côté gauche de la rue. En face, il y a un grand bâtiment, l'hôpital de la Croix-Rouge. Quelques pas plus loin, s'élève une colonne avec une sculpture, en souvenir d'un chirurgien décédé.

Croiset : Tout près de là, il y a un canal, un fossé... non, c'est plus large qu'un fossé, mais pourtant pas une rivière ; dessus se trouve un très joli canot blanc à rames.

Commentaire : En face de la gare, il y a un grand bassin où se trouvait il y a quelque temps un joli petit canot blanc.

Croiset : Je perçois de l'agitation à propos d'un chandail avec une ouverture en haut à gauche, et dont il avait été question les jours précédents. Ça me paraît être un chandail d'un ton vert.

Commentaire : Ma mère possède une robe verte avec des étoiles dessus. Elle a perdu une des étoiles du côté gauche. Cela m'avait pas mal irritée.

Croiset : Je suis dans une maison en compagnie de cinq personnes, mais la plupart du temps trois.

Commentaire : Le matin, nous sommes six (moi comprise), et à midi, cinq. Mais notre famille se compose de trois personnes.

Croiset : Tout près de chez moi habite un dessinateur, qui... ça me semble plutôt être un architecte..., donc pas quelqu'un qui fait des portraits, mais quelqu'un qui trace des plans; il est souvent penché sur sa planche à dessin. C'est un grand atelier. Ça me paraît être une banque, mais ce n'est pas une banque.

Commentaire : Juste à côté de notre maison se trouvent les importants bureaux d'étude de van Hattem et Blankevoort (travaux portuaires), avec de nombreux ateliers de dessin. Il y a aussi quelques architectes qui travaillent là.

Croiset : N'ont-ils pas eu tout à l'heure une conversation à propos de quelqu'un qui est en prison...? Oui, il s'agit de la libération de cette personne... La conversation ne roulait-elle pas sur la remise en liberté de cette personne?

Commentaire : En passant devant la prison de Haarlem, j'ai parlé avec ma mère des prisonniers. Il n'a pas été question d'une personne particulière. Il s'agissait de prisonniers en général.

Croiset : En ce moment, je vois un militaire à quelques étoiles qui en perd une. Qu'est-ce que ça peut bien signifier?

Commentaire : Ceci est en rapport avec la robe verte de ma mère, dont elle a perdu une des étoiles.

Croiset : On a parlé de... non... attendez..., je vois maintenant un homme à la barbe grise, portant un havresac ou une gibecière, avec un chapeau de chasseur et une canne à la main. Est-ce que cette personne a, ces jours-ci, vu ou parlé avec un homme de ce genre?

Commentaire : Il y a quelque temps logeait chez nous un homme à barbe grise. Pendant les vacances, cet homme qui faisait beaucoup de marche a porté un sac et une canne. Il avait aussi un chapeau de chasse. Cet homme a, lui aussi, regardé la statue près de chez nous, sur la place de la gare.

Croiset : En ce moment, je vois une voiture à cheval à l'ancienne mode... Est-ce que c'est une gare?... De quoi s'agit-il donc? Je vois en effet sur ce véhicule des initiales... sur la portière... des initiales entrelacées... Oui, ça doit se situer il y a soixante ou quatre-vingts ans environ... Il y a aussi quelque chose au sujet d'une lanterne placée sur le devant.

Commentaire : En effet, j'ai vu il y a quelque temps une vieille voiture à cheval devant la gare centrale d'Amsterdam. Malheureusement, je n'en ai pas vu grand-chose, parce que je la suivais en voiture, ce qui fait que je n'ai pas pu voir les côtés, ni la lanterne sur le devant. Ça devait être un véhicule des étudiants d'Amsterdam.

163

Une confirmation étonnante

Lors du contrôle effectué à Haarlem le 24 février 1961, il s'avéra que Mlle L.H. ne se souvenait pas, au début, avoir vu une voiture de ce genre. Mais, lorsque Croiset lui dit qu'elle avait dû voir ce véhicule devant la gare centrale, cette information complémentaire eut pour effet de lui rafraîchir la mémoire. Et ceci d'autant mieux que Croiset ajouta qu'elle devait avoir vu le véhicule « il y a quelques jours ». Mlle L.H. se souvint alors qu'elle avait conduit sa mère en auto à la gare centrale d'Amsterdam. Devant la gare, elle avait juste eu le temps d'entrevoir le véhicule. Mais elle n'avait pu lui accorder que peu d'attention, à cause de la circulation intense qui l'occupait tout entière.

Sachant que G. van Delden, habitant au n° 36, place de Haarlem, à Amsterdam, est le seul remiseur de la ville encore en possession d'une ancienne voiture à cheval, qu'il loue en effet aux étudiants, nous sommes entrés en relation avec lui le 13 mars. Nous lui avons demandé si, peu de temps avant, sa voiture était passée devant la gare centrale, si ce véhicule portait des initiales (ou quelque chose du même genre) et si l'une des lanternes de devant n'était pas endommagée. Le 18 mars, van Delden nous répondit qu'il s'agissait très vraisemblablement de son véhicule, datant d'environ soixante-quinze ans. « Cependant, il n'y a pas d'initiales peintes sur les portières. On y avait fixé, au moyen de deux boulons, un écriteau mobile orné des armes de la Corpo des étudiants d'Amsterdam. Une des lanternes ne fonctionne plus, et l'une des bobèches où l'on met les bougies est endommagée. »

Croiset : Cette personne, qui me semble être une dame, à peu près de ma taille, a-t-elle des cheveux blonds ? Nous verrons ça bientôt.

Commentaire : J'ai à peu près la taille de M. Croiset et mes cheveux sont blonds.

Croiset : Il faut que je vois l'objet qui se trouve dans la boîte, dans la rangée du devant. C'est en rapport avec un bras... il s'agit d'un bracelet.

Commentaire : C'était un bracelet, à gauche dans la rangée du bas.

Croiset : Je commence à glisser. Je glisse sur un plancher, mais sans tomber. Il s'en est fallu de peu.

Commentaire : Ça arrive souvent de glisser sur un plancher. Il n'y a pas de souvenir particulier s'y rattachant.

Croiset : Est-ce que cette dame n'a pas récemment marché en tenant deux enfants par la main ? Ce sera tout pour cette fois.

Commentaire : Il y a quelque temps, j'étais dans une famille, où il y a deux enfants, et j'allais souvent me promener avec eux.

Que de telles expériences paranormales puissent réussir même quand elles sont effectuées « par mandat », et que le consultant se trouve à des centaines de kilomètres du sujet, voilà ce que nous enseigne le cas suivant pris au hasard.

La difficulté de retrouver des personnes disparues ou noyées a incité les enquêteurs à utiliser parfois les dons de clairvoyants comme Gérard Croiset. (Canal à Amsterdam.)

Vers la fin de l'année 1959, James Mc Govern, de la station de radio KSTP à Saint Paul, Minnesota, Etats-Unis, nous pria de lui accorder notre coopération en vue de résoudre une affaire d'assassinat, à propos de laquelle la police de sa ville piétinait, sans découvrir la moindre lueur. L'origine de cette demande était un article paru peu auparavant, dû à une journaliste américaine connue (Murray Boom) et dans lequel était relatée une visite à l'Institut de parapsychologie, faite à propos de l'emploi de paragnostes dans un but d'enquête policière.

Le 3 février 1960, je soumis à Gérard Croiset, en présence d'un groupe de travail constitué d'étudiants, la photo d'un jeune homme inconnu de moi, que McGovern m'avait envoyée. Dans la lettre d'accompagnement, mon correspondant écrivait que la personne concernée avait été assassinée. Il espérait que le paragnoste en question serait à même de fournir des détails en rapport avec cette affaire. Pourrait-il décrire le (ou les) meurtrier?

Ayant considéré le portrait un certain temps, le sujet commença à donner ses impressions qui furent enregistrées au magnétophone. Le commentaire ci-dessous, reproduit après chaque point, est emprunté à une lettre que James Mc Govern m'envoya le 19 février 1960 (donc deux bonnes semaines après la séance).

Croiset : J'ai l'impression qu'il s'agit d'un homme jeune, d'environ 1,74 m, imberbe, cheveux rejetés en arrière, portant un costume gris avec une cravate, donc : une chemise et une cravate. Il a le nez droit, des yeux sombres au regard doux et des sourcils très marqués. Des oreilles pas grandes, bien dessinées, je veux dire que le dessin des pavillons est pur.

Commentaire : Croiset a décrit très exactement l'aspect de la victime, Tony Devito, sauf pour sa taille. Tony n'avait que 1,63 m.

Croiset : Il habitait dans une ville, en Amérique, avec ses parents.

Commentaire : Tony Devito logeait chez ses parents, à Saint Paul, Minnesota.

Croiset : Selon moi, il a été pris dans la rue, par des gens en auto. Il y en avait quatre. Cet homme a donc été enlevé.

Commentaire : Il y a des raisons de penser que Devito a été enlevé par quatre hommes.

Croiset : La maison où on l'a conduit, est-ce une sorte de maison de campagne? Mais elle est située auprès d'habitations ordinaires. C'est-à-dire... Passez-moi un bout de papier (il prend une feuille de papier et fait un croquis). Supposons la maison de campagne ici. On a là six bâtiments d'habitations d'ailleurs assez hauts. Ici un bout de terrain libre. Peut-être un parc, en tout cas un bout de terrain non bâti, avec quelques arbres. Et ça, ici, c'est une voie ferrée, là un chemin, une route ou une rue, qui traverse la voie à cet endroit. Chemin de fer – maison de campagne – route.

Commentaire : On présume que Devito a été enlevé devant un haut bâtiment, en plein milieu de Saint Paul. C'est pour ainsi dire un hôtel particulier, entouré d'une grille de fer.

Croiset : Il doit être passé en voiture (il prend la carte envoyée avec la photo et montre du doigt) par la route n° 12 vers le centre, jusqu'au n° 21, donc : route n° 12. Il a tourné et est parvenu à la 21, à cette hauteur. Ici, je vois 21, et, un peu plus loin, il y a aussi 15. Il a viré et est arrivé à peu près à cette hauteur (il trace une croix sur la carte). C'est ici que j'éprouve ma première émotion à propos du jeune homme.

Commentaire : On présume que la voiture dans laquelle Devito a été enlevé a quitté Saint Paul par l'est, par l'autoroute n° 12. Vraisemblablement, l'auto a roulé tout droit, a ensuite pris vers le sud, pour finalement poursuivre dans la direction d'origine. Selon Alex Degoode, membre de la bande passé aux aveux, la voiture a pénétré dans une allée, sur une longueur de quatre-vingts à cent mètres. Les assassins, après l'avoir arrêtée, sont descendus et ont marché jusqu'à un endroit où un champ de blé et un marécage se rejoignent. C'est à cet endroit – aux dires de Degoode – que l'on a étranglé Devito avec une corde et qu'on l'a enterré dans une fosse profonde d'un mètre environ. Comme la police n'a jamais pu découvrir la tombe, on n'est pas sûr que Degoode ait vraiment dit la vérité.

166

Croiset : Selon moi, il a été descendu et traîné vers un bout de terrain. C'est ainsi que ça s'est passé. Il doit d'abord avoir été au théâtre. Il doit être allé ensuite au dancing. Il a alors été enlevé. Il a été conduit jusqu'à la maison que j'ai décrite et c'est là qu'on l'a descendu. Puis, on l'a emmené dans un endroit où se trouve une excavation. Je pense à une fosse à ordures. C'est tout près que le gars a été jeté par terre. Il y a des arbres.

Commentaire : Quand les assassins ont quitté Saint Paul (suivant Degoode), ils ont suivi l'autoroute 12 en direction d'un endroit où l'on décharge des immondices. On appelle ça le champ d'épandage de Ruth Street. On peut éventuellement considérer que Croiset désigne ce champ d'épandage lorsqu'il parle d'une fosse à ordures. Mais Degoode dit aussi qu'ils n'ont pas utilisé cet endroit pour l'enterrer parce qu'ils craignaient qu'il soit déterré par un bulldozer. Les meurtriers ont alors (selon Degoode) poursuivi jusqu'à l'endroit décrit plus haut.

Croiset : Ça me semble être un endroit – attendez – d'où je suis, donc en regardant vers l'est, il y a une rivière. Repassez-moi un peu ce papier. Si je regarde vers l'est, il y a ici une espèce de garde-fou sur un pont au-dessus d'une rivière. Tout ça me paraît être des rochers. Et, en me tenant comme ça (au garde-fou), mes regards plongent dans un ravin. C'est ici, à peu près, que le ravin doit se trouver, et c'est là que la rivière doit couler. Là-bas, il y a un terrain qu'on est en train de surélever. Disons que c'est un terrain d'épandage. On en relève le niveau au moyen d'un matériau ou d'un autre. Ça m'a quand même bien l'air d'être une fosse à ordures.

Commentaire : Croiset mentionne l'autoroute 21 et la 15. Toutes les deux vont du nord au sud et limitent vraisemblablement l'endroit où Devito est enterré.

Croiset : La maison où on l'a emmené, est-ce une espèce de maison de campagne? Mais elle est située près de bâtiments ordinaires, c'est-à dire que, si cette maison (il désigne son dessin) se trouve ici, alors, vous avez là six bâtiments élevés. Ça, c'est un terrain non bâti. Ça pourrait être un parc, en tout cas un terrain avec quelques arbres. Il y a aussi ici une voie ferrée, là, un chemin, une rue ou une route qui la traverse.

Commentaire : Des informations en notre possession, ayant trait à l'assassinat de Devito, il ne ressort rien au sujet d'une maison où l'on aurait amené Devito. Nous considérons comme vraisemblable que Croiset confonde avec la maison devant laquelle, à ce que l'on suppose, Devito aurait été enlevé. Degoode déclare que, à l'endroit où Devito a été enterré, il a vu une petite maison ou une cabane. La voie ferrée, nous ne savons où la situer. D'après Degoode, l'auto n'aurait traversé aucune voie ferrée.

Croiset : Il y a là aussi un grand restaurant où les gens qui habitent la maison de campagne se rendent souvent. A côté du restaurant se trouve une salle de danse. On ne peut parler d'un night-club, mais on y danse beaucoup.

Commentaire : Avant d'être enlevé, Devito s'était rendu dans ce restaurant, avec un homme du nom de Tony Legato, pour y déjeuner. Près de ce restaurant, il y a une salle de bal. Tony Legato, que Devito connaissait depuis l'enfance et qu'il fréquentait beaucoup, est l'individu qui a mené Devito jusqu'à l'endroit où les quatre hommes lui sont tombés dessus.

Croiset : Une dame d'environ vingt-huit ans joue un rôle dans cette affaire. Quelqu'un dans le genre Marlène Dietrich, voix un peu sourde, un peu mélancolique, une façon théâtrale de s'asseoir. Cette dame se trouvait ce soir-là dans ce restaurant et elle a beaucoup bavardé avec le jeune homme (Devito). Selon moi, cette jeune personne est en relation avec l'homme dont je viens de parler (Legato). Elle porte très souvent une robe verte. Ce soir-là, elle l'avait. Une robe de soie verte, avec une broche tout à fait bizarre, comme on n'en voit pas souvent. Cette broche a une pierre sombre enchâssée. Cette femme a beaucoup bavardé avec le jeune homme (Devito). Elle n'habite plus là, je pense.

Commentaire : Dans le restaurant se trouvait une amie de Legato. C'est vraisemblablement la femme dont Croiset dit qu'elle a le genre Marlène Dietrich. La police dit que cette jeune fille répond au signalement que Croiset en a donné, et qu'elle est toujours vêtue de vert. Nous n'avons pas encore eu la possibilité de vérifier si elle porte bien une broche telle que Croiset la décrit. Son nom était Shirley Currau, alias Shirley Crosby.

Croiset : Je revois le garde-fou et le pont. Et je revois aussi le ravin.

Commentaire : Degoode a fait mention d'une petite rivière au-dessus de laquelle est construit un pont. Les assassins (selon Degoode) ont traversé ce pont après avoir enterré Devito.

Croiset : L'un des gangsters qui a fait le coup est un homme de quarante-huit à cinquante-deux ans. Il doit mesurer 1,68 m, mais pèse sûrement ses quatre-vingt-dix kilos. Il a le cou gras. Je vois une ride dans son cou. Il porte la tête très en arrière. Il a une chevalière bleu clair à la main droite. Quand il parle, il zézaie. Il me semble être tenancier de boîte de nuit, un type qui ne travaille pas, mais joue et tient une boîte.

Commentaire : La description fournie par Croiset convient bien au gangster Rocky Lupino. Mais celui-ci est un peu plus grand (1,80 m). Il a le cou épais. Nous ne savons pas s'il zézaie, mais cela semble bien être le cas pour ce qui est de sa femme. Il existe une photo de lui sur laquelle on distingue nettement un anneau, mais il le porte à la main gauche. Nous ne pouvons vérifier si la pierre est bleu clair. Il a été propriétaire d'un night-club (Le « Bonfire Club ») où se retrouvaient toutes sortes de gens du milieu.

Croiset : Il doit y avoir quelqu'un qui a trop parlé! Un des types qui en étaient, a parlé. Il a lâché un mot de trop, et c'est comme ça que l'affaire a démarré. Il a dit un certain nombre de choses. Ça doit être un type qui vend des revolvers. Un type qui gagne de l'argent en assassinant des gens. Ça doit s'être passé ici à peu près (Croiset désigne un endroit sur la carte) à Stillwater, dans cette parcelle entre les chiffres 95 et 5. C'est là que ces gens ont rencontré le meurtrier.

Commentaire : Croiset a raison en disant que l'un des individus a mangé le morceau. Nous l'avons déjà nommé (Alex Degoode). La police est d'avis qu'il s'est mis à table pour se venger de deux personnes impliquées dans cette affaire. Il les déteste pour diverses raisons. Mais on est d'avis que Degoode n'a pas tout dit, pour éviter d'être arrêté comme assassin. Il est possible aussi que Degoode ait déterré le cadavre pour l'enfouir ailleurs, ou que les autres gangsters en aient fait autant. Ce qui expliquerait les difficultés que la police a pour le retrouver. Mais ce ne sont que des suppositions. Nous ne savons rien de certain.

Croiset : Je crois qu'il (Devito) en savait un peu trop long sur ces gangsters et que pour cette raison il fallait l'éliminer. Mais je ne crois pas qu'il s'agisse d'argent. Pas d'espionnage non plus. Le jeune homme devait être éliminé parce qu'il en savait trop sur le gros.

Commentaire : Il est exact que Devito n'a pas été assassiné pour de l'argent. On suppose qu'il a été tué parce qu'il en savait trop sur le gangster Rocky Lupino et d'autres, et qu'il projetait de mettre la police au courant de tel ou tel détail.

Après que les informations fournies par Croiset eurent été enregistrées, traduites et envoyées à J. Mc Govern, nous avons reçu le 19 février 1960 un télégramme de ce dernier, dans lequel il déclarait que les indications données par Croiset étaient d'une « exactitude phénoménale », et suggérait que je me rende à Saint Paul avec lui. Etant donné que, pour diverses raisons, nous n'avons pas donné suite à cette invitation, J. Mc Govern vint nous voir en compagnie de deux de ses collaborateurs. A cette occasion, Croiset fournit quelques particularités complémentaires sur cette affaire. Malheureusement, nous avons dû par la suite refuser notre collaboration à J. McGovern, car il ne s'était pas tenu à nos conventions et avait parlé prématurément à la télévision de ces expériences parfaitement réussies du point de vue de la parapsychologie.

PROFESSEUR W.H. TENHAEFF

Chapitre XI

Le cas Ludwig Kahn

Les réflexions des savants qui ont étudié le clairvoyant Ludwig Kahn ont pour point commun d'être celles d'observateurs s'avouant en définitive totalement dépassés par le phénomène. La spécialité de L. Kahn était de lire des messages dans des enveloppes cachetées, sans les ouvrir, ou inscrits sur des morceaux de papier pliés en quatre qui ne quittaient pas la main des témoins. On voit ainsi des professeurs demander que l'expérience soit recommencée parce qu'ils ne savent plus ce qu'ils ont écrit, ou pour d'autres motifs aussi enfantins qui sont une expression de leur étonnement, de leur refus de croire que ce puisse être vrai.

L'histoire suivante commença en 1912. Le Professeur Max Schottelius reçut un homme qui lui demanda de vérifier expérimentalement qu'il pouvait « lire la pensée d'autrui » et « prédire l'avenir ». Ce n'était pas pour des raisons scientifiques. C'était pour entamer la révision d'un procès ayant eu lieu en 1908 à Karlsruhe. Ludwig Kahn avait été dénoncé comme imposteur.

Le Pr Schottelius, prudent, fit d'abord une expérience chez lui. Kahn prononça sans erreur la phrase inscrite sur un papier plié en huit. « Une sorte de frisson, écrivit le Pr Schottelius, me passa alors dans le dos. » Déjà le Dr Haymann, désigné en 1908 comme expert par le tribunal, avait noté dans son rapport que ce n'était, pour L. Kahn, « qu'un jeu de lire mes écrit cachés ». En outre, le clairvoyant rapporte des phrases en langues étrangères, des formules mathématiques dont il ne connaît pas le sens.

En 1925, il est étudié minutieusement à l'Institut Métapsychique International, à Paris. Parmi les expérimentateurs se trouvent Emmanuel Leclainche, membre de l'Académie des sciences, et le Pr Vallée, de l'Académie de médecine. Le Dr O. Osty en présente un compte rendu.

171

◄ *L'étonnement des savants qui étudièrent Ludwig Kahn n'est comparable qu'aux grandes émotions de l'homme devant ce qui le dépasse, l'immensité de la nature.*

Pour la première partie d'une expérience, M. Kahn demande aux quatre personnes de prendre chacune un morceau de papier blanc, d'écrire dessus n'importe quoi, sans en rien dire, puis de plier très finement les papiers.

Cela dit, il sort du salon, va dans un vestibule contigu au salon dans lequel nous restons.

Chacun de nous se place dans une partie quelconque du salon et écrit ce qu'il veut sur un morceau de papier. Personnellement, je prends dans mon portefeuille un carré de papier de 6 cm² environ et j'écris sur mes genoux, dos tourné vers la porte fermée et à plusieurs mètres de cette porte.

Quand chacun de nous a plié son papier à sa guise, M. Kahn est informé que tout est prêt.

Il entre et nous fait asseoir en ligne et dans l'ordre suivant : Dʳ Osty, Pʳ Leclainche, Mme Leclainche, Mme Vallée.

Chacun a son papier serré dans une main.

M. Kahn demande au Dʳ Osty de prendre tous les papiers, de les secouer dans ses mains pour les mêler, puis d'en donner un à chacun. Cela est immédiatement fait.

Allant devant Mme Leclainche, M. Kahn demande de toucher le papier qu'elle tient. Il le prend entre le pouce et l'index et d'un geste vif l'appuie sur son front et le rend, disant : « C'est fait. »

Les papiers tenus par le Pʳ Leclainche, le Dʳ Osty, Mme Vallée, n'ont à aucun moment été touchés par K. et ils ne le seront pas. J'ajoute que nul d'entre nous, étant donné la similitude des papiers pliés, ne sait ce que contient le papier serré dans sa main.

Tout étant disposé ainsi, ce qui s'effectue en deux minutes, M. Kahn se place à 1,50 m environ devant le Dʳ Osty, premier du rang. Il est debout, sa main droite tient un crayon, sa main gauche une feuille de papier sur laquelle le crayon, fébrilement remué, semble écrire.

Et, après moins d'une minute d'efforts, il dit : « Il y a là, dans votre main, une phrase que vous n'avez pas écrite. C'est : « le ciel est noir. »

Mme Vallée, troisième du rang, dit : « J'ai écrit : le ciel est noir. »

J'ouvre ma main, je déplie le papier. Il y était écrit au crayon : Le ciel est noir.

Tout aussitôt M. Kahn se met devant le Pʳ Leclainche, deuxième du rang; il esquisse quelques mouvements nerveux du crayon sur le papier et dit : « C'est le papier que vous avez écrit que vous tenez. Il y a : La tuberculose est due au bacille de Koch. »

Ce fut dit d'un trait, sans hésitation.

Le Pʳ Leclainche déplie le papier. Il porte écrit au crayon : La tuberculose est due au bacille de Koch.

M. Kahn va devant Mme Leclainche, la regarde une ou deux secondes, se replace devant le Dʳ Osty.

« C'est le papier que vous avez écrit qui est dans la main de la dame, dit-il. Je vais vous dire ce qu'il y a : « Il y a... La... le... la... » (ici de l'hésitation et pendant quinze secondes une mimique d'efforts). Il y a : Le voyage est le grand plaisir de la vie... c'est la pri..., c'est la pri... Le dernier mot, je ne le saisis pas bien..., ambi... ambi..., est-ce ambition que vous avez voulu écrire? Ouvrez le papier, j'ai du mal à saisir. »

Mme Leclainche ouvre le papier tenu serré dans sa main droite; on y lit ce que j'y avais écrit :

La... Voyager est le grand plaisir de la vie. C'est la prise de conscience de son ambiance.

M. Kahn s'est comporté comme s'il repassait par les mouvements de ma pensée au moment d'écrire. L'idée m'était d'abord venue de mettre sur le papier cette phrase lue, quelques jours avant, sur un livre, à la devanture d'un libraire : « La vie est un spectacle à regarder, ce n'est pas un problème à résoudre. » Mais dès le premier mot écrit je jugeai qu'il était préférable d'improviser.

Se rendant aussitôt devant Mme Vallée, quatrième du rang, il lui dit sans délai et d'un trait : « A quel âge dira-t-il papa? »

Le papier ouvert par Mme Vallée porte cette phrase de l'écriture de Mme Leclainche :

A quel âge dira-t-il papa?

Le temps mis pour la prise de connaissance de la pensée écrite des quatre personnes n'a pas dépassé cinq minutes.

Xavier Leclainche fait ensuite ce compte rendu :

« M. Kahn, après dix minutes de repos, demande de reproduire le phénomène avec les quatre personnes n'ayant pas participé à l'essai précédent.

Il prend sur une table une feuille de papier blanc de la maison, la déchire en cinq morceaux, donne un des morceaux à chaque assistant, sauf au Pr Vallée qui en reçoit deux.

Il nous prie d'écrire chacun une phrase sur chaque papier, sans nous la communiquer. Puis il quitte la pièce pour aller ailleurs se mêler aux autres personnes.

Nous écrivons et plions chacun notre papier plusieurs fois et le gardons dans notre main fermée.

Rappelé, M. Kahn rentre. Il nous fait asseoir sur une même ligne, de gauche à droite : Mme Jean Laval, le Pr Vallée, Mme Xavier Leclainche, M. Jean Vallée.

M. Kahn nous prie de rassembler tous les papiers dans la main du Pr Vallée. Au cours de cette manœuvre il nous demande de plier une ou deux fois de plus les moins pliés, de façon que tous les papiers soient à peu près semblables.

Cette opération fut faite par nous, M. Kahn étant à 1,50 m ou 2 mètres. Aucun des papiers ne fut ouvert.

Ainsi rendus semblables, les papiers sont tous placés par nous dans la main droite du Pr Vallée qui les mêle.

Il les distribue au hasard. Chacun place le papier qui lui a été remis dans le creux de sa main fermée.

Immédiatement M. Kahn vient se placer devant M. J. Vallée. Il a un crayon dans une main, une feuille de papier dans l'autre. Faisant le geste d'écrire, il prononce sans hésitation cette phrase : « Il y a dans votre main une phrase que vous n'avez pas écrite vous-même. Il y a : « Le bacille de la morve fut découvert en 1881. »

Le papier déplié par Mme J. Laval porte exactement cette phrase écrite par M. X. Leclainche.

Se tournant ensuite vers le Pr Vallée, M. Kahn dit :

« Vous avez dans chacune de vos mains les papiers sur lesquels vous avez écrit. »

Désignant d'un doigt la main gauche, il dit : « Les fruits de mon jardin sont les plus beaux. »

Ce fut exactement le texte trouvé par le professeur à l'ouverture du papier.

M. Kahn se rend devant M. Xavier Leclainche et, sans la moindre hésitation, dit : « Chevreul fut l'auteur de la Savonnerie. » Phrase qu'avait écrite M. Jean Vallée.

Revenant au Pr Vallée et montrant du geste sa main droite, il dit : « Il y a là : « Les beaux jours sont bon lendemain, » et se reprenant immédiatement : « Les beaux jours sont sans lendemain. »

Le papier déplié contenait cette phrase écrite par le Pr Vallée.

Enfin, devant Mme Jean Laval, et sans la moindre difficulté, il dit : « Est-ce que mon chat est heureux maintenant? »

Texte exact trouvé sur le papier.

En fin de séance le Pr Vallée fait remarquer que pendant les quelques minutes que dura le travail de M. Kahn, il s'est efforcé de distraire sa pensée des phrases écrites par lui.

Séance du 7 février 1925 à l'Institut Métapsychique.

Expérimentateurs : MM. Ch. Richet, Cunéo, Gosset, Laignel-Lavastine, Lardennois, professeurs à l'École de Médecine de Paris; Pr Santoliquido, conseiller d'État d'Italie; Dr Humbert, représentant de la Suisse à la Ligue des Croix-Rouges.

M. Kahn demande que les expérimentateurs soient divisés en deux lots. Il désigne pour la première épreuve les Professeurs Cunéo, Gosset, Laignel-Lavastine, Lardennois, et reste seul avec eux dans le salon de l'I. M. Les autres assistants se rendent dans une salle voisine.

M. Kahn prend sur la table du salon une des feuilles blanches à en-tête de l'établissement, que j'y avais mises. Il en détache quatre morceaux de papier de 6 cm² environ et en donne un à chacun des professeurs qu'il a placés en rang devant la table, les priant d'écrire ce qu'ils voudront.

Il quitte alors le salon et vient se mêler au groupe exclu de la première épreuve. Une porte fermée sépare cette pièce du salon. M. Kahn parle. Nous l'écoutons.

Bientôt il est appelé. Les quatre professeurs sont prêts. Ils ont écrit, sans communiquer, chacun une phrase sur un papier plié ensuite plusieurs fois.

M. Kahn entre dans le salon. Il fait asseoir les expérimentateurs dans cet ordre : MM. Laignel-Lavastine, Gosset, Cunéo, Lardennois.

Le Professeur Cunéo est prié par Kahn de prendre les quatre papiers en main, de les mêler, et de les distribuer.

Cela fait, M. Kahn se place debout devant le Pr Laignel-Lavastine, premier du rang, et s'efforce de se mettre dans l'état mental favorable à son travail spécial. Il s'énerve, s'approche du professeur, demande de toucher, une seconde, le papier qu'il tient. M. Laignel-Lavastine s'y refuse. Kahn insiste. M. Laignel-Lavastine dit que cela compromet l'expérience. Kahn dit qu'il doit toucher un instant le papier et qu'il préfère se retirer si on le gêne dans son travail. Devant cet ultimatum le Pr Laignel-Lavastine tend le papier plié à M. Kahn qui le porte vivement à son front et le rend. Et tout de suite : « Je vais lire maintenant... ce papier, il y a dessus une phrase écrite par vous... Il y a : « vous prenez pour cliquetis d'armes... ce qui n'est que... fi... fifrilis d'arbres. »

M. Laignel-Lavastine déplie le papier qu'il a en main. C'est celui sur lequel il avait écrit les mots exactement reproduits par M. Kahn.

Aussitôt M. Kahn se met devant le Pr Gosset, deuxième du rang, il reste quelques secondes sans parler, puis dit : « Il y a dans votre main une phrase pas écrite par vous... c'est... « En politique... une injustice est parfois... préférable au désordre... a dit Goethe. »

Le Pr Gosset déplie le papier. Il porte exactement cette phrase qu'avait écrite le Pr Lardennois.

Passant à la hauteur du Pr Cunéo, Kahn, presque aussitôt, dit : « Ce n'est pas vous qui avez écrit ce qu'il y a sur le papier que vous tenez, c'est Monsieur (il désigne le Pr Gosset). Il a écrit... « Quel nom... vais-je donner au poulain qui est né... avant-hier de Marisco ? »

Texte exact lu sur le papier déplié, écrit au crayon par le Pr Gosset.

Enfin M. Kahn se met devant le Pr Lardennois et aussitôt dit : « Dans votre main il y a un écrit de Monsieur (il désigne M. Cunéo) il y a... « Avez-vous une idée personnelle sur le mécanisme de la faculté que vous possédez ? » M. Lardennois ouvre sa main, déplie le papier et y lit mot à mot ce que Kahn vient de dire. M. Cunéo l'avait écrit au crayon.

Cette prise de connaissance de la pensée écrite a duré quelques minutes, cinq minutes environ.

Tous les assistants se réunissent ensuite dans le salon. Le récit de ce qui s'est passé est fait successivement, en ce qui les concerne, par chacun des professeurs. Ce qu'on vient de lire en est la reproduction.

Leurs paroles expriment l'émerveillement et l'étonnement qu'un tel phénomène soit possible.

Une objection est faite par le Pr Laignel-Lavastine : « Il est incontestable, dit-il, que c'est extraordinaire. Mais je fais deux reproches à cette épreuve. D'abord M. Kahn nous a demandé de nous mettre en rang devant la table et d'écrire sur la table. Pourquoi? Cela éveille l'idée qu'il a pu enduire d'un produit chimique le plateau de marbre de la table, grâce à quoi il a pu avoir connaissance, par un artifice spécial, de ce que nous avons écrit. »

Quelqu'un fait observer à M. Laignel-Lavastine que cela n'expliquerait pas comment M. Kahn a pu, avec la plus grande aisance, rattacher chaque papier à son scripteur.

« C'est vrai, continue M. Laignel-Lavastine, mais il y a autre chose. M. Kahn a demandé de toucher le papier que j'avais dans ma main fermée. Il l'a pris, l'a rapidement mis sur son front et me l'a rendu. Ce fut vite fait, sans doute, mais il me vient de là une inquiétude que j'aimerais dissiper par une épreuve dans laquelle le papier ne quitterait à aucun moment ma main et ne serait pas touché par M. Kahn. »

Quelqu'un dit alors à M. Laignel-Lavastine : « Votre objection très juste en ce qui vous concerne, ne vaut pas pour l'ensemble de l'épreuve, puisque les papiers tenus par les autres expérimentateurs n'ont pas quitté leurs mains et n'ont pas été touchés par M. Kahn. »

Pour les Professeurs Cunéo, Gosset, Lardennois, la seule objection à cet essai était le fait d'avoir écrit sur la table. Encore cette objection perdrait-elle de sa valeur dubitative du fait du reliement des scripteurs aux papiers écrits dont nul d'entre eux ne pouvait, en raison du mélange, savoir de qui chaque papier provenait.

Ces objections légitimes servirent à une meilleure exécution de l'épreuve par le deuxième lot d'expérimentateurs, mais toutefois, comme on va le voir, exécution encore non satisfaisante.

M. Kahn se repose dix minutes en se mêlant à notre conversation, et la séance continue.

MM. Ch. Richet, Santoliquido, Humbert sont ensuite laissés dans le salon. Ils déchirent chacun deux morceaux de papier, le Pr Richet un, écrivent dessus ce qu'ils veulent et où ils veulent, sans se le communiquer.

Quand tous les papiers ont été finement pliés, M. Kahn est introduit. Ayant demandé que l'objection de « la table chimiquement préparée » n'ait plus de motif d'être, et désirant supprimer l'autre objection venant du « papier touché », j'entre dans le salon avec lui et assiste au déroulement rapide de cette deuxième partie de la séance.

M. Kahn, placé à 1,50 m environ des expérimentateurs, leur demande de s'asseoir en rang. Ils se placent dans cet ordre : Dr Humbert, P^r Ch. Richet, Pr Santoliquido.

M. Kahn voulant, comme à l'ordinaire, augmenter la difficulté de l'expérience, prie le Dr Humbert de prendre tous les papiers pliés, de les mêler soigneusement et de les distribuer.

Le Dr Humbert, après mélange, donne deux papiers au Pr Richet, deux au Pr Santoliquido. Il en garde un.

Chacun des trois expérimentateurs ignore – tous les papiers étant semblables de dimensions – ce qui est écrit dans le ou les papiers qu'il tient.

M. Kahn demande : « Par quel papier voulez-vous que je commence? » « Par celui-ci », répond le Pr Richet en montrant son poing droit.

M. Kahn, debout, esquisse quelques mouvements nerveux de sa main droite tenant un crayon appuyé sur un papier. Il s'énerve. Son visage devient rouge. S'approchant du Pr Richet, il dit : « Laissez-moi toucher une seconde le papier. » Le professeur entrouvre sa main, M. Kahn y prend le papier plié, entre le pouce et l'index, ses regards tournés vers le plafond; cela dure une seconde. Et remettant le papier dans la main du professeur, il s'écrie : « C'est fait! Je vais vous dire maintenant ce qu'il y a sur le papier... ce n'est pas vous qui avez écrit cela... c'est en allemand... il y a... il y a... « Gegen die Dummheit. Kampfen auch die Götter vergebens... Goethe... »

Le Dr Humbert dit : « C'est moi qui ait écrit cela. » Le papier déplié par le Pr Richet et qu'il tend à M. Kahn, dans les mains duquel je le prends aussitôt, contient :

« Gegen die Dummheit.
Kampfen auch die
Götter vergebens. »
(GOETHE).

Cela a demandé moins de deux minutes. M. Kahn va devant le Dr Humbert et tout aussitôt dit : « Ce papier n'est pas de vous, il est du professeur là (et du doigt il désigne le Pr Santoliquido). Il y a... « Andro... a Roma... fra una Settimana... »

Le Dr Humbert ouvre le papier, lit son contenu et me le donne. Il y a, écrit au crayon, de l'écriture du Pr Santoliquido :

« Andro a
Roma fra
una Settimana. »

Le papier tenu par le Dr Humbert n'a, à aucun moment, été touché par M. Kahn.

M. Kahn se met devant le Pr Santoliquido et dit : « Dans votre main droite, il y a une phrase écrite par ce monsieur (il montre le Dr Humbert). Il a écrit... il a écrit : « une épidémie de... une épidémie de variole sévit parmi les Indiens... de Montréal en l'année 1498. »

Le Pr Santoliquido me tend le papier. Je l'ouvre et je dis cette phrase que le Dr Humbert avait écrite au crayon :

« Une épidémie de
variole sévit
parmi les Indiens
de Montréal en
l'année 1498 [1]. »

« Et dans votre main gauche, continue M. Kahn en s'adressant encore à M. Santoliquido, il y a une phrase en français que vous avez écrite... c'est : « mon fils est à... Hammamet... en Tunisie. »

Le Pr Santoliquido ouvre le papier et y trouve la phrase qu'il avait écrite :

« Mon fils est
à Hammamet
en Tunisie. »

Allant enfin se placer devant le Pr Richet, M. Kahn dit : « Il ne me reste plus qu'à dire ce que vous avez dans votre main gauche... c'est vous qui avez écrit ce qu'il y a... il y a... « Comment se nomme mon bateau à pétrole. »

« C'est vrai, s'écrie le Pr Richet, j'ai écrit cela! » Il ouvre le papier et nous montre la phrase tracée au crayon.

Ces trois expérimentateurs rendent compte, tous les participants à cette séance étant réunis, du déroulement de cette deuxième partie. Ils attestent le merveilleux du phénomène. Nulle objection, de leur part, n'est exprimée.

La séance commencée à 21 h 30 est terminée à 22 h 15.

A 23 heures, le Pr Richet m'appelle au téléphone et me dit : « C'est merveilleux ce que nous a fait M. Kahn. C'est trop merveilleux pour être réel! J'ai réfléchi. Il m'est venu un doute. Il doit y avoir un truc que j'imagine ainsi. M. Kahn demande tout d'abord à toucher un papier, il a touché le mien. Or il suffit qu'il ait substitué un papier blanc au papier écrit pour pouvoir ainsi prendre connaissance du premier, et de papier en papier substitué, comme dans le jeu de salon connu, les lire tous avec ses yeux tout en paraissant en prendre anormalement connaissance. »

– « Oui, répondis-je, c'est une chose à envisager. Toutefois n'oublions pas que les papiers tenus par MM. Santoliquido et Humbert n'ont pas quitté leurs mains et n'ont, à aucun moment, été touchés par Kahn. Et considérons, de plus, que la lecture frauduleuse des papiers

1. Après la séance, le Dr Humbert me dit : « Je vous prie, dans le compte rendu, de réparer le lapsus que j'ai commis. Au lieu de 1498, mettez 1640. On m'attribuerait une grossière erreur. »

Comment Ludwig Kahn sut-il que le professeur Santoliquido avait écrit sur un papier ▶
plié en quatre que son fils était en Afrique du Nord? (Maison en Tunisie.)

ne permettrait pas à M. Kahn de spécifier les scripteurs. Or il n'avait jamais vu jusqu'à ce jour aucun des assistants et certainement pas toutes leurs écritures. »

– « Quand même, insista le Pr Richet, méfions-nous! Je redoute un truc. C'est trop extraordinaire. Je n'y croirai que lorsque j'aurai renouvelé l'expérience, avec une plus grande attention et seul à seul avec M. Kahn. »

Le lendemain soir, à 23 heures, le Pr Richet me téléphona de nouveau : « Je viens d'avoir avec Kahn la séance que je désirais, me dit-il. Mes doutes sont envolés. J'ai la certitude absolue de la réalité du phénomène. Nous sommes en présence d'une magnifique et inexplicable clairvoyance. Il faudra l'étudier. »

J'ai tenu à reproduire aussi fidèlement que possible le déroulement de la séance du 7 février, dans la production des faits et dans les mouvements de pensée des assistants. C'est de la psychologie en action. Et cela montre comment une constatation simple théoriquement est rendue pratiquement défectueuse par la manière routinière de procéder de M. Kahn et aussi par la dérivation de l'attention des expérimentateurs.

Dans une première séance avec M. Kahn, les assistants, je l'ai plusieurs fois constaté, devant l'extraordinaire netteté du phénomène et la rapidité de son exécution, perdent le sentiment de leur contrôle.

Ayant écrit des mots dont la combinaison n'est connue quelquefois que d'eux seuls au monde, ils sont stupéfaits de les entendre prononcer sans erreur par la bouche d'autrui. Cet étonnement envahit leur conscient et monopolise si exclusivement leur attention que, revenus après séance à l'examen critique de ce qui vient de se passer, ils ne savent plus exactement ce qui s'est passé et émettent des opinions légitimes en apparence, mais absurdes pour qui a assisté à la séance sans y participer activement.

C'est ainsi que j'ai entendu quelques éminents savants dire qu'ils voulaient recommencer l'expérience parce qu'ils n'avaient pas vérifié le contenu écrit des papiers tenus dans leurs mains, alors qu'ils les avaient dépliés devant mes yeux, lus à haute voix et remis à moi pour les enregistrer et les garder.

Ce sentiment d'insuffisance du contrôle, à la première séance à laquelle on assiste, les procédés empiriques de M. Kahn sont de nature à l'accentuer.

Le lecteur a remarqué qu'il est deux aspects principaux du phénomène produit par M. Kahn : « La reconnaissance du scripteur », « la révélation de l'écrit ». Or ces phénomènes relèvent d'une physique que nous ne connaissons pas encore, ils supposent la probabilité d'émanations énergétiques, de rayonnements auxquels nos sens ordinaires restent insensibles, mais dont la sensibilité de certaines personnes est impressionnée au point de les traduire en sensations.

M. Kahn possède une clairvoyance dont le clavier réceptif inexploré est, vraisemblablement, étendu au-delà de ce qui en est apparu jusqu'ici. Il ne sait pas ce dont il est capable, parce qu'il n'a pas encore sollicité toutes les réactions possibles de sa psycho-physiologie exceptionnelle. C'est fortuitement qu'il s'est aperçu et qu'on s'est aperçu autour de lui de son pouvoir de prendre connaissance, sans l'usage des yeux, de la pensée écrite. Et il a reproduit toujours ce même phénomène, en se plaçant d'instinct et en acquérant d'empirisme la notion des conditions favorisant son travail mental.

Quand il déchire en petites parties le morceau de papier blanc, qu'on lui fournit d'ailleurs, c'est pour limiter la quantité des mots qu'on va écrire, mais c'est aussi parce qu'il a remarqué que ce contact préalable avec le papier prépare une sorte de reliement physique facilitant sa perception paranormale.

Quand il demande de toucher durant une seconde un papier tenu dans les mains des expérimentateurs, c'est pour faire agir plus directement et plus fortement sur sa sensibilité les modalités énergétiques spéciales et inconnues dont nous imprégnons un papier quand nous le couvrons d'écriture.

Quand, au moment de difficulté de révélation d'un écrit brûlé, par exemple, il touche rapidement d'un doigt une main ou le front du scripteur, c'est pour y saisir vraisemblablement le substrat physique informateur.

Tous ses gestes ont une raison, un but. Ils ne sont pas absolument nécessaires puisque M. Kahn peut aboutir aux mêmes résultats sans eux, mais ce sont des adjuvants auxquels il recourt d'instinct et d'expérience.

Nous avons vu comment, dans le déroulement rapide d'une séance, ces gestes semblent suspects, moins toutefois au moment qu'ils s'effectuent qu'un certain temps après. Ils éveillent l'idée de trucs, de prestidigitation. D'où, dans une première séance « pour voir », ce résultat : le doute d'une ou de deux personnes, la conviction de la majorité des expérimentateurs.

Les séances ultérieures se feront en des conditions excluant toutes objections.

Nous sommes là devant un phénomène net, incontestable, dont l'étude, par variations des conditions d'expériences, peut projeter quelque lumière sur les autres phénomènes supranormaux.

DOCTEUR O. OSTY

*Les prodiges ont habituellement reçu en Occident des explications religieuses
ou surnaturelles, jusqu'à l'apparition de la parapsychologie qui tend à montrer
que leurs mécanismes sont naturels. (Eglise en bois en Scandinavie.)*

Chapitre XII

Les objets
qui racontent des histoires

La « psychométrie » est le nom regrettable qui a été donné à l'un des faits paranormaux les plus intéressants, celui consistant pour un clairvoyant à connaître une personne par l'intermédiaire d'un objet qui lui a appartenu. « Psychométrie » signifie mesure de l'âme, et le phénomène n'a apparemment rien à voir avec cette définition.

L'objet manipulé a-t-il cependant l'importance que le clairvoyant lui accorde? Pourquoi la clairvoyance existe-t-elle aussi sans qu'un objet en soit le support? Il n'est pas absurde de supposer toutefois qu'une sorte d'« empreinte » fixée sur l'objet, une bague, un gant, une statuette, puisse être déchiffrée mystérieusement. Mais il n'est pas non plus impossible que l'objet ait un usage identique à la boule de cristal des voyants, au marc de café, aux cartes et aux mancies anciennes qui déclenchent parfois des facultés enfouies dans l'inconscient.

Ce chapitre relate des observations précises. A travers elles, une description non moins précise de la faiblesse des moyens financiers et techniques dont dispose un grand nombre de chercheurs est fournie. Pourtant, cet « amateurisme » apparent a souvent été dans l'histoire des sciences à l'origine de découvertes importantes, lorsqu'il était assumé par des esprits ingénieux et patients.

On désigne sous le nom de psychométrie le fait qu'une personne sensitive, tenant en main un objet, fournit des détails – perçus par voie paranormale – sur le propriétaire de l'objet ou sur un individu par les mains duquel il est passé. Le mot déplorablement choisi de psychométrie a été imaginé par l'Américain Jos. Rhodes Buchanan (*Journal of Man*, 1849), qui, s'il n'a pas découvert cette faculté, fut du moins le premier à l'étudier avec une certaine précision. Éveiller les facultés paranormales à l'aide d'un objet est devenu depuis une expérience courante. D'autres médiums, qui peuvent se passer de ce moyen, l'acceptent cependant volontiers, car il facilite leur travail et enrichit leur moisson d'informations. Quel rôle joue l'objet? Il est, pour le moment, impossible de le dire avec certitude; il est sans doute un stimulant. Dans le cas des expériences faites sciemment [1], nous avons affaire à la télépathie mixte.

Les indications données par le percipient sur le caractère du possesseur sont, bien entendu, susceptibles souvent d'interprétations diverses, en outre leur vérification n'est souvent possible que de seconde main. En revanche, les expériences que j'ai entreprises avec M. H. ont fourni des indications portant, en majeure partie ou en totalité, sur l'objet lui-même, sa forme, sa couleur, la substance dont il était fait, etc. Ces indications étaient, par suite, immédiatement contrôlables par l'expérimentateur; en outre, elles ne pouvaient généralement être qu'exactes ou fausses, et sans ambiguïté. C'est ce caractère univoque des données qui fait la valeur de mes expériences avec M. H. Le choix d'expériences que je rapporterai ici vise à mettre en évidence ce caractère-là, mais aussi à apporter une contribution à la psychométrie pure, au sens strict. Toutes les expériences ont été réalisées en éclairage normal, et la plupart du temps une tierce personne au moins y assistait. Les expériences rapportées dans ce chapitre n'étaient pas faites « à l'insu », mais mes collaborateurs et moi n'avons jamais cherché à « transmettre » ce que nous savions de l'objet à M. H. Sauf indication contraire, dans toutes les expériences ci-après, les objets étaient empaquetés dans des boîtes et celles-ci le plus souvent ficelées ou scellées.

1. Les deux premières expériences ont été faites avec le même objet, confié successivement, au cours de deux séances différentes, à Mlle v. B. et à M. H. Je tendis à la première l'objet enveloppé de papier; regardant dans la boule de cristal, elle dit aussitôt : « Beaucoup de fleurs; quelque chose comme une assemblée? Tout étonnamment clair, entre une dame, vêtement clair, blonde, rire éclatant, reçoit un baiser d'un homme. Allée, jardin, ensemble de personnages habillés de clair, en plein air, messieurs en uniforme... ce doit être un mariage, je vois une longue chose blanche sur une dame parmi les autres personnages. » L'objet était une coupe d'argent, cadeau de mariage de la sœur de ma femme; le mariage avait eu lieu dans une propriété de campagne. Ma femme et moi connaissions cette histoire de l'objet.

2. Plus tard je le donnai à mon autre médium, M. B. : « Quelque chose en métal, une femme avec des personnes en habit de fête, je vois parmi elles Mme Tischner, les messieurs en frac. Porté ou donné lors d'une fête. Mme T. est en rapport avec l'objet, il lui passe par les mains

---

1. Par expériences faites « à l'insu », on entend celles où aucune personne présente ne connaît la solution (par exemple une carte tirée au hasard); les expériences faites « sciemment » sont celles dans lesquelles quelqu'un connaît la solution.

En relation avec la fête, comme pour en fixer le souvenir », dit-il.

Les expériences suivantes ont été faites avec M. H.

3. « Une dame dans une rose, elle a une chaîne au cou, un collier, des perles, il s'y trouve quelque chose qui ressemble à une étoile ou une croix... Maintenant je vois une croix. Une dame dans la trentaine, épanouie, cheveux blond-roux, porte l'orgueil sur son visage. » Le contenu du paquet était un rosaire béni par un pape. L'objet avait été reconnu sans ambiguïté mais n'avait pas été nommé. Les renseignements sur la propriétaire étaient corrects; elle-même reconnaissait : « On me dit orgueilleuse. »

4. Quelques mois plus tard, je représente le même objet au même médium; il dit aussitôt : « Je vois le pape, j'ai vu une forme blanche brillante. » Mais le phénomène devait se révéler d'autre sorte; presque un an plus tard, prenant par hasard le rosaire, j'y découvris au milieu de la croix une petite loupe qui permettait de voir une image du pape dans sa robe de soie blanche; c'était une loupe comme il s'en trouve souvent dans les articles pour touristes. On peut donc rattacher à la clairvoyance cette donnée de M. H.

5. « Une ville bâtie sur une colline. Vêtement non européen; est-ce Rome ou Naples? Des mouchoirs, des robes rouges... Un grand vapeur moderne, itinéraire Gênes-Naples, voyage en Méditerranée. Pendant le trajet, sur le pont supérieur, joyeuse compagnie; on s'amuse très fort. Il ne s'agit absolument pas d'un voyage d'affaires... baie de Messine... Italie du Sud... Histoire d'amour, ça chauffe entre la jeune dame et un monsieur. Forte vague érotique. Le monsieur a une grosse moustache et un peu de barbe, ils sont appuyés au bastingage. » Il s'agissait d'une croisière qui, partie de Gênes, conduisit en Égypte, Palestine et Syrie, toucha Athènes au retour et aboutit par Messine à Naples, d'où la compagnie gagna Rome par fer. Le voyage sur le vapeur était donc bien « Gênes-Naples ». L'objet était un vase grec, en argile, acheté à Athènes et qui n'était donc point passé à Gênes. La croisière avait été fort gaie. Entre la propriétaire du vase et un monsieur portant moustache et barbe en pointe s'étaient nouées de tendres relations.

6. « Je ne vois qu'un petit enfant avec de ravissantes menottes, il tient un crayon et des ciseaux, il a l'allure très petite fille... Blond, air de franchise, six à sept ans... Je vois le délicat visage... Des papillons et des oiseaux, mais en papier. Le tout confectionné avec le crayon et les ciseaux, un jeu d'enfants... un ruban... Une sorte de crèche... C'est un travail. » Il s'agissait d'une étoile de papier qu'une fillette de six ans et neuf mois avait découpée elle-même, puis décorée avec des crayons noir et de couleur; elle portait sur elle un ruban qui avait été accroché à l'arbre de Noël. Sur l'arbre il y avait eu des papillons et des oiseaux de papier, sous l'arbre était une crèche. M. H. n'avait pas vu l'arbre; c'était la première expérience avec un enfant jouant le rôle capital, et ce n'est certainement pas un hasard s'il a vu aussitôt cet enfant.

7. « Je ne vois pas l'histoire de l'objet, je ne vois que l'objet lui-même... Quelque chose comme une chaîne, enroulée sur elle-même... une chaîne fine et fragile, enroulée en forme d'ellipse... Quelque chose comme une petite plaque. » Le paquet contenait un médaillon très plat, avec une chaîne très mince; avant de l'ouvrir, je priai M. H. de dessiner la plaque à l'échelle; il dessina un rond, déformé en raison de la vitesse d'exécution, dont les axes mesuraient 26 et 22 mm; le médaillon en avait 24.

8. En présence de la deuxième boîte de ce jour, M. H. dit : « Des arêtes vives... pas en verre, quelque chose qu'on expose, un objet décoratif, mais dont on peut se servir... Plus je le regarde, plus il prend l'aspect d'une figurine... d'un petit buste, et cependant j'ai l'impression d'arêtes aiguës, d'un personnage aux traits marqués. Tête large... Exécution très mordante. » C'était une figurine asiatique, de jaspe ou de chalcédoine brune, représentant un personnage assis; les traits du visage et les plis du vêtement étaient durs et saillants; la tête large et grossière. L'objet servait de presse-papier.

Les objets des expériences suivantes viennent du Pr Gruber que j'avais invité à plusieurs reprises à collaborer avec moi.

9. « Peinture sur verre, aussi petite qu'une broche, comme incrustée... quelque chose de peint, comme un mosaïque, arrondi... une petite chose, qui pique, comme une hampe. » C'était un insigne de club, rond, émaillé noir et or, avec l'épingle pour le fixer.

10. « En ce moment je ne vois que de la fumée; des trous comme des trous d'obus ou des cratères de volcans... je vois de la vapeur... un colossal nuage de poussière... des avions qui jettent des bombes; aspect montagneux, mamelonné. Un abri, un petit bâtiment, avec beaucoup d'uniformes... En tout cas cela se rapporte à la guerre, c'est une vision de guerre... Je vois maintenant l'objet dans un tout autre cadre; il est sur une table de bois grossier... Je le vois courbé comme le creux de la main et non plus plat... il est sur la table de bois, il n'y a que des hommes autour. » Le contenu du paquet était un fragment plié en équerre d'un cercle d'obus trouvé dans les Vosges et qui avait longtemps servi de presse-papier dans un abri.

11. « Une plaque d'argent, des caractères gravés... en forme d'écriteau... (tourné vers Gruber) il appartient à votre femme. Une dédicace... une pièce d'identité avec une dédicace gravée. En tout cas quelque chose dans le genre d'un livret militaire. Forme rectangulaire. » Contenu : le passeport de Mme Gruber. Le possesseur et la forme ont été identifiés. Le mot « gravé » s'applique sans doute au timbre sec sur la couverture du passeport.

12. « Anneau à la main d'une dame âgée, avec une pierre... l'objet doit être passé par bien des mains; c'est en tout cas un cadeau fait par des gens d'un certain âge à de plus jeunes... Comme une petite couronne, avec des pointes. Jeunes et vieux sont parents, c'est une bague. »

C'est, en effet, la chevalière du chevalier v. S. avec la couronne correspondant à son titre; il l'avait héritée depuis bien des années de sa grand-mère.

13. « Portrait de famille avec des enfants... petite photo avec des enfants. Il y a une image là-dedans ». Photo dans un petit cadre, une maman et ses fillettes.

14. « Une dame, comme dans un tableau de Rubens, avec un diadème... contour ovale... un portrait sur un objet. » Sur ma demande, il précise sa vision : cadre rococo, ovale à l'intérieur, rectangulaire à l'extérieur, très tarabiscoté. Il s'agit d'une pièce russe de cent roubles à l'effigie de la tsarine Catherine II parée du diadème. L'image, avec ses vêtements bouffants et le personnage voluptueux, est traitée tout à fait dans la manière du baroque de cour et peut fort bien être comparée aux portraits du temps de Rubens.

15. Gruber s'était fait envoyer un objet d'Engadine par un ami qui seul connaissait le contenu du paquet ficelé. Nous l'avions, en outre, enveloppé de telle façon que H. ne pût en lire la provenance. « Vient de l'étranger, en forme de tortue, barbare... une arme... Il ne vient pas de la famille Gruber, ce n'est ni un héritage, ni une trouvaille, ni un produit de fabrication allemande, ni un cadeau... trouvé à l'étranger. Je ne vois aucun rapport avec la famille Gruber. Age de la pierre... Il est venu par mer dans un bateau. » C'était une hache néolithique, trouvée dans le sud de l'Angleterre. Avec les trois mots « Arme, en forme de tortue, âge de la pierre »[1], l'usage, la forme et l'époque de l'objet étaient déterminés de manière non équivoque.

16. J'ai pu faire quelques expériences psychométriques avec diverses autres personnes. Je remets au médium une lettre d'une dame, sous une enveloppe opaque et sans suscription : « Je vois du cuivre... ce pourrait être une chevelure... Doit travailler beaucoup en se baissant ou en se penchant en avant. La personne a dans la main quelque chose qui ressemble à une petite brosse. Il y a aussi un chevalet comme ceux où l'on pose les tableaux noirs à l'école. Une grande fenêtre, beaucoup de lumière... puis cela se brouille, se bariole, beaucoup de couleurs, vert, rouge, bleu et blanc, pas de noir, cette couleur ne paraît pas être aimée... Et pourtant tout à coup le noir entre brutalement en scène, un grand rideau noir, tout est sombre, comme si la vision première avait fait place à une chambre mortuaire... Un cercueil avec son couvercle, mais je ne vois pas de corps... peut-être est-ce l'enterrement de l'espoir d'une vie... il est définitivement enseveli ou va l'être. Douleur violente, le sang se glace dans ses veines. La posture favorite est de croiser les jambes et de s'appuyer au dossier. Subitement quelque chose s'éteint en cette personne. Sang bleu, non dans le sens usuel, je présume un sang corrompu, les veines sont enflammées. »

---

1. Les deux dernières expressions sont bien des « mots » en allemand (*N. D. T.*).

La dame était totalement inconnue du médium. Je n'ai pas transcrit de nombreuses indications caractérologiques, parce qu'elles étaient équivoques. Quand la lettre avait été écrite, la dame était en train de divorcer, bien qu'il n'en fût pas question dans cette lettre. Elle a effectivement les cheveux cuivrés, et elle est peintre. Elle emploie des couleurs vives et rarement le noir. Noble de naissance, elle souffre de varices. Contrairement à H., cette percipiente donne souvent à ses indications un tour symbolique et en fournit plus que H. sur le caractère. L'objet lui-même est avec elle rarement décrit.

17. J'ai pu faire une série d'expériences avec une étudiante en médecine très douée. Dans une séance improvisée je lui remis, ouvert, l'étui à cigarettes en argent d'une dame qui était en tiers avec nous : « La mer à Hambourg ou autour d'Héligoland. Un parc. Vous tenez l'étui d'un monsieur. Vous avez connu ce monsieur pendant trois ans, il était en garnison. » La dame était une Allemande du sud, et rien ne permettait de supposer qu'elle eût des relations dans le Nord. Les indications étaient exactes : elle avait reçu l'étui à Brême d'un officier qu'elle avait connu trois ans, dans une villa au milieu d'un parc. Rien n'était gravé sur la boîte qui aurait pu mettre sur la voie. Le médium n'avait rencontré qu'une fois la dame, chez moi, pendant un court moment, et ne savait rien d'elle.

Mentionnons encore feu Ludwig Aub, de Munich, qui manifesta à maintes reprises à ses visiteurs, par des remarques et des conseils pleins de finesse, ses dons de caractérologue, mais en même temps des dons supranormaux; il leur faisait des remarques sur des qualités peu communes de leurs parents ou la profession de leur père. C'est ainsi que je conduisis chez lui un monsieur sous un faux nom; aussitôt il montra une connaissance exacte de ses parents : le père avait été professeur d'université, et la mère avait fait d'admirables travaux à l'aiguille, détails que je venais d'apprendre à l'instant dans la rue. A un autre monsieur, il dit, dès qu'il entra, qu'il était fiancé à une Thüringienne. A un jeune homme qui s'était présenté sous un faux nom et une fausse profession, il dit aussitôt : « Vous étudiez la médecine, vous vous intéressez particulièrement à la psychologie et à l'occultisme; vous avez du goût pour la musique, vous préférez Mozart. Votre grand-père était médecin de campagne en Poméranie. » Tout était exact. Non moins exact ce qu'il dit à un médecin : « Chez vous, il y a un grand tableau de l'époque de Dürer, c'est votre fierté et votre bien le plus précieux. » Il dit à un M. v. G., un Balte, installé depuis peu à Munich : « Votre arrière-grand-père n'a-t-il pas composé de la musique? » G. dut en convenir et remarquer en ma présence que ses compositions avaient paru sous l'anonymat et étaient oubliées depuis quatre-vingts ans. Ensuite Aub décrivit un professeur de l'université de Dorpat avec une précision de portraitiste : grand, le buste penché en avant, visage étroit, barbe et moustache grises; nom long. Tout était correct, le nom avait quatre syllabes. Les dons d'Aub entrent en grande partie dans le cadre de la télépathie, mais pour une grande part aussi dans celui de la clair-voyance; une large enquête était alors souvent nécessaire pour contrô-ler l'exactitude de ses assertions. Si j'ai parlé de lui, c'est que ses mani-festations ont, dans l'ensemble, une certaine affinité avec la psychométrie, affinité qui doit être comprise en ce sens que l'« objet » est ici le visiteur; les médiums d'ailleurs recherchent le contact des per-sonnes comme stimulant.

Les idées à l'origine de l'expansion d'une discipline scientifique ont presque toujours été découvertes dans la solitude, la contradiction, et la parapsychologie n'échappe pas à cette loi. (Représentation d'un alchimiste.)

Pascal Forthuny est un artiste parisien aux activités très diverses; il a travaillé comme compositeur, comme écrivain et comme peintre. Ayant découvert par hasard à quarante-huit ans ses dons psychométriques, il en donna des preuves éclatantes en 1925-26, à l'Institut métapsychique, sous la direction d'Osty, dans des séances publiques. Chez lui aussi, c'est l'homme qui sert d'« objet », mais qui est pour lui aussi peu nécessaire que pour Aub. Il aime choisir parmi les assistants quelqu'un qui lui donne l'impression de s'accorder avec lui.

Dans une séance, Forthuny, sitôt entré, se met à décrire sans regarder personne une grande imprimerie, comme celle d'un journal, et sa pensée s'oriente vers *le Matin*, où il avait lui-même été naguère pendant quelque temps rédacteur : « Je ne crois pas qu'il y ait ici un rédacteur du *Matin*, cependant il y a quelqu'un qui occupe une grosse situation dans un journal. » F. va vers un monsieur que personne ne connaît (il est venu pour la première fois à l'Institut), lui prend la main et dit : « On me donne un L majuscule, des nuages, de l'eau, des navires, l'odeur de denrées coloniales. Êtes-vous Belge? Qui est Lanoi? Naviguez-vous? Vous allumez des cigares avec le capitaine dans un club, et l'on vous y offre un cigare. Vous avez perdu un pari dans un cercle? Je vois un grand port, c'est Anvers! Vous êtes le correspondant du *Matin* à Anvers. » L'interpellé est, en effet, le principal correspondant du *Matin* à Anvers et s'appelle Landoi, il rencontrait assez souvent au cercle français d'Anvers un armateur avec lequel il jouait un cigare au billard. Chez Forthuny la télépathie semble dominer nettement; il a des visions de caractère habituellement symbolique, qu'il interprète ensuite plus ou moins consciemment.

Clairvoyance psychométrique

Comme on l'a déjà remarqué, M. H., dans les expériences psychométriques, a souvent reconnu des objets d'une manière non discutable; ce fut encore le cas, au cours d'expériences faites « à l'insu », dans lesquelles par conséquent la télépathie ne pouvait jouer aucun rôle. Gruber lui soumet un petit paquet, et H. dit : « Tortues, un monsieur grand, toute la barbe, blonde, une sorte de tenue coloniale, quelque chose de tropical, un explorateur, vient d'une zone chaude, grand vaisseau, monsieur blond; l'objet n'était pas dans sa main... on peut le porter aussi avec un ruban sur la poitrine. L'objet a été acquis à l'étranger et est pour lui un compagnon de voyage : il lui est cher, et il a de la valeur. J'entends des mots grecs, un diplôme, une distinction honorifique pour une action particulière. » C'était la médaille bavaroise du mérite militaire, que G. avait gagnée à la guerre; la décoration l'avait accompagné dans la retraite du Sud-Caucase en 1918-19, pendant laquelle il s'était occupé aussi de fouilles. Interné à Salonique, il y avait porté une tenue coloniale et avait été en contact avec pas mal de Grecs. Dans le camp, il s'était occupé de tortues, dont il y a là-bas des quantités.

Pour compléter l'épreuve, je remets à H. un autre paquet : « Monnaie, bronze, comme l'insigne des blessés, monnaie avec inscription, médaille de bronze. » C'était en effet une médaille de bronze dont l'ovale avait la forme de l'insigne des blessés dans la Première Guerre mondiale. Ainsi la forme et la matière de l'objet sont reconnues.

Lors de l'expérience suivante, l'objet n'est pas identifié, mais son ambiance est exactement décrite. Le propriétaire était le Pr Hans von Hattingberg, le neurologue célèbre de Munich (plus tard de Berlin), qui m'avait communiqué un certain nombre de petits paquets dont il ignorait lui-même le contenu. « Je vois une jeune femme mettre le couvert sur une grande table, elle y place des serviettes de toile fine... je vois entrer les convives. C'est une réunion familiale, une société, une grande table ovale où l'on a intercalé des allonges, couvert luxueux, linge damassé, fleurs, surtout. Fiançailles ou mariage... je n'ai pas suffisamment l'impression d'un mariage. La fiancée est en blanc. Liesbeth. »

Le paquet renfermait une médaille commémorative avec date, cadeau de la fiancée de Hattingberg pour leurs fiançailles. L'ambiance est décrite sans ambiguïté et avec précision. La mère de la fiancée s'appelait Liesbeth, nom peu courant à Munich. Il vaut d'être signalé que, après le compte rendu de cette expérience faite par Hattingberg et par moi, devant l'association médicale, le professeur de clinique dermatologique v. Zumbusch entra et fit de nos expériences une critique pleine de préjugés; lorsqu'il en vint à la dernière et bien qu'il n'eût rien de valable à objecter, il déclara : « Quant à l'expérience avec la médaille de mariage, je n'y crois pas. » Voilà un dogmatisme négatif dont l'apriorisme ne peut admettre les faits les mieux établis.

J'avais préparé une série de petits papiers sur lesquels j'avais copié quelques vers avec une plume douce, pour voir si leur sentiment serait perçu. Après les avoir mêlés chez moi, j'en avais pris un au hasard sans le regarder, l'avais plié en deux, enveloppé de papier violet foncé et mis dans une enveloppe doublée, que j'avais collée. Je le remis à M. H. en lui annonçant qu'il s'agissait de vers; il dit aussitôt : « Du ciel vespéral tombe doucement l'appel de la nuit. Impression du soir, mélancolie, désir de paix... Le « Nocturne » d'Hebbel... non, Goethe, Poème nostalgique. » C'était la fin du poème de Goethe « Nocturne du voyageur » : « Que je suis las de cette agitation! – Que me font la peine et la joie? – O douce paix, – viens, viens dans mon cœur. » Le sentiment général est parfaitement rendu, le poète et le titre du poème sont reconnus.

R. Tischner

Des parapsychologues espèrent, avec une ambition peut-être injustifiée, expliquer la nature de l'homme en soi, les mécanismes les plus secrets de son comportement (l'angoisse humaine, peinture de Rochegrosse).

Chapitre XIII

Expériences
de savoir irrationnel

Le Pr Charles Richet, prix Nobel, fut progressivement convaincu par des observations personnelles de la réalité de la clairvoyance et des autres phénomènes paranormaux. Il s'est étonné lui-même de ne pas leur avoir accordé plus d'importance lorsqu'il était jeune externe à l'Hôtel-Dieu. Il pratiquait déjà l'hypnotisme.

Après des hésitations et des interruptions au cours de ses recherches dans ce domaine, il s'est orienté vers la conviction que l'essentiel, actuellement, était de réunir des faits solides, des témoignages dignes d'examen approfondi. Il a rencontré des personnes en qui se manifestait brusquement et de façon rare une connaissance paranormale, et d'autres qui étaient des médiums extraordinaires produisant fréquemment de tels phénomènes. Il propose ici quelques-uns des cas qu'il a étudiés et qui n'ont encore jamais été expliqués.

Lors de son dernier cours à l'Ecole de Médecine de Paris, le 24 juin 1925, il déclarait : « Je voudrais, avant de quitter cette chaire que j'ai si longtemps occupée, vous faire connaître les linéaments d'une science nouvelle, la métapsychique. » Il avait la certitude qu'elle deviendrait un jour (sous le nom de parapsychologie, de psychotronique ou autre) une science reconnue et intégrée dans l'ensemble des autres sciences.

Peu importe, compte tenu de son travail de pionnier, que Richet ait sous-estimé, par exemple, l'importance de la méthode quantitative et statistique pour déceler, comme l'a fait ensuite le Pr J.B. Rhine, l'existence des facultés psi chez des personnes « normales ». « Quand on opère sur plusieurs sujets, et qu'on multiplie les essais, écrivait-il, il y a un très léger excès de bonnes réponses sur les mauvaises, excès tellement faible que l'on ne peut vraiment pas en tenir compte. » Il recommandait d'opérer avec des médiums hors du commun. Mais surtout il se penchait sur des abîmes de mystère. Maeterlinck disait : « La grandeur de l'homme se mesure à celle des mystères qu'il cultive et devant lesquels il s'arrête. »

Ma première expérience est très ancienne. Elle me frappa énormément.

Elle aurait dû me frapper davantage, et je ne crains pas de dire que j'ai manqué là de courage intellectuel. Mais à cette époque, j'étais absolument rebelle à l'idée d'une faculté supranormale quelconque. Je vais la raconter en détail, car l'expérience est irréprochable.

J'étais alors externe à l'Hôtel-Dieu, dans le service du Pr Béhier. Je m'intéressais déjà à l'hypnotisme, et j'essayais parfois d'endormir des malades. Il y avait dans les salles de l'Hôtel-Dieu, dépendant de mon service, une jeune fille de dix-neuf ans que je mettais facilement en hypnose complète [1]. Je voulus la montrer un jour à un de mes amis, un jeune étudiant américain, qui n'était jamais venu à l'Hôtel-Dieu. Quand la jeune fille fut endormie, soudain une idée bizarre me vint. J'avais lu en effet ce que les anciens magnétiseurs disaient de la seconde vue, de la clairvoyance. Alors je demandai à la petite Mariette quel était le nom du jeune homme qui était avec moi, et je lui dis : « Connaissez-vous le nom de mon ami? » Elle se mit à rire et me dit : « Comment puis-je le savoir? »

Alors moi : « Puisque vous ne pouvez pas dire son nom, essayez de le lire. Quelle est la première lettre de ce nom? Regardez ».

Au bout d'une demi-minute d'efforts, qu'elle fit en fermant les paupières avec force, elle me dit : « Il y a cinq lettres, la première est H, la deuxième est E; je ne vois pas la troisième ». Je n'insiste pas, et je dis : « Passons à la quatrième ». « La quatrième, dit-elle est R; et la cinquième N ».

Or mon camarade s'appelait Hearn.

Ici, une longue pause; je ne me suis occupé de la clairvoyance que dix ans après.

Alice, sensitive non professionnelle, m'a donné de très bons exemples de cryptesthésie en 1886-1887.

Héricourt fait un dessin à la plume qu'il met entre plusieurs couches de papier dans une enveloppe opaque. J'ignore tout à fait ce qu'il a dessiné. Il ne dit aucune parole, ne fait aucun geste. C'est moi seul qui interroge Alice. Voici textuellement les paroles d'Alice : « Il y a plusieurs couleurs, c'est un rond plié en deux, un portrait dans le rond, un médaillon, un cadre avec un ovale; dans le cadre une tête d'homme, dans l'ovale. Il n'a pas le cou habillé comme d'habitude, mais des soutaches transversales sur le devant. C'est montant, et cela ferme. Il y a six ou sept soutaches transversales, il n'a pas la tête nue, mais un képi. Ce képi a trois galons circulaires. Aux manches, il a quatre

---

1. Je dois noter à titre de curiosité, que jadis, étant jeune, j'hypnotisais très facilement. Depuis longtemps, je ne peux plus réussir à provoquer le somnambulisme chez qui que ce soit. Pourquoi?

galons, ou plutôt trois qui sont au bas de la manche circulaire; sur le devant, dix boutons. C'est la figure de quelqu'un qui est maigre, peut-être assis, mais je ne vois pas bien ce qui n'est pas la tête, ni le buste. Je le connais, mais je ne peux pas dire qui c'est. »

Or cette description est la description très exacte (étonnamment exacte) de la photographie d'Héricourt en médecin-major. En effet, Héricourt, cherchant quel objet il pourrait bien choisir comme dessin à deviner, a pris le cadre de sa photographie et il n'a dessiné que le cadre. Alice a dit : un médaillon, un cadre.

Mais ce qu'il y a de remarquable, c'est qu'elle a vu la photographie qui était dans le cadre. Elle l'a vue avec une précision extrême. On ne dirait pas mieux en regardant la photographie : un homme maigre avec un képi sur la tête, sept soutaches transversales et trois galons au képi et à la manche. La photographie, bien entendu, n'était pas dans l'enveloppe. Il n'y avait que le cadre, le passe-partout.

Léonie, avec qui j'ai fait beaucoup d'expériences d'hypnotisme, ne m'a pour ainsi dire jamais, sauf dans deux cas, présenté quelque phénomène de clairvoyance. Avec elle, jamais l'expérience faite avec des dessins ou des cartes n'a réussi.

Un jour, quand elle était au Havre, Pierre Janet lui fait faire « un voyage » dans le sens que les anciens magnétiseurs attachaient à ce mot. Alors, mentalement, elle va à Paris pour me voir et pour voir le Dr Gibert, qui était alors à Paris. Tout d'un coup elle dit : « Ça brûle. » Janet essaie de la calmer. Elle se rendort et se réveille de nouveau en disant : « Mais, M. Janet, je vous assure que ça brûle ». Or, ce jour-là, à 6 heures du matin, c'est-à-dire quelques heures auparavant, mon laboratoire de la rue Vauquelin, le 15 novembre 1888, était détruit par un incendie. A 17 heures, au Havre, personne ne pouvait le savoir.

L'autre fait de cryptesthésie donné par Léonie mérite d'être noté. Après avoir expérimenté tout un soir avec elle, sans aucun succès, sur les cartes et les dessins, je lui parle soudain de mon ami Langlois (qu'elle connaît vaguement) et je lui demande : « Qu'est-ce qui est arrivé à M. Langlois? » Alors très vite, elle me dit, peu respectueusement d'ailleurs : « Il s'est brûlé la patte. Pourquoi ne fait-il pas attention quand il verse? » « Quand il verse, quoi? » lui ai-je demandé : « Une liqueur rouge dans un petit flacon. La peau a soufflé tout de suite ». Or deux heures auparavant, mon ami Langlois, qui était mon chef de laboratoire, préparant avec moi une solution d'hypobromite de soude, avait versé trop rapidement du brome, liquide rouge caustique (contenu dans un petit flacon de 125 g), qui s'était répandu sur sa main et sur son avant-bras, et le liquide avait provoqué immédiatement la formation d'une phlyctène assez étendue. Or Léonie n'était pas venue à mon laboratoire. J'étais alors seul à Paris et je n'avais parlé à qui que ce soit de ce petit incident survenu deux heures auparavant.

195

Des certitudes expérimentales

En Suède, avec Frédéric Myers, nous avons été voir à Kalmar, chez le Dr Backman, une servante de Backman qui présentait, nous avait-il écrit, des phénomènes manifestes de clairvoyance. Voici comment Myers résume l'expérience que nous fîmes. « M. Richet me remet une lettre qu'il venait de recevoir et que je ne connaissais pas, et sortit de la pièce où Alma hypnotisée était interrogée par Backman. Alma, qui d'ailleurs ne parle pas un seul mot de français, dit : « L'auteur de cette lettre exprime un désir, il est question de quelque chose en métal. L'objet de métal peut s'ouvrir et se fermer. C'est une question de temps et d'opportunité. C'est quelque chose de scientifique qui sera déterminé ». Or cette lettre était de mon regretté ami Victor Tatin, avec qui j'expérimentais en ce moment, en 1891, sur les aéroplanes. Il était dit dans cette lettre : « Nous avons essayé la petite machine, elle tournait toujours du même côté, nous avons eu un temps satisfaisant, le fonctionnement des lames était parfait ». Il y a là évidemment plus que ne peut donner le hasard.

Il va de soi que je n'avais jamais parlé avec M. Backman de mes essais d'aviation tenus par moi extrêmement secrets. C'est à peu près tout ce que nous a donné, en fait de clairvoyance, notre visite à Kalmar.

Voici une expérience faite avec une voyante professionnelle, qui, selon toute vraisemblance, ne me connaissait pas, et qui, en tout cas, n'a aucune notion scientifique, même lointaine : « Je vous vois engagé dans une affaire commerciale qui aura une grande extension et qui nécessitera une correspondance nombreuse. Et je vous vois inscrivant des chiffres et faisant de petits carrés sur de grandes feuilles avec des crayons bleus et des crayons rouges ». Ce dernier détail, carrés en bleu et en rouge, est extraordinairement exact. Je m'occupais à ce moment de graphiques statistiques indiquant les résultats du traitement des soldats tuberculeux par la zomine, à la Côte-Saint-André (Isère). Quand j'ai été voir Elise, je venais de passer plusieurs journées à construire mes graphiques, c'est-à-dire des carrés et des rectangles en bleu et en rouge sur de grands papiers quadrillés.

Une autre série d'expériences assez prolongée a été faite avec une dame qui n'est pas médium professionnel, à laquelle je donnerai le pseudonyme de Stella. Ces expériences ont été publiées dans les *Annales des Sciences psychiques*.

Lorsque Stella est en état de transe, je lui demande le nom d'une des deux servantes qui étaient chez moi dans mon enfance. Je pensais à Louise et à Dorothée. Mais elle me répond « Mélanie », nom qui n'est pas commun.

Alors soudain je me souviens qu'en ma première enfance il y avait chez mon père une cuisinière qui s'appelait Mélanie, à laquelle depuis soixante ans je n'avais jamais pensé, et dont je n'avais certainement pas prononcé le nom depuis soixante ans!

Un autre jour, je demande le nom du premier cocher de mon père. Ce cocher s'appelait Etienne. Stella me répond « François », ce qui est encore une réponse intéressante, parce que mon père avait bien eu un premier cocher qui s'appelait Etienne, mais, trois ans après, il en avait eu un autre qui s'appelait François. Ce François est resté cinq ans chez nous, jusqu'en 1872.

Avec Stella, aidé par un de mes jeunes amis, physicien habile, licencié ès-sciences, que j'appellerai Martin, j'entrepris une série d'études qui se prolongèrent pendant une huitaine de jours. L'expérience était faite de la manière suivante. Quoique Stella ait connu l'écriture automatique, ce n'est pas par l'écriture automatique que j'obtenais des réponses, mais par les mouvements d'une table légère. Les questions étaient afférentes à divers événements de la vie de Martin. Il va de soi que Stella ne connaissait absolument rien de la vie de Martin. Moi-même je ne savais rien de lui, sinon qu'il était marié et qu'il avait un enfant. J'ignorais si c'était un fils ou une fille.

Naturellement, pour que l'expérience fût irréprochable, Martin ne touchait pas la table. Moi non plus d'ailleurs. J'avais du papier et un crayon pour inscrire, au fur et à mesure des mouvements de la table (pendant que j'épelais l'alphabet), les réponses données par Stella. Martin nous tournait le dos et s'abstenait rigoureusement de toute parole et de tout geste. C'est moi seul qui inscrivais les résultats.

Demande : Quel est le prénom de la femme de Martin? Réponse : Henriette (exact).

Demande : Donnez quelques détails sur la famille de Martin. Réponse : Jean le fils (exact); Jean frère Henriette (exact).

Demande : Quel est le prénom du frère mort de Martin? Réponse : André, il vit.

Réponse excellente, car André est le nom d'un frère de Martin et il est vivant, ce qui est curieusement indiqué par les mots, il vit, venus immédiatement après le mot d'André.

Martin demande qu'on lui parle de Louise. Réponse : Emile défend que dame écoute poésie.

Or Emile est le nom du mari de Louise, nom qui n'avait pas été indiqué. Emile et Louise sont morts. Il est assez vraisemblable d'ailleurs qu'Emile n'aimait pas voir sa femme s'occuper de poésie.

Demande : Quel est le nom du père de Martin? Réponse : Edouard. Ce n'est pas tout à fait exact. Le père de Martin s'appelait Edmond, mais il n'y a que deux prénoms masculins commençant par Ed.

Demande : Quel est le nom du père d'Henriette? Réponse : Jacques (exact).

Ce même jour, il a été dit, toujours par les mouvements de la table, que René était le nom du frère de Martin. Or précisément René est le nom du frère mort de Martin, nom que nous avions vainement demandé antérieurement.

Ainsi, par les mouvements de la table, Stella et moi nous avons appris : 1. que la femme de Martin s'appelait Henriette; 2. que son père s'appelait Edmond; 3. qu'il avait un fils nommé Jean; 4. qu'il avait un frère André qui vit et un frère René qui est mort; 5. que le père d'Henriette s'appelait Jacques.

Martin a reçu le matin même une lettre de sa femme qu'il garde dans son portefeuille. Il demande : « Qu'y-a-t-il dans cette lettre? » Réponse : Jean a de la fièvre, il tousse. Or dans cette lettre Henriette disait à son mari que Jean, atteint de coqueluche, avait eu pendant la nuit une très violente crise de toux.

Seconde lettre d'Henriette à Martin. Mais cette fois Martin n'avait pas ouvert la lettre. Il demande ce qu'elle contient. Réponse : Jean joue rit longtemps voiture.

Il n'y avait rien de tel dans la lettre, mais récemment Martin avait donné à son fils une voiture avec laquelle l'enfant s'était anormalement amusé pendant longtemps sans consentir à s'en séparer.

Nous demandons à Stella de nous donner encore quelques détails sur les occupations de Martin. Réponse : Il montre le dimanche à faire des ouvrages d'art et il essaie photographies. (On peut admettre que « montre » est là pour « monte ».)

De fait, Martin, libre seulement le dimanche, « monte » dans un atelier qui est au dernier étage de sa maison, et il y fait des études photographiques, encore qu'il ne soit ni artiste professionnel ni photographe.

Nous savions que Martin avait un ami appelé Loiselle, né à Morlaix en Bretagne. Nous demandons comment se nomme l'endroit où vivaient jadis, à Morlaix, Martin et Loiselle. Réponse : Kerveguen entrée par le jardin. Réponse absolument exacte, que le hasard ne peut pas donner.

Un de mes jeunes parents s'empoissone un soir, en prenant volontairement de la strychnine. On réussit à cacher à tout le monde absolument la cause de cette mort. Le père de Ludovic (pseudonyme), son oncle et moi avons été seuls à ce moment à le savoir. Aucun journal, bien entendu, n'en avait parlé et n'en parla jamais. Trois semaines après, je demande à Mme R. (sensitive non professionnelle) le nom de la personne, proche parente de moi, qui est morte. Mme R. dit : « il s'appelle Ludovic. Vous étiez à son lit de mort, il avait une écume rouge aux lèvres ». Tout cela était fort exact; mais je dois dire qu'il y a eu, en outre, de très graves et nombreuses erreurs. Peut-être, à côté des faits précis correctement indiqués, ces erreurs sont-elles peu de chose.

Ludovic, prétendument parlant par Mme R., dit : « Stephen, Stephen, oh! cette lettre, cette écriture, il me semblait que je ne pourrais jamais la finir. » Or, il y a là un détail d'une précision magnifique. Avant de prendre sa strychnine, le malheureux Ludovic avait écrit à un sien ami (Etienne) une lettre laissée ouverte sur sa table. Cette lettre, personne, sinon son père, son oncle et moi, ne l'a vue. C'est d'ailleurs à peine si je connaissais le nom d'Etienne.

Il est presque inutile de dire que le nom anglais Stephen répond au nom français Etienne.

Mme R. m'a donné encore un exemple de perception extrasensorielle qui me paraît d'importance fondamentale. C'est probablement la meilleure de mes expériences personnelles. Il me faudra donc l'indiquer avec tous les détails nécessaires.

Je dirai d'abord que Mme R. n'a jamais présenté que ce jour-là des phénomènes matériels. Or ce jour-là nous obtînmes les réponses par des raps, coups dans la table, coups très forts, et très nets.

On épelait l'alphabet, et il y avait un coup, un rap, et un rap extrêmement net et fort, au moment où telle ou telle lettre devait être inscrite.

La première dictée donna « Bancalamo ». Alors je ne pus m'empêcher de dire : « Hé! c'est du latin, Calamo! » Mais, imperturbable, la dictée continue : « Banca, la mort guette famille ». A partir de ce moment les réponses furent incohérentes, et les mouvements de la table désordonnés et violents.

Je crus d'abord qu'il s'agissait du mot italien « Bianca » pour « Banca », mais « Banca » ne put s'appliquer à personne. Je me contentai d'inscrire sur mon agenda la phrase susdite.

L'assassinat, en Serbie, du roi Alexandre et de la reine Draga, en 1903, avait été entrevu par prémonition (dessin d'un journaliste de l'époque).

Le lendemain jeudi, à 14 heures, arriva à Paris la nouvelle de l'assassinat de Draga, reine de Serbie. Des officiers serbes, après avoir acheté la complicité des vils personnages du palais, étaient entrés à minuit dans le palais du roi Alexandre et l'avaient assassiné, lui et la reine Draga (sa femme). Les deux frères de Draga furent assassinés aussi. Draga avait deux sœurs qui, ce soir-là, n'ont échappé à la mort que par miracle. Or l'idée ne vint ni à moi ni à personne de relier ce tragique événement à notre séance de la veille mercredi soir.

Mais le surlendemain, vendredi, en lisant dans *le Temps* quelques détails relatifs à ce crime, j'apprends que le père de Draga s'appelait Panka, et tout de suite l'idée me vient qu'il y avait quelque relation entre le sinistre événement et la dictée de la table.

En effet : 1. le nom de Banca est à peu de chose près le mot Panka (je reviendrai sur cette similitude tout à l'heure); 2. la minute à laquelle les raps ont été donnés à Paris (22 h 30) correspond exactement, de par la différence de latitude, au moment où les officiers assassins sortaient à minuit de l'hôtel de la Couronne de Serbie pour aller tuer Draga; 3. il s'agit de toute la famille de Panka : la reine Draga, ses deux frères, ses deux sœurs, c'est-à-dire les cinq enfants de Panka; 4. même en cherchant, on ne trouverait pas mieux que ces mots : « la mort guette famille », pour indiquer, avec une éloquente concision et une précision saisissante, quel était à minuit l'état menaçant des choses pour la famille de Panka.

Quant à calculer la probabilité d'avoir Banka pour Panka, on a une probabilité totale composée, qui est, en chiffres ronds, de 1/1 500. Mais la probabilité est beaucoup plus faible encore. En effet : 1. le nombre des lettres est le même. On aurait pu avoir 4, 5, 6, 7, 9, 10 lettres. Donc la probabilité finale est de 1/10 500, ce qui donne une probabilité assez faible; 2. la lettre B pour la lettre P n'est pas une complète erreur, car pour les étrangers le B et le P se prononcent à peu près de même (pour les Allemands par exemple); 3. l'erreur relative à la quatrième lettre est bien curieuse. Dans le nom du père de Draga cette quatrième lettre est, en alphabet serbe, une lettre qui se prononce dj ou tz, lettre que notre alphabet romain, le seul que nous puissions épeler, ne contient pas. Il fallait donc une lettre unique de l'alphabet romain qui répondît tant bien que mal à la lettre serbe dj. Et il semble que la lettre C est une des plus proches. Admettons que la lettre B est une complète erreur, soit; mais au moins reconnaissons que C est la lettre juste. Alors la probabilité composée totale devient 1/500 000.

Trois hypothèses seulement sont possibles.

Une mauvaise observation? Non, car cette monition a été écrite avant que l'événement ait été connu. Personne à Paris ne savait le 10 juin, à 22 heures, qu'un complot allait à Belgrade éclater contre la reine Draga. D'ailleurs, parmi les cinq personnes qui prenaient part à la séance, aucune n'avait de relations avec un Balkanique quelconque, et elles ne possédaient sur la Serbie que des notions primaires.

Donc il ne reste plus que deux hypothèses : le hasard ou la perception extrasensorielle.

Il me paraît impossible, à moins qu'on ne s'illusionne soi-même, d'attribuer la réponse au hasard [1].

L'expérience de l'alphabet caché

J'appelle méthode de l'« alphabet caché » une expérience que j'ai instituée et qui consiste en ceci :

Soient quatre personnes, A et B à une table; E et F à une autre table. A et B d'une part, et E et F, de l'autre, se tournent le dos. Sur la table n° 1 on a placé un alphabet disposé de telle sorte que les personnes qui sont à la table n° 2 et qui tournent le dos ne peuvent en rien voir. A et B sont à la table 1. A la table 2 se trouvent E et F qui mettent les mains sur la table, F étant le médium.

Un dispositif très simple (une pile électrique avec une sonnette) permet de savoir quand un des pieds de la table se soulève. E et F tournent le dos à A et B qui sont à la première table. A parcourt assez lentement l'alphabet avec son doigt. Quand il est arrivé à une certaine lettre qu'indique le sensitif par le mouvement de la table (c'est-à-dire par le bruit de la sonnette), A s'arrête et B inscrit sans mot dire cette lettre. Bien entendu, il ne la connaît que grâce à la sonnerie de la table, et E et F, au moins consciemment, l'ignorent tout à fait. Puis la table reprend sa place habituelle et il n'y a plus de sonnerie. Et A recommence à parcourir l'alphabet avec le doigt.

L'expérience durait souvent longtemps, jusqu'à une heure avancée de la nuit. Le médium, dans le cas de ces expériences, était mon excellent ami Gaston Fournier; car, lorsqu'il n'était pas à la table, celle-ci ne donnait aucune réponse.

Si les réponses sont intelligentes, même si elles sont de médiocre intelligence, elles suffisent cependant pour établir la clairvoyance, car il est impossible qu'E et F sachent sur quelle lettre porta le doigt de A. C'est donc assez d'une phrase intelligible pour établir la clairvoyance du sensitif.

Pour compliquer encore l'expérience, nous avions pris l'habitude de parler tout haut, de réciter des vers, de rire, de chanter, de façon que l'attention était forcément distraite. Nous obtînmes ainsi diverses réponses inintéressantes en soi, mais très importantes, parce qu'elles indiquent la connaissance supranormale par F, le sensitif, des lettres

---

1. M. Joseph Jastrow, au lieu de discuter et d'analyser ce fait, dit, très aimablement, que je suis *logic blind,* et que toute cette histoire est *tale of hopeless credulity.* Il paraît que M. Jastrow est professeur à Clark University, Worcester (Mass.). Je plains sincèrement ses élèves, s'il en a. (*The Case for and against Psychical Belief.* Clark University, Worcester, 1927.)

parcourues sur l'alphabet; par exemple des vers français retournés :
« Tombe aux pieds de ce sexe auquel tu dois ta mère », ou bien encore des mots latins :
Infandum regina jubes renovare dolorem
Festina lente.

Une fois est arrivé le nom de Villon, à qui nous demandons une réponse. Réponse : « Où sont les neiges d'antan? ».

Quels sont, demandons-nous à Villon, tes rapports avec les rois de France? Réponse : « Louys le Cruel. »

Demande : quels livres devons-nous lire? « Essays sur démonomanie. »

Alors, pour mettre encore plus de rigueur à l'expérience, je construisis un alphabet circulaire au lieu de l'alphabet rectangulaire qui avait servi, et je pris la précaution de parcourir l'alphabet (sans aucun bruit bien entendu) en commençant par une lettre quelconque autre que A, et cela avec un rythme très différent chaque fois. Dans ces conditions la réponse fut : « Fazoldo » (5 novembre 1884). Ces lettres ne peuvent guère être dues au hasard.

Ces expériences avec l'alphabet caché ont eu un jour un témoin illustre. Ce fut le grand William Crookes, venu chez moi pour assister à l'une de ces expériences. Il avait fait une question mentale : « Quel est le nom de mon fils aîné? » Gaston Fournier, le sensitif, ne savait pas un mot d'anglais. Il dit alors par l'alphabet caché : « *I know only the slang* ». Non seulement l'alphabet était caché, mais encore il n'était éclairé que par une petite lampe qui permettait à peine de voir les lettres. La réponse, il est vrai, peut s'appliquer à peu près à toutes les questions, mais ce qui est important, c'est que, consciemment tout au moins, Gaston ignorait le sens du mot *slang,* et que les mouvements de la table correspondaient aux mouvements du doigt sur l'alphabet, mouvements qui ne pouvaient être normalement perçus par Gaston.

La dernière expérience faite par Gaston avec l'alphabet a été la suivante. Ce soir-là, par exception, Paul, le frère de Gaston, assistait à la séance. Il s'agissait de savoir le nom auquel il pensait. Il se mit dans un coin de la pièce et ne fit aucun mouvement. La table indiqua le mot « cheval ». Or Paul avait pensé à une Mme Chevalon morte il y a quelque temps, amie de la famille de Gaston et de Paul. Nous demandons alors à l'« esprit » Chevalon de nous dire quelque chose de caractéristique. Par la table et l'alphabet caché, nous eûmes cette phrase : « Comment va ta mère? » Là-dessus, il faut bien l'avouer, Gaston a été véritablement effrayé. Il n'a plus voulu, ni ce jour-là ni les jours suivants, faire les expériences où il avait le rôle de médium. Je n'ai jamais pu le décider à continuer.

Les expériences de l'alphabet caché, qui sont d'une importance extrême pour prouver le sixième sens, ont été reprises avec succès par quelques auteurs.

202

En définitive, mes très nombreuses expériences, souvent interrompues, poursuivies pendant cinquante ans dans les conditions les plus diverses, et malgré des difficultés de toutes sortes, permettent d'établir, avec une très grande force, qu'il y a à la connaissance de la réalité d'autres voies que les voies sensorielles normales. Quelle que soit l'explication que l'on adopte, soit la télépathie, soit la vibration d'un fait matériel comme celle d'un dessin dans une enveloppe, comme celle de la mort de Draga, on ne peut invoquer le hasard.

Il serait fou de supposer que ma vie et mon expérimentation ont été entourées de coïncidences.

En second lieu, il n'y a dans mes recherches de parapsychologie – du moins j'en suis convaincu, après hésitations, réflexions et angoisses – aucune grave erreur expérimentale. J'ai cherché à établir que les forces psi n'existaient pas. J'ai fait de grands efforts pour ne pas le constater. Je suis pourtant arrivé, par mes seules expériences, à confirmer ce que les hallucinations véridiques m'avaient déjà enseigné, à savoir que quelquefois la réalité ébranle par des voies mystérieuses notre intelligence. Pour se refuser à admettre cela, il faut avoir le triste courage de dédaigner la science expérimentale.

J'ai tenu à indiquer dans leurs principaux détails les expériences qui me sont personnelles. Cela me permet d'être plus bref sur les autres, encore que celles-ci, énormément plus nombreuses, aient, par conséquent, énormément plus d'importance et d'éclat que les miennes.

Des histoires inconnues

Flammarion rapporte dans un de ses ouvrages l'histoire du général Noiset auquel une clairvoyante a décrit, avec une précision extrême, ce qu'il avait fait dans la journée. Il avait été aux Tuileries dans l'appartement du duc de Montpensier, fils du Roi, de là en voiture avec le duc de Montpensier à l'Hôtel des Invalides, pour étudier les plans reliefs des places fortes. Tout cela fut dit très exactement.

Il y eut à cette époque quelques somnambules dont la clairvoyance fut extrême, surtout Alexis Didier, qui donna des preuves irréfragables de sa lucidité.

Je me contenterai d'en citer quelques-unes qui sont caractéristiques.

Le Dr Chomel apporte une médaille. Alexis dit (ce qui est absolument exact) : « Cette médaille vous a été donnée dans des circonstances singulières. Vous étiez dans une mansarde étudiant à Lyon. Un ouvrier à qui vous aviez rendu service, ayant trouvé cette médaille dans les décombres, vous l'offrit. »

A Alphonse Karr [1], Alexis dit qu'il avait mis une branche d'azalée

1. Flammarion, *La mort et ses mystères*, I, 1920, 214.

blanche dans une bouteille vide, ce qui était vrai. Victor Hugo avait préparé chez lui un paquet ficelé sur lequel il avait écrit le mot « politique ». Le mot fut lu par Alexis. M. Vivant va trouver Alexis pour retrouver une chose qu'il croyait perdue. Alexis lui dit : « Il s'agit de quatre billets de mille francs » (ce qui est exact) et il ajoute : « on ne vous a pas volé ces billets, vous les trouverez dans votre secrétaire. »

Or, en rentrant chez lui, Vivant retrouve les quatre billets à l'endroit indiqué.

La clairvoyance d'Alexis peut souvent être attribuée en fait à la télépathie. Mais voici un cas où il y a eu clairvoyance sans télépathie.

Le premier président Séguier, sans donner son nom, va trouver Alexis qui, faisant en imagination un « voyage » dans la chambre du président, voit sur la table une sonnette. « Non, dit M. Séguier, il n'y a pas de sonnette. » Mais, rentré chez lui, il voit sur la table de travail une sonnette qui en son absence avait été déposée là par Mme Séguier.

Les yeux bandés, Alexis connaissait toutes les cartes, non seulement de son jeu, mais encore du jeu de son adversaire. Robert Houdin, qui fut certainement un des plus habiles prestidigitateurs de tous les temps, attesta qu'il ne pourrait pas produire par son art les mêmes phénomènes qu'Alexis [1].

Mme Sidgwick [2] a raconté de très beaux cas de télépathie observés sur la femme d'un mineur de Durham, nommée Jane. Quoique les expériences soient anciennes, elles ont gardé toute leur valeur. Le Dr F., qui magnétisait Jane, avertit un de ses clients, M. Eglington, qu'il va essayer de faire dire à Jane ce que ledit Eglington ferait dans la soirée de 8 à 10 heures. Jane dit : « Je vois un monsieur très gras, il a une jambe de bois, il n'a pas de cerveau, il s'appelle Eglington, il est assis devant une table où il y a du brandy, mais il ne boit pas ».

Résultat très curieux, car M. Eglington, qui est très maigre, avait mis sur sa chaise un mannequin bourré de vêtements afin de lui donner une forte corpulence, et avait placé ce mannequin devant une table chargée d'une bouteille de brandy.

Le Dr Dufay (de Blois) a eu avec une somnambule, non professionnelle, nommée Marie, de bons exemples de clairvoyance. Il reçoit le matin une lettre d'un officier de ses amis qui est en Algérie, malade d'une dysenterie, forcé de coucher sous la tente. Il place la lettre dans deux enveloppes qui ne portent aucune indication et met la lettre entre les mains de Marie. Elle dit qu'il s'agit d'un militaire malade de dysenterie et pour le retrouver elle s'embarque imaginairement, a le mal de mer, voit des femmes en blanc qui ont de la barbe (sans doute des Ara-

---

1. Il sera bon de lire le petit livre que Delaage a écrit : *Le sommeil magnétique, expliqué par le somnambule Alexis*, Paris, 1857. Maints personnages illustres, le Père Lacordaire, Victor Hugo, Alphonse Karr, Alexandre Dumas, le comte de Saint-Aulaire, le baron Larrey ont reçu tous des preuves éclatantes de la clairvoyance d'Alexis.

2. *Annales des Sciences Psychiques*, 1891, 280.

bes). Elle aperçoit l'officier, maigre, malade, avec un lit formé de trois planches sur des piquets au-dessus du sable humide. Tout cela était exact.

La même Marie, a qui le Dr Dufay apporte quelque chose dans plusieurs doubles de papier, dit qu'il s'agit d'un objet qui a tué un homme : une corde? Non. Une cravate. C'est un prisonnier qui s'est pendu parce qu'il avait assassiné. Il a tué avec un gouet (une hachette de bûcheron) et elle indique l'endroit où le gouet a été jeté. De fait le Dr Dufay avait coupé un morceau de la cravate d'un individu qui, dans la prison de Blois, venait de se suicider en s'étranglant avec cette cravate. En lisant les indications données par Marie, on a retrouvé, au lieu indiqué, le gouet, instrument du crime [1].

Osty a étudié un cas relatif à un certain sieur Cordier (pseudonyme) qui avait disparu. Mme Morel, voyante professionnelle, à qui Osty remet simplement une jarretelle de M. Cordier sans lui donner d'autre explication, dit qu'il s'agit de quelqu'un qui a été dans la montagne, qui s'y est perdu, qui avait des touffes d'herbes dans la main et qui est tombé dans un ravin qu'elle décrit en fournissant quelques indications. Grâce à ces données, on retrouva le cadavre fracassé de M. Cordier qu'on avait vainement cherché depuis plusieurs jours [2].

Mme R., veuve d'un notaire éminent de Paris, une femme de haute valeur morale et de grande intelligence, va, pour la première fois de sa vie, en compagnie d'une amie, à propos d'un vol qui vient de lui être fait, consulter une voyante de qui elle est absolument inconnue. La voyante lui dit : « C'est le nom d'un mort qui a servi à pénétrer chez vous! et quel mort! un vrai héros, qui a fait plus que son devoir, et qui s'est sacrifié pour un autre. » Tout cela était exact. Le fils de Mme R. avait été mortellement frappé au bois de la Caillette (1917) en se portant sous un affreux bombardement au secours d'un de ses hommes blessés. En 1919, le jour anniversaire de cette mort glorieuse, un individu s'était introduit chez Mme R. en se disant l'ami de Marcel R., le fils de Mme R., et il avait dérobé, dans le salon, en attendant Mme R. qui était à la messe, une petite toile de Corot, qu'il avait découpée et détachée du cadre.

La lucidité de la clairvoyante a été plus loin encore, jusqu'à la prémonition. Elle a dit que le tableau était un paysage et qu'il serait rapporté à Mme R., « car c'est le mort qui l'a voulu ». Et, en effet, ce qui est bien singulier, le voleur faisait rapporter le lendemain le tableau chez Mme R. [3].

J. Maxwell [4], dont la compétence est indiscutable, cite un cas de clairvoyance chez Mme Agullana, voyante professionnelle. A 10 h 20

1. *Traité de Métapsychique*, 148.
2. *Traité de Métapsychique*, 148.
3. *Traité de Métapsychique*, 149.
4. J. Maxwell, *Les Phénomènes psychiques*.

du soir, Mme A., profondément endormie par l'hypnotisme, va faire un « voyage » – dans le sens des anciens magnétiseurs – et va chercher M. B. Elle le voit, à demi-déshabillé, se promenant pieds nus sur de la pierre. Cela paraît n'avoir aucun sens. Mais M. B., interrogé le lendemain, dit : « Hier soir je n'étais pas bien; un de mes amis M. S., qui habite chez moi, me conseilla d'essayer la méthode Kneipp, et me pressa avec tant d'insistance que, pour lui donner satisfaction, j'essayai, pour la première fois, hier soir, de me promener nu-pieds sur la pierre froide. J'étais à demi-déshabillé quand j'ai fait ce premier essai. Il était 10 h 20 et je me suis promené quelque temps sur les premières marches de l'escalier qui est en pierre. »

Mon savant ami, Abelous, doyen de la Faculté de Médecine de Toulouse, plaça dans une boîte d'un bois épais une enveloppe blanche, fermée par un cachet de cire rouge. Sous la pression du cachet, la cire avait fusé tout autour en formant des bavures. Un jeune homme sensitif, hypnotisé par le Dr Marquez, « voit quelque chose de rond et de rouge qui semble dégager des rayons ». En un autre écrin, Abelous avait mis, dans une autre boîte, la médaille du Pr Grasset représentant une physionomie d'homme avec une barbe et des cheveux emmêlés. Ainsi le sensitif a reconnu qu'il s'agissait d'une médaille, et il donna les traits caractéristiques de l'image du Pr Grasset [1].

Je ne veux pas multiplier les cas de clairvoyance donnés ainsi par des personnes hypnotisées ou des voyants.

On s'étonnera peut-être que je raconte ces expériences faites sur des clairvoyantes professionnelles, car on est tenté de croire que tout est fraude chez les devineresses. Mais ce serait là une erreur. En principe, les professionnelles, c'est-à-dire les clairvoyantes, cartomanciennes ou autres, qui vivent de cette profession, ne commettent pas délibérément des impostures. Quand quelqu'un, qui leur est presque toujours inconnu, vient les consulter, elles disent en toute bonne foi ce qui leur passe par la tête. Presque toujours ce sont d'assez misérables banalités, des phrases qu'elles ont coutume de dire à chaque consultant. Je m'imagine qu'on me fera l'honneur de croire que je ne suis pas dupe de leurs boniments. Mais parfois, au milieu d'une centaine d'inepties, il y a une phrase étonnamment juste, que le hasard, même parmi des centaines de phrases banales, ne peut pas donner.

En effet, si telle ou telle devineresse professionnelle n'avait pas, au début de sa vie, témoigné de quelque clairvoyance, elle n'eût pas de propos délibéré adopté cette étrange carrière. En tout cas elle aurait bien vite fait de perdre sa clientèle si elle ne commettait que des erreurs, ou ne s'abandonnait qu'à des banalités. Quand le public fait des visites payantes, c'est parce qu'il a appris que tel ou tel jour la devineresse

---

1. Une observation de vision extra-sensorielle : *Mélanges biologiques,* Jubilé de Ch. Richet, Paris, Alcan, 1921, 1-5.

avait eu quelque éclair de clairvoyance. Donc, si elle s'est engagée dans cette invraisemblable profession, c'est souvent parce qu'à un moment donné, dans son entourage, on avait constaté une certaine clairvoyance, et que dans sa clientèle on peut la constater parfois.

Jadis, c'était toujours dans l'état hypnotique que se faisaient les réponses. Mais à présent les clairvoyants ne sont plus hypnotisés ou hypnotisables, et je crois bien qu'en effet l'hypnotisme, de même que l'état de transe spirituelle, quoique souvent favorable à la clairvoyance, n'en est pas du tout une condition nécessaire.

Si importantes que soient ces observations que je viens de rapporter, et bien qu'elles ne soient justifiables ni du hasard, ni d'une fraude, ni d'une erreur, ni d'une expérimentation défectueuse, elles sont énormément moins importantes que celles que je vais exposer maintenant.

Toutes celles que je vais mentionner indiquent (mais par des procédés divers) qu'il y a un sixième sens, c'est-à-dire, pour le répéter une fois de plus, la connaissance d'un fragment de la vérité qui n'arrive pas à l'intelligence par les voies sensorielles normales.

Des hallucinations qui n'en sont pas

Il faut distinguer deux groupes d'hallucinations véridiques : les hallucinations *fortuites* (observations) et les hallucinations *provoquées* (expérimentales). Ces dernières sont fort rares, mais dans certains cas on a pu, chez des sensitifs, provoquer, sans leur rien dire évidemment, une hallucination.

M. B., à une distance de 50 kilomètres de Londres, essaye d'apparaître à deux jeunes filles, les demoiselles Verity. C'était un dimanche de novembre 1881, à 1 heure du matin. Mlles Verity, que M. B. alla voir le jeudi suivant, lui dirent, sans qu'aucune allusion fût faite par lui à cette expérience, qu'elles avaient toutes deux vu l'apparition. L'aînée dit qu'elle avait vu un fantôme debout près de son lit, qui s'avançait vers elle. Elle avait appelé sa jeune sœur, qui l'avait vu aussi. Dans une lettre, Mlle Verity dit : « Je ne me remis qu'au bout de quelque temps du coup que je reçus et j'en garde un souvenir si vif qu'il ne peut s'effacer de ma mémoire. »

Ce qui est intéressant dans cette hallucination véridique *expérimentale,* c'est qu'elle est à la fois *expérimentale* et collective, puisque deux personnes ont eu la même apparition. Mais, malgré les apparences, cela ne prouve pas du tout l'objectivité de l'apparition, car le sixième sens peut s'exercer en provoquant la même image sur deux personnes. La vibration de la réalité, qui était la volonté de M. B., a très bien pu se présenter sous le même symbole. Et rien ne permet d'affirmer qu'il ne s'agit pas d'un symbole. Rien ne vient établir que le fantôme de B. (ou son corps astral) se soit manifesté objectivement.

Des témoignages ont été relatés dans toutes les civilisations, depuis toujours, sur les prodiges. (Apparition d'un fantôme – Hokusai, dessinateur et graveur japonais 1760-1849).

Autrement dit, s'il y avait eu un appareil photographique braqué sur le lit de Mlle Verity, il est très possible, et, à mon sens, très probable, qu'il n'y aurait pas eu d'image photographique.

Le révérend Clarence Godfrey [1], à 22 h 45, essaie de se transporter en esprit au pied du lit d'une de ses amies. Voici ce qu'écrit cette personne : « Le 16 novembre 1886, à 3 h 20 du matin, je m'éveille en sursaut, et avec le sentiment que quelqu'un était dans ma chambre. Je ressentis le besoin de quitter ma chambre et de descendre. Je me levai; j'allumai ma bougie et je descendis en pensant que, si je pouvais prendre un verre de soda, cela me calmerait. Quand je revins dans ma chambre, je vis M. Godfrey qui se tenait devant la fenêtre. Il portait son costume habituel. Alors je levai la bougie, en le regardant, pendant trois ou quatre secondes, avec un profond étonnement. Puis il disparut. L'impression a été si vive que je pensai à réveiller une amie qui couchait dans la même chambre, mais je ne voulus pas le faire pour qu'on ne se moquât pas de moi. L'apparition ne m'effraya pas, mais elle me laissa si émue que je ne pus me rendormir. » Bien entendu, elle ne savait rien des intentions de M. Godfrey.

M. Godfrey fit encore deux autres tentatives : la première ne réussit pas; l'autre a à demi réussi.

1. Fr. Myers, *Human Personality*, I, 688-690.

Nous pourrions citer encore quelques autres expériences du même genre. Mais il faut ici nous contenter d'établir ce fait important, énormément exceptionnel, d'une transmission de la pensée se traduisant par une apparition.

Il faut rapprocher de ces hallucinations véridiques expérimentales les phénomènes auxquels Myers a donné l'heureuse dénomination de *monitions d'approche,* quoiqu'il s'agisse alors d'observations et non d'expériences.

Il est une notion populaire à laquelle les proverbes de tous pays font allusion : « quand on parle du loup, on en voit la queue », « quand on parle du soleil, on en voit les rayons », « quando si parla del sole, il sole spunta », « speak of the devil, and the devil appears ».

Toute conclusion est bien difficile, car pour affirmer qu'il n'y a pas simplement coïncidence, il faudrait établir une véritable statistique des cas positifs et des négatifs. Vraisemblablement, chacun de nous a pu remarquer quelque chose d'analogue. On croit dans la rue voir quelqu'un, et on dit avec conviction : « Mais c'est A. » (A. qu'on n'a pas vu depuis longtemps; A., dont la présence, ce jour-là, en ce lieu, est invraisemblable.) Or bientôt on s'aperçoit que ce n'est pas A. qu'on a vu. C'est quelqu'un qui lui ressemble, ou même (ce qui est bien étrange) qui ne lui ressemble pas. Ce n'est pas une hallucination; c'est une illusion, et, quoique l'expression paraisse singulière, elle mérite cependant d'être conservée, une *illusion véridique,* car quelque part, plus loin, apparaît véritablement A. en chair et en os. Je crois que beaucoup de nos lecteurs auront été à même de constater parfois, dans leur vie, quelque phénomène de ce genre.

Mais de ces faits il n'existe aucune statistique sérieuse. Combien de fois s'est-on trompé? Combien de fois a-t-on dit vrai? Pourtant Myers cite quelques exemples bien authentifiés qui permettent de rattacher ces monitions d'approche au sixième sens. Tout se passe comme si le sensitif avait non pas la vision, mais la notion, d'un individu qui est voisin et qui s'approche.

M. Stevenson était assis chez lui à 7 heures du soir, à côté de sa femme. Tout était tranquille, lorsqu'il entendit nettement ces mots : « David arrive », mots que Mme Stevenson n'avait pas prononcés. David, le frère de M. Stevenson, avait l'habitude de ne rentrer qu'à 9 heures du soir. Trois minutes après, la porte s'ouvre, et David entre d'une manière tout à fait inattendue.

Le colonel Bigge aperçoit un de ses collègues vêtu d'un costume de pêche, avec des ustensiles de pêche, et en un attirail que M. Bigge ignorait complètement, en un lieu inattendu. Et cela, dix minutes avant l'apparition réelle de ce collègue avec le costume et les ustensiles de pêche [1].

---

1. Fr. Myers, *La personnalité humaine,* p. 229.

J'ai rapporté, dans mon *Traité de métapsychique,* un cas curieux de monition d'approche.

Dans la petite ville de S., Stella sort le matin avec son frère, pour faire une promenade en automobile, et, comme ils sont en retard, ils se hâtent pour aller rejoindre l'automobile qui les attendait sur la place de S. Soudain Stella voit devant elle, la regardant et venant à elle, leur ami Olivier qui devait les retrouver en ce même endroit. Alors Stella dit à son frère : « Voici Olivier », et elle fait avec sa canne un geste pour saluer Olivier. Mais le frère de Stella ne voit rien. Au moment où Stella voit soudain disparaître Olivier, voilà Olivier en chair et en os qui arrive derrière eux et touche l'épaule du frère de Stella. Stella et son frère furent assez surpris. Car, étant très en retard, ils croyaient Olivier déjà arrivé sur la place. Dans la rue, toute droite, ils ne s'étaient pas retournés une fois, comme tous trois l'ont affirmé très nettement.

Or, même si par la vision indirecte – ce qui est d'ailleurs peu probable, vu la disposition de la rue – Stella avait pu voir Olivier, il n'en reste pas moins ce fait, très important pour la théorie des symbolisations, qu'un phénomène de vision indirecte, inconsciente, s'est symbolisé sous la forme d'une hallucination véridique, car Stella a vu Olivier devant elle, tout à fait vivant, absolument identique à lui-même, à ce point qu'elle a fait un geste avec sa canne pour le saluer.

Cependant, je penche à croire qu'il ne s'agit pas ici de la symbolisation d'une vision indirecte, mais que c'est bien plutôt une monition d'approche.

On ne peut donc guère contester que parfois notre sixième sens nous avertit de l'approche de telle ou telle personne dont nos sens normaux ne peuvent nous révéler l'existence. Mais, comme l'étude de ces monitions d'approche relève de l'observation et non de l'expérience, la réalité est loin d'être établie encore en toute certitude. Il faut attendre qu'une étude méthodique, presque mathématique, de ce curieux phénomène ait été faite. Je me permets d'engager quelque jeune psychologue à l'entreprendre.

Phénomènes observés en milieu spirite

Une nuit, en 1871, la mère de M. de N. pousse des cris désespérés. On accourt, on la voit par terre, effarée, les cheveux en désordre. Elle raconte qu'elle a été transportée par les esprits au bas de son lit.

Le lendemain, à 7 heures du matin, on sonne à la porte. C'est le colonel baron Daviso qui arrive, absolument inconnu de M. et de Mme de N., pour demander des nouvelles de ce qui s'est passé. On lui avait annoncé dans une séance spiritique que les esprits allaient jouer un tour à une dame habitant la maison où était M. de N. et le colonel Daviso était venu pour vérifier le fait.

Le Dr R. Santoliquido, d'abord absolument sceptique, ne croyait pas aux expériences de typtologie qui se faisaient chez lui. Un jour, Louise (c'est le nom du médium) lui dit, par la table : « Au lieu de critiquer mes expériences, tu devrais t'occuper de ton rapport qui n'est pas achevé. » Or le rapport important que M. Santoliquido devait transmettre au ministre de l'Intérieur avait été achevé, et envoyé au ministère. Du moins M. Santoliquido en était absolument convaincu. Mais le lendemain il acquit la preuve que, par la singulière négligence d'un de ses subordonnés, le rapport n'avait pas été envoyé.

Louise a donné ensuite de très beaux phénomènes de prémonition, phénomènes que je ne mentionne pas, puisque je laisse de côté toute la troublante étude des prémonitions.

Voici un fait que raconte l'illustre William Crookes.

Il était seul avec son médium, actionnant la planchette. Derrière lui, sur une table un journal, *The Times*. Alors, en portant la main derrière lui, il couvre un des mots du journal en appliquant au hasard son index sur un point qu'il ne connaît pas. Ni lui ni la sensitive ne pouvaient savoir ce qu'il y avait sous la pulpe de son index. Alors la planchette (c'est-à-dire la sensitive) écrit le mot : *however,* et en effet il y avait bien le mot *however* sous le doigt de Crookes [1].

Lady Mabel Howard, écrivant par l'écriture automatique, est interrogée par une de ses amies au sujet d'un vol de bijoux. Elle écrit qu'on les trouvera au-dessous du pont Tebey, ce qui était assez invraisemblable. Un mois après on retrouve les bijoux au-dessous dudit pont.

Le prince Wittgenstein apprend dans une expérience spirite que le testament de son ami le général de Korf est dans une armoire spéciale de la maison où il est mort. Le prince écrit alors à la sœur du baron de Korf, laquelle avait vainement jusqu'alors cherché ce testament. Quand est arrivée la lettre du prince, on venait de retrouver le susdit testament à l'endroit même qui avait été indiqué par le message spirite.

M. Britton, écrivain célèbre, faisant une expérience avec le grand médium Home, raconte que les coups étaient d'une violence inusitée. Par les coups on obtient la phrase suivante adressée à M. Britton : « Votre enfant est très malade. Partez tout de suite, ou ce sera trop tard ». « Alors, dit M. Britton, je saisis ma valise et je partis. Dans la rue j'entendis le sifflet de la locomotive. En courant de toutes mes forces, je pus m'accrocher à l'arrière du dernier wagon qui partait. Arrivé chez moi, je constatai l'absolue vérité du fait énoncé. »

---

1. Margaret Deland, *A Deak in Darien. The Case for and against Psychical Relief,* Worcester, 1927, 144.

Un cas bien étudié : Mme Briffaut

Les expériences faites par Mme Briffaut suffiraient à elles toutes seules – et elles sont loin d'être toutes seules – pour établir la réalité du sixième sens.

Mme M. G. de Montebello me prie de lui faire avoir une entrevue avec Mme Briffaut. J'annonce cette visite à celle-ci en lui disant (par lettre) qu'il s'agit d'une dame très distinguée qui désire la voir.

Tout de suite la preuve de la clairvoyance apparaît. Avant que Mme de Montebello ait dit un seul mot, Mme Briffaut lui dit : « Je vois quelqu'un qui s'appelle L. Louis? c'est votre fils? – Oui. – Il a été tué pendant la guerre? – Non. – Pourtant, je le vois qui élève ses deux mains aussi haut que possible, puis baisse les bras brusquement, semblant me faire signe qu'il a été terrassé par une mort subite, tout d'un coup ». Alors Mme de Montebello dit : « Oui, en effet, mon fils est mort frappé par la foudre. »

Après cela, écrit Mme de Montebello, Mme B. me dit des choses exactes très intimes et que personne ne sait. Elle continua : « Il a laissé trois enfants, deux fils et une fille » (c'est exact). J'ai demandé ensuite à Mme B. si elle pouvait voir une grand-mère que j'ai tendrement aimée; elle me fait signe qu'elle écrivait beaucoup, qu'elle aimait à vous voir entourée de ses écrits.

Or cela est encore un fait remarquable de clairvoyance, car la grand-mère de Mme de Montebello, ma grand-tante, H. Cheuvreux, a passé les quinze dernières années de son existence à écrire ses Mémoires. Et c'était presque devenu le but de sa vie.

J'ai annoncé à Mme B. la visite de ma fille, Mme A.-G. Le Ber. Mme B. lui parle d'abord de son mari, dont elle a dit le prénom : Gabriel Le Ber, mort à Verdun en 1917. Quoique je sois convaincu que Mme B. n'ait pas cherché à savoir le prénom du mari de ma fille, cette indication du nom de Gabriel n'a aucune valeur. Gabriel – par l'intermédiaire de Mme B. – dit alors que sa femme Adèle porte maintenant une bague que jadis elle lui avait donnée, à lui, Gabriel. « Il me montre la bague, il insiste, il veut que vous la portiez. » « C'est vrai, dit Mme Le Ber, avant de mourir il a voulu me la faire parvenir. »

Puis Mme B. lui parle de son frère : mon fils Albert, officier aviateur, tué pendant la guerre (ce qu'elle pouvait assez probablement savoir), mais elle répète textuellement les paroles qu'Albert lui avait dites. Adèle n'en avait parlé à qui que ce soit. Il lui avait dit : « Si je suis tué à la guerre, je veux que ma femme se remarie. »

L'expérience faite avec mon savant ami A. de Gramont est spécialement intéressante. A. de Gramont arrive en prenant comme pseudonyme le nom du Dr X. Après quelques paroles insignifiantes, A. de G. dit : « J'ai eu la grande douleur de perdre mon fils à la guerre. Le voyez-vous? » Alors Mme B. dit : « Il a été tué d'une blessure à la tête.

Il est tombé de très haut. Il était dans l'aviation. La première lettre de son prénom est S. La fin de son nom de famille est « mont ».

Or le fils de M. de Gramont s'appelait Sanche. Il était dans l'aviation, et il a été tué par la chute de son avion.

Le médecin inspecteur général Calmette et le Dr Z. rendent visite ensemble à Mme B. Elle reconnaît le Dr Calmette, de sorte que les réponses données à Calmette n'ont pas d'importance. Mais au Dr Z., qui parle de son fils tué à la guerre, et noté comme disparu, Mme B. donne la description exacte de ce jeune homme, dit son prénom, et donne des indications complètes sur le lieu de la sépulture, nommant la localité et désignant un des cimetières de soldats, précisant l'allée de ce cimetière où était la tombe et le numéro même de cette tombe. Aucun de ces détails n'était connu. Par la suite ils furent trouvés exacts. Le malheureux père put reconnaître aisément, sans autre indication que les notes prises par lui à la séance de Mme B., la tombe de son enfant.

Cette expérience est admirable. Malheureusement nous n'avons pas le rapport écrit par le Dr Z. Nous ne connaissons les faits que par la narration faite par le Dr Z. devant douze témoins, médecins et hommes de science. Geley a noté textuellement le récit du Dr Z.

M. Stanley de Brath arrive chez Mme B. sans être connu d'elle et sans dire son nom. Mme B. lui dit : « Je vois quelqu'un qui s'appelle Elisabeth, morte d'une maladie pulmonaire purulente. Elle me dit le prénom de votre femme, Priscilla ».

Or, 1. le prénom de la femme de Stanley de Brath est bien Priscilla; 2. le nom d'Elisabeth est celui d'une amie intime de Mme de Brath, morte d'une pleurésie purulente; 3. avant de partir pour Paris un message automatique prétendument venant d'Elisabeth annonçait qu'elle accompagnerait M. de Brath à Paris.

On notera que le nom de Priscilla est tellement exceptionnel que la probabilité en est très faible.

A M. Jean Lefebvre, tout à fait inconnu d'elle, elle dit le nom de son frère Pierre, et de son autre frère Joseph. Elle dit que la femme de Joseph est morte il y a moins d'un an d'une opération faite au foie; ce qui est exact.

Nous ne donnons ici que les expériences ayant réussi, mais il y en a beaucoup de négatives. J'ai été deux fois voir Mme Briffaut, elle n'a jamais pu rien me dire. M. Le Roy Dupré, le Dr Nehel, le Dr Maingot, Mme Mersay, n'ont eu que des résultats nuls. Le Dr Jean-Charles Roux n'a eu d'autres données que : « Votre nom commence par un R. »

Encore le compte rendu écrit des expériences ne fournit-il qu'une notion très imparfaite du don de clairvoyance de Mme B. Elle dit des choses très intimes qui ne peuvent être reproduites ici. Elle a donné aux personnes qui l'ont interrogée la sensation très nette qu'elle savait des choses que nul ne pouvait savoir, hormis la personne qui l'interrogeait.

Remarquons aussi que la qualité des réponses ne dépend pas seulement du sensitif, mais encore, selon toute vraisemblance, de la personne qui interroge. Il y a des personnes qui inspirent, et d'autres qui n'inspirent pas.

Le cas Bert Reese [1]

Bert Reese, israélite polonais, établi en Amérique, a fait avec Schrenck-Notzing, Drakoulès, directeur d'un journal d'Athènes, Edison, H. Carrington, J. Maxwell, procureur général à la Cour de Bordeaux, toutes personnes d'une compétence incontestable, une série d'expériences remarquables.

En mars 1913, Reese dit à Schrenck : « Prenez cinq morceaux de papier. Sur l'un de ces papiers écrivez le prénom de votre mère. Sur les quatre autres papiers, écrivez une question et pliez les papiers. En attendant je quitte la chambre et n'y rentrerai que lorsque vous aurez fini. »

« Nous étions, dit Schrenck, séparés par deux portes, et j'étais seul dans la chambre. J'écrivis le nom de ma mère Meta sur le premier papier. Sur le deuxième : Quand irez-vous en Allemagne? Sur le troisième : L'ouvrage auquel je travaille actuellement aura-t-il du succès? Sur le quatrième une question tout à fait personnelle. Sur le cinquième : Comment s'appelle mon fils aîné?

Tous ces bouts de papier furent pliés comme on plie une lettre et étaient devant moi quand Reese entra. Il me demanda de les mêler. Il prit au hasard un des billets, le fit flamber avec une allumette sans l'avoir ouvert, tandis que je mettais trois des papiers dans trois poches différentes de mon gilet, et le dernier morceau dans ma main droite. J'ignorais complètement où se trouvaient telle ou telle des cinq questions. Alors il mit sur mon front mon poing droit, dans lequel se trouvait le papier plié, et il écrivit : « Je serai en Allemagne le 16 du mois de mars ». Exact. Ensuite, sans me toucher, et sans que je sortisse le papier de mon gilet : « Le livre aura plus de succès que vous ne l'espérez ». Mon étonnement s'accrut quand il lut aisément la question personnelle consistant en dix mots. Il le fit sans aucun effort, comme quelqu'un qui lit une phrase dans un livre. Il ne put répondre à la quatrième question, parce que quelqu'un vint nous interrompre. En se levant, il dit : « Votre mère s'appelait Meta ». Le papier brûlé, comme je le constatai plus tard, était celui qui contenait ce nom. »

Tout cela dura à peine un quart d'heure.

1. *Annales des sciences psychiques,* mars 1913.

L'étrangeté des phénomènes paranormaux attire l'attention comme une réalité venue d'ailleurs, un monde inconnu. (Habitations creusées dans la roche en Turquie.)

J. Maxwell rapporte : « J'ai rencontré Reese chez M. B. en mai 1912. Sur son invitation, j'ai écrit sept mentions sur sept carrés de papier, papier déchiré par Reese sur une feuille de papier de deuil prise sur le bureau de Mme B. Pendant que j'écrivais, Reese s'est retiré dans une pièce voisine, éloignée de 5 à 6 mètres. Les portes étaient ouvertes, il pouvait me voir, mais il ne pouvait certainement pas apercevoir mon écriture. Du reste, il causait avec diverses personnes. Il m'avait recommandé d'écrire le nom et le prénom de ma mère, le nom d'un de mes professeurs, et cinq questions à mon choix. J'ai écrit : "1. Marie-Angéline Mougenot; 2. Eveline; 3. Trouverai-je un éditeur pour mon roman? 4. Mes livres de criminologie réussiront-ils? 5. Quel est mon plus grand défaut? 6. Tel événement que je souhaite réussira-t-il? 7. Reviendrai-je habiter ma maison avant d'être mis à la retraite?"

J'ai ensuite plié en quatre chaque carré de papier et je les ai conservés. Reese ne les a pas un seul instant touchés. Il m'a fait placer une question dans chaque poche latérale de mon pantalon, une autre dans chaque poche inférieure de mon gilet. Il m'a invité à appuyer un papier sur son front, puis à mettre ce papier sur ma chaise et à m'asseoir dessus. J'avais donc deux questions, une dans chaque main. Il m'a fait appuyer le carré de papier tenu dans ma main droite sur son front. Après quoi, j'ai refermé la main en serrant toujours le papier. Il a écrit ensuite en anglais : Vous trouverez un éditeur d'ici quatre-vingt-huit jours. Puis il a écrit : L'événement que vous souhaitez se réalisera sûrement. Vous irez habiter votre maison plus tôt que vous ne le croyez. Vous aurez votre retraite. Puis il écrit : Votre mère Eveline a eu quatre enfants, dont vous êtes l'aîné. C'est vrai, lui dis-je, je suis l'aîné, et ma mère a eu quatre enfants. Au mot Eveline que je lisais, il s'est dressé et m'a fait mettre à la place de ce nom le nom de Marie-Angéline. Au moment où je me suis levé pour rejoindre mes amis, il a écrit brusquement Mouguenot, ce qui est la reproduction (avec une très légère erreur) de Mougenot. »

Maxwell ajoute : « Reese n'a pas touché les carrés de papier. Ils n'ont pas quitté mes mains ni mes poches. Mes facultés d'observation étaient actives. »

Hereward Carrington, qui a étudié d'une manière spéciale la prestidigitation, a fait la même expérience avec des résultats identiques, et il a été pleinement convaincu qu'il s'agissait d'un cas authentique de clairvoyance et non d'un système d'escamotage quelconque.

Edison a rapporté des expériences qui lui ont paru décisives. Il va dans une pièce éloignée de la chambre où se tenait Reese et écrit : « Y a-t-il quelque chose de mieux que l'hydroxyde de nickel pour une batterie de matières alcalines? » Puis il rentre dans la chambre où était Reese qui lui dit tout de suite : « Il n'y a rien de mieux que l'hydroxyde de nickel pour une batterie de matières alcalines. »

Deux ans après on annonce à Edison la visite inopinée de Reese.

Alors Edison écrit en caractères microscopiques le mot Kemo et met le papier dans sa poche : « Qu'ai-je écrit? » demande-t-il à Reese, et Reese dit sans hésitation : « Kemo ».

Le Dr Thomson, médecin aliéniste, et sceptique avéré, fut absolument convaincu de la lucidité de Reese après une séance qu'il eut avec lui.

En Amérique, à la suite d'une dénonciation, Reese fut arrêté et condamné pour *disorderly conduct*. Il fit appel, et comparut devant le juge Rosalsky, lequel était assisté de MM. Flint et Boswick représentant le ministère public. Il y avait aussi deux reporters. A ces cinq personnes, évidemment sceptiques et vraisemblablement très prévenues contre Reese, celui-ci prouva sa clairvoyance. Il dit au juge Rosalsky d'écrire quelque chose sur trois bouts de papier, de les plier et de les mettre dans trois poches différentes en les mêlant de manière à ne pouvoir les reconnaître. Alors M. Rosalsky tira de ses poches un des papiers et le pressa sur le front de Reese. « Vous me demandez, dit celui-ci, combien vous avez d'argent dans une certaine banque; vous avez quinze dollars ». La réponse était exacte. Quant au deuxième papier, toujours fermé : « Ce billet contient le nom d'une de vos anciennes institutrices, miss O' Connor. » La troisième question fut aussi lue.

En définitive, le juge Rosalsky acquitta Reese.

De toutes ces expériences on peut conclure, quoiqu'il s'agisse d'une personne de moralité problématique, à la clairvoyance de Reese.

Le cas Stéphane Ossovietski

Ossovietski n'est pas un médium professionnel. C'est un gentilhomme polonais, un ingénieur qui ne fait d'expériences qu'à son corps défendant. Sa bonne foi est indiscutable; et cependant, dans aucune de nos expériences, nous n'avons négligé d'opérer – j'en demande pardon à mon ami Stéphane – comme s'il était un perfide et accompli prestidigitateur.

Je citerai d'abord mes observations. Elles ne sont ni plus ni moins probantes que les autres. Elles confirment les autres et sont confirmées par les autres.

C'est à un dîner intime, en avril 1921, à Varsovie, que je rencontrai pour la première fois Stéphane Ossovietski. A la fin du dîner, il donna à mes amis Geley et Géo Lange des preuves évidentes d'une certaine faculté paranormale. Je le priai de venir chez moi le surlendemain à l'Hôtel de l'Europe, pour expérimenter seul avec lui. Il consentit de bonne grâce. Alors j'écrivis, en prenant les précautions nécessaires pour que mon écrit ne pût absolument pas être lu, la phrase suivante, que je mis sous enveloppe cachetée : « Jamais la mer ne paraît plus grande que quand elle est calme. Ses colères la rapetissent. »

Alors Stéphane Ossovietski, prenant l'enveloppe entre ses mains et la froissant, dit : « Je vois beaucoup d'eau. (Je dis : « Très bien. ») C'est quelque chose de difficile, ce n'est pas une question, c'est une idée à vous que vous avez prise. (Je redis : « Très, très bien. ») La mer n'est jamais tellement grande que... je ne puis coller cette chose ensemble. (Je dis : « C'est parfait, admirable. ») La mer est tellement grande qu'à côté de ses mouvements... »

Cette expérience est très belle, exceptionnellement belle, non seulement parce que Stéphane Ossovietski a dit qu'il était question de la grandeur de la mer, mais encore parce qu'il a ajouté cette phrase étonnante : « C'est une idée à vous que vous avez prise ». Et, en effet, dans un de mes livres – inédit : un recueil de pensées qui n'a pas paru encore – j'avais écrit cette phrase sur la mer que j'ai sans vergogne reproduite sur le papier remis à Ossovietski dans une enveloppe cachetée.

J'écrivis ensuite un nombre de quatre chiffres et je mis l'écrit dans une enveloppe cachetée. Le nombre fut lu sans erreur.

J'avais reçu deux lettres que j'avais lues. Je prends au hasard une d'entre elles pour la faire deviner par Stéphane Ossovietski. Mais Stéphane Ossovietski était fatigué et me proposa de remettre l'expérience au lendemain. Comme je devais partir le lendemain, c'est Geley qui, le lendemain 1er mai, fit l'expérience avec cette lettre mise sous une enveloppe, lettre dont Stéphane Ossovietski, aussi bien que Geley, ignoraient absolument le contenu. Sans hésitation Stéphane Ossovietski dit : « C'est une dame Berger. Il est parlé d'une dame Berger. C'est un monsieur de cinquante ans qui a écrit cette lettre. C'est une invitation qui vient d'un endroit près de la mer. Cette dame Berger a trente-trois ans, elle est mariée. C'est écrit très vite, sans ordre : c'est un homme musical qui a écrit. »

En effet, dans cette lettre, mal écrite et incohérente, mon ami R. Berger, de Berlin, m'invitait à venir faire des conférences à Berlin et me proposait d'être l'hôte de Mme Berger.

Certes il y avait quelques erreurs, Berlin n'est pas au bord de la mer. Mais l'invitation de Mme Berger et surtout le nom de Berger sont assez caractéristiques pour exclure l'hypothèse d'une coïncidence.

Deux ans après, je refis avec Stéphane Ossovietski de nouvelles et plus décisives expériences.

Elles me paraissent définitives.

La première a été faite devant Geley et moi, à l'Hôtel de l'Europe.

D'abord Stéphane Ossovietski voulait qu'on lui bandât les yeux : mais aussitôt nous lui avons fait remarquer que cette occlusion des yeux par un bandeau, chère aux magnétiseurs d'autrefois, ne signifiait pas grand-chose, qu'il valait mieux mettre le papier dans une enveloppe opaque. Alors, tournant le dos à S. O., je fais sur une feuille de papier, avec mon stylo le premier dessin qui me vient à l'esprit. Geley est entre nous deux. Il est absolument impossible à S. O. de voir ce que j'écris loin de lui. Je plie le papier en quatre et le cachète soigneusement dans une enveloppe gommée que je remets à S. O. Alors S. O., au bout d'une minute, après l'avoir malaxée, dit : « C'est une croix, je vais en faire le dessin ». Il y a absolue identité de l'original et de la reproduction par S. O. : quatre points entourent la croix.

L'enveloppe était opaque. Le papier était plié en quatre. D'ailleurs il n'y avait dans la chambre que la médiocre lumière d'une mauvaise lampe de plafond. Pas de glace. Enfin S. O. n'a pas regardé le papier, ou à peine. Il l'a tenu dans la main, l'a palpé et pétri, presque toujours derrière son dos.

L'expérience suivante est plus intéressante encore : elle exclut l'explication télépathique.

Le jour de mon départ pour Varsovie, la comtesse Anna de Noailles, qui s'intéresse passionnément aux recherches psychiques, m'avait remis à Paris trois enveloppes, cachetées par la gomme ordinaire des enveloppes. J'ignorais totalement le contenu de ces trois écrits que je numérote au hasard nº 1, nº 2, nº 3. Je les montre à Ossovietski en lui disant d'en choisir un. Il choisit au hasard le nº 3, que je garde soigneusement dans mon portefeuille et que je lui donne le lendemain. Alors il prend l'enveloppe, la malaxe fiévreusement pendant assez longtemps (environ trois quarts d'heure). Il sait que c'est Mme de Noailles. Mais il n'en sait pas davantage. Moi non plus. Assistent à la séance Geley, la fiancée d'Ossovietski et ses deux sœurs. Mais pas un instant aucune de ces quatre personnes ne touche la lettre cachetée [1]. D'autre part, Geley et moi nous ne quittons pas des yeux la lettre qui reste constamment entre les mains de S. O.

Voici les paroles textuelles de S. O. : « Il n'y a rien pour moi (ce qui veut dire qu'il n'est pas question de moi dans cette lettre). C'est quelque chose d'un très grand poète français, j'aurais dit Rostand. Quelque chose de *Chantecler*. Quand elle parle de *Chantecler,* elle écrit quelque chose du coq. Il y a une idée de lumière pendant la nuit, une grande lumière pendant la nuit, puis Rostand avec la belle poésie de *Chantecler...* Mais il y a encore quelque chose, dit-il, après une demi-heure de malaxation de l'enveloppe. Les idées de la nuit et de la lumière ont été les premières avant qu'il y ait le nom de Rostand. Il y a encore des lignes, deux lignes, un mot avec deux lignes en dessous ».

L'expérience suivante est tout à fait du même ordre. S. O., que ces expériences ennuient, ne consent que difficilement à en faire. Mais je lui dis que, s'il veut m'en donner une encore, je lui ferai don d'un autographe de mon illustre amie Sarah Bernhardt. Alors j'envoie un télégramme à Sarah Bernhardt, qui me répond aussitôt par une lettre que je n'ouvre pas, que je ne décachète pas, et je prie S. O. d'essayer de

---

1. Celle-ci contient textuellement : « C'est la nuit qu'il est beau de croire à la lumière. » Edmond Rostand. Vers qui se trouve dans Chantecler et prononcé par le coq ».

la lire avant que l'enveloppe ait été ouverte. Il est bien évident que je ne sais aucunement ce qui est dans cette lettre.

La lecture a été difficile. Elle a duré près de deux heures et demie. Il dit finalement : « La vie, la vie, la vie, quatre ou cinq lignes, et au-dessous la signature de Sarah Bernhardt, une signature montante. » Finalement il arrive à ceci, que j'inscris pour que mon inscription fasse foi, plutôt que les diverses paroles dites : « La vie semble humble parce qu'il y a seulement de la haine, c'est un mot tellement français que je ne peux pas le dire, c'est un mot de huit lettres. Point d'exclamation. »

Or Sarah Bernhardt avait écrit : « La vie nous semble belle parce que nous la savons éphémère. Sarah Bernhardt » avec un point d'exclamation.

On voit que la ressemblance est saisissante, dépassant de beaucoup tout ce que peut donner le hasard. Le mot éphémère a huit lettres, et nous avons constaté que ni S. O. ni d'autres amis polonais n'en comprenaient le sens.

L'expérience suivante a été faite dans des conditions un peu différentes. C'était à la fin d'un grand déjeuner. Plusieurs personnes étaient présentes, et chacun, avec une médiocre rigueur scientifique, s'était évertué à donner des lettres ou des chiffres à deviner à S. O. qui, en général, les devinait très bien. Alors, loin de S. O., j'écrivis sur un bout de papier, en prenant toutes précautions pour que personne ne pût voir ce que j'écrivais, le mot « toi ». Je chiffonnai le papier de manière à en faire une petite boulette que S. O. mit dans la paume de sa main serrée dans la mienne. Au bout de trois ou quatre minutes, il me dit : « C'est un chiffre ». Je restai impassible. « C'est très court ». Même impassibilité. Il ajouta : « Je vois un t », et il précisa : « il y a deux petits traits à la barre transversale du T » (ce qui était rigoureusement vrai, car pour que le T fût bien visible, j'avais fait deux petits traits verticaux à la barre transversale du T.) Je dis : « C'est très bien ». « Il y a encore un chiffre, un zéro et un autre chiffre, I. » (Je dis : « Très bien. ») Il ajouta, très bas : « Ce n'est pas moi ». Je fis semblant de ne pas avoir entendu. Alors il dit : « Donnez-moi du papier, je vais écrire ». Et il écrivit : « toi ».

Telles sont les seules expériences que j'ai faites avec Ossovietski.

Les expériences faites par Geley et d'autres savants sur Ossovietski ne feront qu'amplifier et fortifier ces conclusions.

12 septembre 1921 : Geley a reçu huit lettres, huit enveloppes scellées dont deux sont de lui et six d'autres personnes. Après un dîner intime chez des amis communs, Geley présente à S. O. les huit enveloppes scellées. S. O. en prend une au hasard.

Voici le récit de Geley. « Je sais que l'enveloppe est de M. Sudre, ou de M. Magnin, mais je ne sais rien de plus. » S. O. prend l'enveloppe dans la main, marche à grands pas à travers le salon et finit par dire : « C'est très court, quelques mots. C'est un homme qui a écrit. Il est question de la Pologne. Ce sont des souhaits, c'est tout, ce n'est pas signé ». Je décachète alors et je vois sur le billet plié au milieu de plusieurs feuilles de papier opaques : « Grand succès à Varsovie ».

Une nouvelle enveloppe est présentée à Ossovietski. « J'en ignore le contenu, dit Geley, je sais seulement que c'est une lettre de M. Sudre ». S. O. dit : « Cela concerne l'humanité, l'homme plutôt. C'est une créature, la plus bête, c'est quelque chose de l'homme, j'ai l'intuition de la bêtise, c'est un proverbe, ce sont des idées d'un des hommes les plus importants du passé, je dirais Pascal; l'homme est faible, un roseau faible, mais faiblesse, et aussi le roseau le plus pensif ».

Or Sudre avait écrit : « L'homme est un roseau, le plus faible de la nature, mais c'est un roseau pensant. Pascal ».

Chez le prince Lubomirski, voici ce que dit Geley : « J'avais reconnu à l'enveloppe une des deux lettres préparées par moi, mais j'ignorais de laquelle des deux il s'agissait. Ossovietski dit : « C'est un chaos, il y a quatre ou cinq idées, c'est un potage d'idées, quelque chose qui nage, ce n'est pas de l'écriture, c'est un poisson. Quel rapport entre ce poisson et la Pologne? C'est une exclamation, vive la Pologne! Je sens même des parfums délicieux. Il y a une numération ».

Or, le billet à déchiffrer contenait :

1. Un paysage oriental, des chameaux;
2. Un dessin représentant un poisson;
3. Une sonnerie de cloches;
4. Le parfum du mimosa.
5. Vive la Pologne!

Il est inutile de faire remarquer l'identité de l'original et des réponses :
1. La numération – cinq propositions – est indiquée;
2. Le dessin d'un poisson est indiqué;
3. Il est parlé d'un parfum;
4. Vive la Pologne! est reproduit textuellement.

Le paysage oriental et la sonnerie de cloches ne sont pas indiqués.

Geley est seul avec S. O. Il écrit quelque chose sous la table. Puis il enferme ce qu'il a écrit dans une enveloppe très opaque. S. O. la prend dans sa main et la froisse :

« Ce n'est pas une question, il y a un sentiment de prière, quelque chose de très profond, un appel des hommes qui sont blessés, tués. Non! ce n'est pas cela. Rien qui donne plus d'émotion que l'appel à la prière. Envers qui? A une certaine caste d'hommes... Mazzi... »

Or Geley avait écrit : « Rien n'est plus émouvant que l'appel à la prière par les muezzins. »

« Je remets, dit Geley, à S. O. une lettre dont je connaissais le contenu, lettre enfermée dans plusieurs feuilles de papier opaque ». Au bout de vingt minutes environ, S. O. dit :

« Je suis dans un jardin zoologique, c'est une lutte, un grand animal, un éléphant. Est-ce qu'il n'est pas dans l'eau? Je le vois nager avec sa trompe. Je vois du sang. »

Alors Geley dit : « C'est bien, mais ce n'est pas complet. »

S. O. dit : « Attendez, n'est-il pas blessé à la trompe? »

Geley dit : « Très bien », et il ajoute : « Il y avait une lutte ». S. O. dit : « Oui, avec un crocodile ». Geley avait écrit : « Un éléphant qui se baigne dans le Gange fut attaqué par un crocodile qui lui coupa la trompe ».

La dernière citation que je ferai sera celle d'une expérience solennelle faite au Congrès de Varsovie de 1923.

M. Dingwall, spécialement délégué par la Society for Psychical Research de Londres, avait apporté d'Angleterre une lettre qu'il décrit comme suit [1] : « Trois enveloppes épaisses et opaques sont enfermées l'une dans l'autre. La première, extérieure, est en papier brun. La deuxième, en papier noir. La troisième, en papier rouge. Dans cette dernière est une feuille de papier à lettre pliée en deux avec un dessin et quelques mots d'écrit. L'enveloppe extérieure est cachetée à la cire et collée à la colle forte. Les quatre coins du paquet ont été transpercés avec une aiguille. En outre Schrenck-Notzing a prié M. Fowcett d'une part, et d'autre part M. Neumann, d'écrire chacun sur une feuille de papier blanc une phrase quelconque. Ces phrases ont été écrites à l'Hôtel de l'Europe. Elles ont été placées par Schrenck-Notzing dans deux enveloppes fermées, sur lesquelles il apposa un double cachet. Pour l'une de ces enveloppes, Stéphane dit :

"C'est écrit au Restaurant de l'Europe, c'est un homme de trente-quatre ou trente-cinq ans, gros, avec une barbe, et il parle peu".

Cette indication répond à la lettre écrite par M. Neumann. S. O. ne voit pas autre chose. Pour la seconde lettre Stéphane dit : "Je vois un homme qui ressemble à M. Wette", mais il n'en dit pas davantage.

Quant à la troisième lettre, de beaucoup la plus importante, préparée par M. Dingwall, Stéphane donne de nombreux détails : "Il y a, dit-il, un dessin fait par un homme qui n'est pas artiste, quelque chose de rouge avec cette bouteille, une deuxième enveloppe rouge, un carré dessiné à l'angle du papier : la bouteille est bien mal dessinée, quelques lettres que je ne peux lire. Avant 1923 il y a quelque chose que je ne puis lire, une date ou une ville, c'est écrit en français; la bouteille est un peu inclinée, elle n'a pas de bouchon, elle est faite de plusieurs lignes fines. Le paquet est ainsi formé : 1. une enveloppe grise en dehors; 2. une enveloppe foncée, verdâtre; 3. une enveloppe rouge. Puis un papier blanc plié en deux".

Alors M. Dingwall, prenant l'enveloppe déclara qu'il avait entouré

---

1. *Comptes rendus du Congrès international* de Varsovie, 1924, Paris, Presses Universitaires, 1924, 201 à 204.

l'expérience de précautions suffisantes pour être sûr que l'enveloppe n'avait pas été ouverte. Puis, devant toute l'assemblée émue, il coupa la première enveloppe, et sortit la deuxième, noire verdâtre, puis, coupant la deuxième, il sortit la troisième, rouge. Alors dans la rouge on vit un papier blanc plié en deux. Toute l'assemblée applaudit, car jusque-là l'expérience avait admirablement réussi. Mais le succès fut bien plus grand quand on vit l'identité du dessin fait par M. Dingwall et du dessin donné par Ossovietski [1].

M. Dingwall avait écrit en français une phrase que S. O. n'avait pas pu lire, mais en bas il avait mis, Aug. 1923 et S. O. avait dit : "Avant 1923 il y a quelque chose que je ne peux lire, une date ou une ville" ».

Le chef d'Etat polonais, le général Pilsudski, avait mis dans une enveloppe opaque (cachetée avec le cachet du Ministère de la Guerre) un écrit connu de lui seul. C'était une formule de jeu d'échecs, quatre chiffres, qui furent lus correctement par S. O.

Comment ne pas reconnaître devant ces expériences que la réalité du sixième sens est aussi solidement établie que la propriété anesthésiante du chloroforme, ou la fixation de l'oxygène sur les globules rouges du sang? C'est un chapitre de physiologie, ayant autant de certitude que les autres chapitres de la physiologie classique.

Observations personnelles avec Ludwig Kahn

Je rapporterai ces expériences avec quelque détail, parce que j'ai pu en contrôler certaines. On m'excusera si j'insiste un peu plus sur mes expériences que sur celles des autres savants. Ce n'est pas parce que je les crois meilleures, mais parce qu'étant présent j'ai pu observer toutes les particularités de l'expérimentation, et en mesurer l'importance.

D'abord, je déclarerai que je n'ai, ni en Reese ni en Kahn, dont l'existence a été accidentée, aventureuse, sujette à maintes traverses, la même confiance qu'en mon ami Stéphane Ossovietski. Mais, quand il s'agit d'une investigation métapsychique, la confiance dans le sensitif ne doit jouer qu'un rôle très secondaire. Il faut toujours se méfier énormément. Qu'il s'agisse de Reese, de Kahn ou d'Ossovietski, les mêmes rigoureuses précautions sont nécessaires. Si j'expérimentais avec ma femme ou ma fille, je ne me croirais pas en droit de supprimer la sévérité des contrôles.

En Allemagne, Kahn a donné des preuves premières, incontestables, de clairvoyance au P Schottelius, de Fribourg [2].

---

1. Il s'agit d'une bouteille au centre d'un rectangle dont il manque un côté.
2. Schottelius, *Ein Hellseher (Journal für Psychologie und Neurologie,* 1913. XX, 256).

Le Pr Schottelius fut tellement convaincu des dons extraordinaires de Kahn qu'il écrivit alors ceci : « Un frisson me passa dans le dos. J'avais ressenti un saisissement semblable lors de la première vue du navire aérien Zeppelin. Cela ne m'est pas arrivé trois fois dans ma vie [1]. »

Des rapports de magistrats, des rapports d'experts, de médecins aliénistes, confirmèrent cette puissance supranormale de Kahn. Le Dr Heymann, chargé par le tribunal de faire une enquête, fit entrer Kahn à la clinique psychiatrique de Karlsruhe, et, dans son rapport, il déclara que Kahn connaît par des procédés autres que ceux de la perception normale la pensée écrite.

Personne ne pourra prétendre que ces experts, ces aliénistes, ces magistrats, étaient suspects de crédulité, voire de bienveillance, pour Kahn.

Si nous résumons les résultats, nous constatons que Kahn a pu lire sans le secours de ses yeux les billets repliés à plusieurs reprises et conservés bien fermés dans les mains de l'observateur.

En 1925 et 1926, Kahn fit à Paris avec nous plusieurs expériences qui nous ont paru décisives.

La première expérience a été faite le 4 février 1925 à l'Institut Métapsychique.

A la suite de cette expérience qui avait admirablement réussi, il y en eut une autre à laquelle j'assistai. A cette séance prirent part maints de mes distingués collègues de la Faculté de Médecine de Paris. Les professeurs Cunéo, Gosset, Laignel-Lavastine, Lardennois, et en outre le Pr Santoliquido et le Dr Humbert, représentant de la Suisse à la Société de la Croix-Rouge.

L'expérience, faite devant ces éminents médecins, tous très sceptiques, eut un plein succès. Kahn, après que les papiers eurent été mélangés et pris par chacun de nous, ne les touchait pas. Nous les tenions. serrés dans notre main. Et cependant ils ont été tous lus correctement. En outre, sans jamais se tromper, Kahn indiquait le nom de celui d'entre nous qui avait écrit tel ou tel billet.

Le résultat était merveilleux, d'une invraisemblance inouïe. En rentrant chez moi encore tout ahuri, je me demandai si nous n'avions pas été, malgré les apparences, victimes d'un prestidigitateur habile. Et, le soir même, à minuit, je téléphonai à Osty en lui disant : « Méfions-nous, c'est trop beau. Il doit y avoir un truc, je ne croirai à la réalité de cette clairvoyance que si je refais l'expérience, et cela tout seul, en tête à tête avec Kahn ».

---

1. Je note ici, pour mémoire, que, lors d'une expérience faite chez moi, avec Kahn, mon éminent confrère et ami, le général Ferrié, resté seul avec Kahn, revint au bout de quelques instants, pâle, ému, nous trouver dans le salon et nous dire : « C'est stupéfiant, il a lu ce que je venais d'écrire, ce que moi seul je connaissais ».

Kahn consentit à expérimenter dans ces conditions, et le lendemain (8 février), il vint chez moi à 20 heures. Il m'a fait écrire sur deux petits bouts de papier deux phrases, et, après que je les ai eu écrites, il n'a pas touché ces papiers. Il était au bout de ma vaste bibliothèque quand je les écrivais, me tournant le dos. Même avec une acuité rétinienne formidable, il ne pouvait rien voir. J'ai alors plié en huit les papiers, et, sans qu'il les touche, je les ai mis, l'un dans ma main gauche, l'autre dans ma main droite. Après une demi-minute d'hésitation, il me dit : « Sur le papier de la main gauche, il y a : quel est le prénom de mon père? (exact). Dans la main droite (que je n'avais pas ouverte), il y a : quel est l'âge de mon fils aîné? (exact aussi) ».

Cette expérience irréprochable m'a à la fois enthousiasmé et stupéfié. Elle me satisfaisait, et je voulais m'en tenir là. Mais Kahn a tenu à recommencer.

Cette seconde fois, pendant que j'écris, il passe dans la pièce voisine, dont la porte reste fermée. Je suis seul dans ma bibliothèque et j'écris quelques phrases sur quatre papiers différents. Je plie en huit chacun de ces papiers, puis je fais revenir Kahn. Sans qu'il les touche, alors que nous sommes en pleine lumière (Kahn restant à 1,50 m de moi), j'en mets un sous un cahier, sur une table bien éclairée; j'en tiens un dans ma main droite et un dans ma main gauche. Le quatrième, toujours replié, est brûlé par moi à l'aide d'une allumette jusqu'à ce qu'il ne fasse plus qu'un paquet de cendres.

J'ignore absolument dans quelle main se trouve tel ou tel papier, ni quel est celui qui a été brûlé. Alors Kahn me dit : « Dans le papier de la main droite, il y a : Virgilius Maro ». J'ouvre la main : c'était exact. « Sur le papier de la main gauche il y a : Vérité aux Parénées » (pour Pyrénées), exact. Quant au papier qui était sous le cahier, que ni Kahn ni moi ne touchions, Kahn dit : « En avant »; c'était exact. Pour le papier brûlé, après une hésitation à peine plus longue, Kahn dit : « Shocking ». C'était exact.

Ainsi, dans ces expériences qui me parurent, et me paraissent, décisives, Kahn n'a pas touché les papiers. Il n'a pas pu les lire, puisqu'ils étaient repliés en huit, et il serait absurde de parler de hasard.

Je priai alors Mme Charles Richet, qui était restée dans sa chambre et n'avait pas assisté à ces deux expériences, de constater cette étonnante clairvoyance. Alors, seule dans sa chambre (chambre séparée de ma bibliothèque par une grande pièce), elle écrit sur chacun des quatre petits papiers blancs que je lui donne une phrase quelconque. Elle revient avec ces papiers pliés en huit. Nous en brûlons un avec une allumette jusqu'à ce qu'il ne reste plus qu'un peu de cendre, Kahn reste debout à 1 mètre environ de distance pendant que nous sommes assis à la table. Quant aux trois autres papiers, Kahn restant toujours debout et ne les touchant pas, Mme Richet en prend un dans la main droite, un dans la main gauche qu'elle tient fermée. Je prends le quatrième dans la main droite que je tiens fermée également. Kahn n'a pas touché ces papiers, et nous ignorons quels ils sont. Or Kahn ne s'est pas trompé une seule fois. Pour le premier, celui qui est dans la main droite de Mme Richet, il y a : « La modestie rehausse le talent ». (Exact.) Sur le papier de la main gauche, il y a : « Le silence est d'or ». (Exact.) Sur le papier que j'ai à la main : « Le chien est l'ami de l'homme ». (Exact.) Quant au quatrième papier brûlé, avec une minute d'hésitation, et après avoir demandé à toucher la main de Mme Richet, Kahn dit : « Qui veut voyager loin, ménage sa mouture » (exact – mouture pour monture).

Ces expériences ne laissent aucune place au doute.

Le 21 février, l'expérience a eu lieu chez moi en présence de mes confrères et amis Daniel Berthelot et le général Ferrié, membres de l'Académie des Sciences, et du Dr Osty.

La première partie de l'expérience a été faite par le général Ferrié, qui, seul, dans ma bibliothèque, écrit trois phrases sur trois papiers que Kahn le prie de plier le plus de fois possible. Pendant que le général écrit, Kahn, accompagné de Berthelot, passe dans l'antichambre. Osty et moi nous restons dans le salon. Au bout de quelque temps Kahn rentre avec Berthelot, nous rejoint au salon et Kahn reste seul avec le général Ferrié. Alors, d'après la narration du général Ferrié, Kahn se tient debout à 1,50 m environ du général, qui reste assis. Les papiers pliés sont mêlés. L'un d'eux est mis sur la table, sous une coupe. Ce papier-là, avant d'être mis sous la coupe, Kahn le touche d'un doigt rapide avec l'index. Les autres papiers, tenus dans les mains du général, ne sont pas et ne seront pas touchés. Le général ouvrira lui-même les papiers, après que Kahn en aura dit le contenu. Alors Kahn montrant du doigt le papier recouvert par la coupe, dit : « Electrodes lampe trois électrodes » (exact) – (lampe à trois électrodes). Montrant la main droite du général, il dit : « Hypothèse de Waggener » (pour Weggener) (exact.) Montrant la main gauche, il dit : « La santé est le plus précieux des biens » (exact).

Le général affirme que pour lui l'expérience est démonstrative et que « nul artifice n'a pu révéler à Kahn les deux papiers tenus dans ses mains ».

A ces belles expériences [1] quelques objections ont été faites par un psychologue allemand quelque peu rebelle à la métapsychique. M. Max Dessoir dit que les expériences de Kahn avec Schottelius paraissent peu valables [2].

Je veux aussi répondre aux objections d'un autre psychologue allemand, M. Albert Moll [3].

1. Voir également sur Ludwig Kahn l'étude du Dr Osty, chapitre XI.
2. *Von Jenseits der Seele,* Stuttgart, 1920. 134.
3. Voir ma réponse à M. Albert Moll : *Une critique inopérante, Revue métapsychique,* 1926.

M. Moll suppose que, malgré nos attestations, en dépit de notre vigilante attention à tous, Kahn a touché les papiers et qu'il les a escamotés. Mais c'est là une erreur manifeste et une affirmation sans preuves. Dans bien des cas, alors que les papiers étaient en pleine lumière, que notre attention était énormément éveillée, que Kahn était debout à 1,50 m de distance, que tous ses mouvements étaient jalousement surveillés, aucun papier n'a été, même légèrement, touché. Quelquefois pourtant, mais rarement, ils ont été effleurés du bout du doigt, effleurés seulement, et encore pendant que l'expérimentateur, soit D. Berthelot, soit Mme Le Ber, soit le général Ferrié, soit moi-même, nous gardions le papier plié et fortement serré dans notre main.

On ne peut pas supposer que le papier plié en huit laissait lire par son entrebâillement ce qui était écrit. D'ailleurs, dans une expérience qui a été positive, j'ai éliminé cette cause (invraisemblable) d'erreur.

M. Moll insiste beaucoup sur un argument qui lui paraît de haute valeur, alors qu'il me semble assez médiocre. M. Kahn, dit-il, est certainement (?) un prestidigitateur, donc il a un truc. Ce qui revient à ce raisonnement étrange : 1. il doit y avoir un truc; 2. donc il y a un truc.

Que l'on relise avec soin le protocole fidèlement rapporté de nos diverses expériences, et on verra que le truc, s'il en est un, n'a encore été découvert ni par M. Moll ni par d'autres. Comment un écrit, dont seul je connais la teneur, écrit qui se trouve dans un papier que je tiens dans ma main fermée, peut-il être lu intégralement par voie sensorielle normale? Voilà ce qu'il faudrait m'expliquer. Jusque-là je croirai à une voie extra-sensorielle.

En définitive, la clairvoyance de Kahn équivaut, non pas à la compréhension de ce qui est écrit, mais à la lecture de ce qui est écrit. Kahn ne comprenait certainement pas « *Atraiden Agamemnona* », et cependant il l'a lu. Cela est bien différent de la clairvoyance d'Ossovietski, lequel connaît à la fois l'idée générale et la lecture exacte des mots.

PROFESSEUR CHARLES RICHET

Saint Bruno, au XIᵉ siècle, eut des rêves prémonitoires et, au cours de l'un deux, apprit que son projet de fondation de l'ordre des Chartreux aboutirait. (Le saint et ses compagnons construisant la Chartreuse.)

Chapitre XIV

Les rêves véridiques

La nécessité du rêve dans l'équilibre biologique est maintenant bien établie par les expériences de laboratoire sur les mammifères supérieurs et les hommes. On ignore pourtant à quelle nécessité correspondent dans l'organisation du système vivant les rêves prémonitoires, les manifestations oniriques de la clairvoyance.

Il est possible que de tels rêves soient plus fréquents qu'on ne le pense et soient aussi vite oubliés que les autres. Leur utilité cependant est manifeste parfois au plan de la vie pratique, comme dans un des témoignages ci-dessous où un magistrat découvre les auteurs d'un meurtre à la suite d'un rêve. Une utilité plus subtile, voire plus fondamentale, n'existerait-elle cependant pas, sur laquelle nous ne savons encore pratiquement rien?

Il existe une catégorie de rêves, caractérisés par des signes particuliers, qui ne se rattachent ni à la causalité du monde extérieur, ni à l'état de nos organes, ni aux pensées et aux émotions ordinaires de notre vie. Je veux parler des rêves qui ont un rapport avec l'avenir, rêves prophétiques, mystérieux dans leur origine et leur nature et qui méritent un examen particulier.

Les faux savants en négligent l'étude, par impuissance ou par dédain : ils ont peur de rencontrer le merveilleux, et de paraître superstitieux; ils parleront volontiers de centres nerveux, de la circulation du sang, des neurones, de tout ce qui constitue la partie matérielle du rêve, ils affecteront d'en négliger la partie élevée, celle par laquelle l'homme semble se détacher de ce monde et de son propre corps, pour entrer dans des régions inconnues, et défier, en quelque manière, l'espace et le temps.

Et, cependant, cet aspect du problème du rêve attire invinciblement les esprits. Que faut-il penser des rêves par lesquels nous sommes avertis d'un malheur ou d'un danger, d'un événement important qui va s'accomplir loin de nous, des précautions que nous devons prendre et des actes que nous devons faire pour obéir à une autorité « supérieure »? Cette connaissance claire, précise de l'avenir est-elle toujours l'effet de l'imagination, si capricieuse dans ses fantaisies et secondée par le hasard? Ne serait-elle pas au contraire le signe certain de ce miracle dont nous cherchons à établir la possibilité et la réalité? Ne faut-il pas reconnaître qu'elle excède, elle aussi, la puissance de l'imagination?

J'avoue que ces questions m'intéressent autrement que le rôle, d'ailleurs si difficile à déterminer, des alternances de l'irrigation sanguine cérébrale dans l'évolution du rêve.

Il faut, d'abord, exposer les faits; nous en chercherons ensuite une explication.

Nous réunissons d'abord les rêves prémonitoires d'une mort. De lady Sudeley, voici une lettre datée du 6 janvier 1887 :

« Quatre ans avant mon mariage, C. W... était de mes amies, mais pas des plus intimes. Je me mariai et peu après elle se fit religieuse cloîtrée. Quoiqu'il nous fût toujours agréable de nous trouver ensemble, nous eûmes fort peu d'occasions de nous rencontrer pendant les quatre ans et demi qui s'écoulèrent entre mon mariage et sa mort. Je crois que je ne l'ai vue qu'une seule fois dans son costume religieux. En juillet 1882, j'appris qu'elle était malade; mais comme j'avais beaucoup d'autres préoccupations, je ne pensais jamais à elle. Dans la nuit du 27 septembre 1882, je rêvai qu'elle était debout à côté de mon lit, en costume de religieuse et qu'elle me disait : " Pourquoi n'êtes-vous jamais venue me voir? " Je lui répondis : " Vous demeurez si loin! " Elle répliqua : " Je suis beaucoup plus près de vous que vous ne le croyez. " Ce rêve me fit une telle impression que j'en parlai le matin à ma fille aînée et que j'écrivis le jour même à la sœur de C. W... pour avoir de ses nouvelles. Je vous envoie sa lettre. Il est peut-être bon que je fasse remarquer que je ne partageais nullement les opinions religieuses de C. W... et que le seul lien qui existât entre nous était le souvenir d'une amitié d'enfance. »

A ce récit de lady Sudeley était jointe une lettre de son amie, en date de Middleton Lodge, Bournemouth, le 30 septembre, commençant ainsi : « J'ai reçu votre lettre le mercredi soir et suis surprise que vous n'ayez pas appris que C... nous avait été enlevée le lundi 25. Il n'en est que plus étrange que vous ayez rêvé d'elle dans la nuit du mardi au mercredi. » La lettre continuait en disant que « la mort est survenue si vite et si imprévue, qu'on n'eut même pas le temps d'écrire et que nous avons reçu un télégramme lorsque tout a été fini ». On savait cependant que C... était malade. Le 17 décembre 1887, miss Hanburg

Tracy, la fille aînée de lady Sudeley (E. Gurney), me dit qu'elle se rappelait parfaitement le récit que sa mère lui avait fait de son rêve, le matin même qui le suivit.

« Je me rappelle que ma mère, en s'éveillant le matin, me dit qu'elle avait fait, au sujet de son amie miss W... un rêve tel qu'elle éprouvait le besoin d'écrire aussitôt pour demander de ses nouvelles. »

Nous pouvons ajouter ici un autre cas analogue, extrait également des papiers de M. Gurney, et relaté le 14 mai 1888 :

« Il y a quelques semaines, il m'est arrivé un fait bien curieux de voyage de la pensée. Un matin, à la première heure, il me sembla que je me trouvais au milieu d'une grande quantité de bouquets et de couronnes de fleurs entièrement blanches, tandis que près de moi un grand jeune homme, de consistance vaporeuse, mais parfaitement distinct, nous regardait. Je reconnus aussitôt en lui un ami d'autrefois, mais bien changé. Il n'était encore qu'un enfant lorsque je l'avais vu pour la dernière fois, dix ans auparavant.

Dès ce matin même je dis à plusieurs membres de ma famille que H. B... était mort et que j'avais assisté à l'arrangement des fleurs en vue de ses funérailles.

La semaine suivante j'appris de sa sœur que H. B... était mort, et qu'on l'avait enterré le jour même où je l'avais vu. On m'avait dit six semaines auparavant qu'il était de retour des Indes et que les siens craignaient beaucoup qu'il ne fût malade de la poitrine.

Je vous signale ce cas parce qu'il est encore tout récent et que l'un de mes fils et ma belle-fille, qui habitaient alors avec moi, peuvent confirmer mon récit. »

De Mme Alexandre Thompson (Kent), le 15 juin 1888 :

« Je me souviens que pendant mon séjour à B..., en mars 1888, Mme C. B... dit pendant un déjeuner qu'elle venait de faire une *sorte* de rêve. Je ne m'en rappelle pas tous les détails, mais il est évident qu'ils étaient particulièrement nets dans ce rêve. Elle était dans une chambre au milieu d'une grande quantité de fleurs blanches qu'elle arrangeait en bouquets, lorsqu'elle vit à côté d'elle dans cette chambre la forme vaporeuse de H. B..., un de ses amis d'enfance. Elle ajouta qu'elle craignait bien qu'il ne fût mort. Quelques jours plus tard une lettre vint nous annoncer ce décès. Nous avons comparé les dates et Mme C. B... trouva que son rêve avait eu lieu le jour même des funérailles de H. B... »

Nous réunissons dans une autre catégorie les rêves pendant lesquels des agents ou des entités intelligentes viennent nous avertir d'un grand danger : ces rêves ont un caractère objectif.

« J'ai eu, raconte Alfred V. Peters, plusieurs rêves prophétiques. Étant enfant, j'habitais non loin de la Tamise qui venait inonder ses rives aux marées du printemps. Dans un rêve, je me promenais le long d'un canal; je ramassai un fragment cubique d'ardoise et au même instant un parent vint, courant vers moi et me criant : " Rentre vite! dis à ta mère que la marée monte rapidement et que la maison va être envahie par l'eau ", et une voix venant de l'espace dit : " Souviens-toi! " Peu après, tout arriva comme l'avait annoncé le rêve. Je marchais le long du canal; je ramassai un fragment d'ardoise, le parent que j'avais vu en rêve courut vers moi, me disant les paroles que j'avais entendues dans le même rêve, et la marée envahit notre maison.

Une autre fois, je me trouvais encore, en rêve, sur les bords du canal et je vis un convoi mortuaire, mais bien que sentant qu'on inhumait un de mes parents, je ne pus m'approcher du convoi, retenu que j'étais par je ne sais quoi. Ce rêve se réalisa exactement. L'inhumation d'un oncle chéri eut lieu; les membres de ma famille suivirent le convoi, mais j'étais alors très malade et très faible, si faible que je ne pus m'approcher du convoi, et ainsi je ne pus prendre part à la cérémonie funèbre. »

Rêves simultanés identiques chez plusieurs personnes

Nous trouvons dans la troisième classe les rêves qui se produisent en même temps et de la même manière chez plusieurs personnes, sans entente préalable.

M. W. Schweikert, de Feldkirch, près de Munich, adresse la communication suivante au *Zeitschrift für Spiritismus* (13 juillet 1901) : « La femme d'un de nos amis rêvait récemment d'abricots. A son réveil, elle pensa aussitôt à son rêve. Sa fille, âgée de cinq ans, qui avait dormi jusqu'à ce moment, vint dans le lit de sa mère, et ses premières paroles furent : " Maman, il y a ici une bonne odeur d'abricots! " Je dois dire que l'enfant n'avait aucune raison plausible de parler d'abricots... »

Voici une réflexion que fait suivre le rédacteur du *Zeitschrift* :

« Les cas de transmission de pensée s'observent souvent pendant le sommeil du percipient ainsi que de l'agent. Ce phénomène est assez connu sous le nom de " double rêve ".

Si deux personnes endormies font en même temps le même rêve, avec complète concordance des détails, le phénomène ne peut avoir logiquement que deux sortes de causes. Ou bien 1°) les deux cerveaux sont ébranlés par une troisième cause commune; ou bien 2°) la cause en réside dans l'un des deux cerveaux, dont les images se transmettent inconsciemment au cerveau de l'autre dormeur.

Le premier cas peut se présenter s'il se produit dans la rue un bruit que les deux dormeurs interprètent de la même manière. Ainsi, d'après Abercrombie, un homme et une femme rêvèrent, incités par un bruit, que les Français avaient débarqué à Edimbourg, événement alors universellement redouté.

Freiligrath donne un exemple de l'autre cas : « Je songeais sérieusement, dit-il, à passer en Amérique du Nord. Vers cette époque, ma femme lut un jour, je ne sais trop dans quel livre, au sujet de la dame blanche du château royal de Berlin, que souvent on la voyait à l'état de fantôme balayant une chambre. Elle se rappela que je lui avais parlé une fois, jadis, de l'apparition analogue d'une dame blanche dans le château de Detmold, et elle résolut de me demander, à mon retour du bureau, si cette dame blanche avait également été vue parfois balayant une chambre. Le soir, j'apportai des lettres importantes d'Amérique; on parla activement du projet d'émigration et la question concernant le fantôme fut oubliée. La nuit, je me tournai et me retournai avec agitation dans le lit, et réveillai donc ma femme. Elle me demanda si j'étais malade. " Non, lui répondis-je, mais je suis poursuivi d'un rêve singulier. Dès que je me rendors, je vois la dame blanche balayer les appartements du château de Detmold, et cependant je n'ai jamais entendu dire qu'elle se montre en balayeuse. " Ma femme me raconta alors que la question qu'elle voulait m'adresser lui était revenue à l'esprit dans le sommeil... »

Schubert parle d'un psychologue qui, à l'époque où il était major-dome dans la maison d'un fermier, eut exactement le même rêve que le fils aîné de celui-ci venu en visite. Mirville mentionne un homme célèbre qui eut toujours des rêves identiques à ceux de sa femme. Si, par exemple, il rêvait d'un ami décédé, sa femme le voyait en même temps en rêve, dans le même lieu, sous le même costume, etc. Le professeur Nasse raconte qu'une mère rêvait qu'elle était attablée avec ses enfants, avec l'intention de les empoisonner avec des liquides. Elle leur demanda successivement lequel d'entre eux était disposé à en boire; quelques-uns acceptaient, d'autres voulaient encore vivre. Lorsqu'elle sortit de ce rêve terrible, elle entendit gémir son fils, âgé de onze ans, et apprit, en le questionnant, que son rêve lui avait été transmis. Fabius raconte ce qui suit : une femme de La Haye avait l'habitude d'inscrire chaque jour les petits événements familiers pour en faire part à sa fille qui vivait dans les Indes occidentales. Celle-ci faisait de même. Un jour, la mère rêva que le navire auquel sa fille avait confié son avoir, à l'époque où elle préparait son retour dans la patrie, avait fait naufrage et péri corps et biens. Elle écrivit ce rêve à sa fille, mais cette lettre croisa une autre de celle-ci qui avait eu exactement le même rêve et le racontait à sa mère. Schopenhauer a donné des exemples analogues.

Justi rapporte que sa femme et lui eurent la même nuit le même rêve symbolique relatif à la mort de leur garçon de neuf ans. Trois jours après, l'enfant mourut. Chez la voyante de Prévorst, il arriva que les visions fantomales qu'elle avait apparaissaient en rêve aux personnes qui dormaient dans la même chambre qu'elle. Une fois, sa garde-malade eut la vision du père de la voyante; celle-ci dormait paisiblement, mais raconta le lendemain qu'elle avait rêvé de son père. Le frère et la sœur de la voyante, qui habitaient loin d'elle, eurent la même nuit le même rêve.

Que des visions mystiques de ce genre puissent se transmettre, il n'y a pas à s'en étonner, car bien que leur source soit différente, elles sont cependant identiques aux normales au point de vue du processus cérébral.

Le sentiment du « déjà vu »

On rangera dans cette dernière classe les rêves qui n'ont pas la même importance, et, que l'on pourrait expliquer dans bien des cas par une coïncidence fortuite, comme il s'en produit souvent dans la vie.

Nous citons la *Revue des sciences psychiques,* du mois de novembre 1901.

Le cas suivant a été publié par C. Flammarion.

« En 1868, écrit Paul Leroux, j'avais alors dix-sept ans, j'étais employé chez un oncle établi épicier, 32, rue Saint-Roch. Un matin, et après lui avoir souhaité le bonjour, encore sous l'impression d'un rêve qu'il avait eu dans la nuit, il me raconta que dans ce rêve il était sur le pas de sa porte, lorsque ses regards se portant dans la direction de la rue Neuve-des-Petits-Champs, il en voit déboucher un omnibus de ville de la Compagnie des chemins de fer du Nord, qui s'arrête devant la porte de son magasin. Sa mère en descend, et l'omnibus continue sa route, emportant une autre dame qui était dans la voiture avec ma grand-mère, laquelle dame, vêtue de noir, tenait un panier sur ses genoux.

Tous les deux, nous nous amusions de ce rêve si peu en rapport avec la réalité, car jamais ma grand-mère ne s'était aventurée à venir de la gare du Nord jusqu'à la rue Saint-Roch. Habitant près de Beauvais, lorsqu'elle voulait venir passer quelque temps chez ses enfants, à Paris, elle écrivait de préférence à mon oncle qui était celui qu'elle affectionnait le plus, et il allait la chercher à la gare, d'où il la ramenait en fiacre, invariablement.

Or, ce jour-là, dans l'après-midi, comme mon oncle regardait les passants sur le pas de sa porte, ses yeux se portant machinalement vers le coin de la rue Neuve-des-Petits-Champs, il voit tourner un omnibus du Chemin de fer du Nord qui vient s'arrêter devant son magasin.

Dans cet omnibus il y avait deux dames, dont l'une était ma grand-mère qui en descend, et la voiture continue sa route emportant l'autre dame telle qu'il l'avait vue en rêve, c'est-à-dire vêtue de noir, et tenant son panier sur ses genoux. »

Le numéro 32 de la rue Saint-Roch, à Paris, où une prémonition se réalisa en 1868.

Supposons, ajoute le narrateur, que l'épicier de la rue Saint-Roch n'ait pas communiqué son rêve à son neveu. Qu'est-ce qu'il en serait advenu? En assistant ensuite à la scène de l'omnibus, au coin de la rue Neuve-des-Petits-Champs, et aussitôt saisi par le sentiment du " déjà vu ", il aurait raconté à sa grand-mère, à son neveu et à qui voulait l'entendre, le rêve qu'il avait fait la nuit précédente. La grand-mère, le neveu et les autres y auraient peut-être cru; mais on se serait aussi écrié avec un peu de précipitation :

« En voilà un qui est dupe d'une illusion lui faisant croire que c'est dans un rêve qu'a eu lieu la première perception! »

L'oncle de M. Paul Leroux avait heureusement parlé de son rêve avant que la scène rêvée se reproduisît dans la vie réelle; il s'agissait réellement d'un rêve prémonitoire; on se tromperait en supposant que le souvenir d'avoir rêvé la scène qui donne lieu au sentiment du " déjà vu " ne soit toujours qu'une illusion, une erreur de la mémoire.

L'oncle de M. Paul Leroux se souvenait parfaitement du rêve fait quelques heures auparavant, il avait à côté de lui un homme qui le connaissait à son tour – par conséquent il n'a pas été saisi par le trouble mystérieux qui accompagne nécessairement le sentiment du " déjà vu ", lorsque le percipient ne parvient pas à se rendre compte de l'origine du sentiment en question.

Si quelques semaines, ou quelques mois, s'étaient passés avant la réalisation du rêve, de façon que le souvenir de celui-ci se soit effacé de la mémoire consciente de l'épicier et de son neveu, alors tous deux se seraient évertués, peut-être en vain, à comprendre pourquoi la scène de l'omnibus ne leur était pas chose nouvelle.

Cette observation suffit à nous expliquer pourquoi ne sont pas plus nombreux les cas servant à prouver que la paramnésie tire parfois son origine d'un rêve prémonitoire. Ou vous vous souvenez parfaitement du rêve et vous vous en êtes même entretenu avec quelqu'un de vos familiers – et alors il s'agit sans contredit, non pas d'une paramnésie, mais d'un rêve prémonitoire; ou bien le rêve n'a laissé aucune trace, ou seulement une trace fort vague, dans votre mémoire consciente, et alors le lien qui rattache le sentiment du " déjà vu " au rêve n'est plus évident, et il est permis de le contester.

Mais si les rêves prémonitoires existent – et il y en a des centaines d'exemples bien documentés – ils doivent nécessairement, fatalement donner lieu à des cas de paramnésie, lorsque ces rêves n'ont pas laissé de trace bien claire dans la subconscience du percipient.

On pourra contester la réalité des rêves prémonitoires, en contestant l'exactitude de l'observation des faits; mais si on les admet, l'on ne pourra pas en nier la conséquence qui en découle, parce qu'elle est de toute évidence.

Le lieutenant-colonel de Rochas d'Aiglun, administrateur de l'Ecole polytechnique.

Une vie antérieure

M. de Rochas s'occupe aussi des rêves rétrospectifs ou ataviques qui nous font vivre pendant quelques instants la vie de nos ancêtres, qui nous font voir et sentir ce qui a été vu et senti par quelqu'un de nos aïeux plus ou moins proches, rêves que Walter Scott a désignés improprement sous le nom de sentiment de la préexistence et qui consistent en ce qu'un milieu, un paysage, une maison que nous ne connaissons pas nous paraît aussitôt connu, familier, et nous arrache ce cri d'étonnement : « Mais, j'ai vu autrefois cette maison! »

Rêves ancestraux, écrit M. Letourneau, qui nous font voir et sentir, par une sorte d'hérédité, ce que nos aïeux ont connu et senti.

Ainsi, les uns voient dans ces rêves un phénomène d'hérédité physique et les autres un phénomène qui se rattacherait à notre préexistence ou à la réincarnation. Il faudrait cependant des arguments plus sérieux que ceux habituellement avancés pour nous faire croire que nous avons déjà vécu autrefois sur cette terre, à cet endroit, dans cette maison, au milieu de ce paysage, et qu'en le voyant, un souvenir se réveille en nous. Une simple ressemblance entre ce paysage et un site dont le souvenir effacé s'éteignait dans notre inconscient suffirait pour expliquer notre illusion.

Une autre explication ne nous paraît pas plus satisfaisante; certaines substances des filaments chromatiques du noyau de la cellule cérébrale auraient conservé des molécules des ancêtres, mais nous savons que toutes les molécules de notre corps se renouvellent et disparaissent plusieurs fois, très souvent pendant la vie.

Pour qu'un fait ancestral, explique le Dr Lux, pût donner lieu à la série des faits complémentaires, capables, par leur union, de reproduire l'événement atavique, il faudrait que les molécules ancestrales qui servent de support à l'empreinte psychique restent dans le cerveau du descendant, c'est-à-dire du rêveur endormi, dans le même rapport que celui où elles se trouvaient dans le cerveau de l'ascendant, sans intrusion de nouvelles molécules albuminoïdes capables de s'ajouter ou de se combiner chimiquement avec elles, et par cela même de faire varier les rapports de contiguïté intracellulaires et intercellulaires qui s'étaient établis chez l'ascendant, grâce à des courants d'influx nerveux sillonnant le cerveau d'une partie à l'autre. Or, il n'en est jamais ainsi, car les influences paternelle et maternelle ont changé la disposition des molécules du cerveau.

Les rêves ancestraux ne nous apprennent rien. Les rêves prophétiques si fréquents dans la mystique chrétienne appellent notre attention et nous intéressent davantage : la foi explique ce que la raison constate et ne comprend pas. Nous répondons ainsi d'avance à cet aveu découragé par lequel M. de Rochas termine un article intéressant sur les rêves :

« J'avoue qu'en face de la précision de certains détails, il faut admettre une prévision de l'avenir tellement nette qu'elle déroute l'entendement des spiritualistes aussi bien que des matérialistes [1]. »

L'histoire véridique de M. Bérard

Au moment où il débutait dans la magistrature, M. Bérard s'en alla faire une longue excursion dans les montagnes des Cévennes, et coucha un soir dans une auberge perdue au milieu d'une gorge sauvage. La nuit, la fatigue sans doute lui donna un cauchemar affreux. Il voyait l'aubergiste et sa femme s'approcher de son lit sans qu'il eût la force de se relever et de crier. L'homme tenait un grand couteau de cuisine à la main et lui coupait la gorge, pendant que la femme cramponnée à ses bras, l'empêchait de se défendre.

Quand il ne remua plus, les deux assassins le prirent l'un par les pieds, l'autre par la tête, et le portèrent dans le trou à fumier. Il ne se releva que sous l'impression douloureuse du fumier qui pesait sur sa poitrine et l'étouffait.

Le cauchemar avait été si horrible que le jeune magistrat s'éveilla, baigné de sueur, en proie à un trouble nerveux indicible. Il s'habilla à la hâte et partit. Mais, en quittant l'auberge où il avait passé une si mauvaise nuit, il regarda longuement l'homme et la femme, et, sans

---

1. *Annales des sciences psychiques,* mai-juin 1901.

doute, sous l'impression du rêve affreux qui l'avait tourmenté, il lui parut que tous deux avaient des têtes de bandits.

Un an après M. Bérard était nommé substitut, justement au chef-lieu d'arrondissement de ce pays sauvage où il avait si mal dormi. En arrivant au parquet, il fut mis au courant d'une instruction judiciaire qui, depuis l'année précédente, passionnait toute la contrée.

Un officier ministériel, notaire ou huissier, je ne me souviens plus exactement, avait disparu l'année précédente, un jour qu'il était allé toucher une grosse somme. On était certain que le malheureux avait été assassiné, et on ne parvenait pas à découvrir les assassins. Cependant, au moment où arriva M. Bérard, les dénonciations anonymes avaient prévenu le parquet que, le soir de sa disparition, l'huissier ou le notaire s'était attardé dans une auberge d'où on ne l'avait pas vu sortir.

Le juge d'instruction, sur cette simple indication, avait arrêté les aubergistes, l'homme et la femme, et conviait M. Bérard, pour ses débuts, à assister à leur interrogatoire.

Quel ne fut pas l'étonnement du substitut en reconnaissant dans les deux personnes arrêtées, l'hôte et l'hôtesse de l'auberge du mauvais rêve. Il lui vint aussitôt comme une intuition, et il demanda au juge la permission d'interroger, à son tour, cet homme et cette femme qui niaient avec la dernière énergie.

" Vous êtes les coupables, leur dit-il, et je le sais d'autant mieux que je vous ai vu commettre votre crime. C'est vous, l'homme qui avez coupé la gorge de la victime, avec votre couteau, et tous deux vous avez porté le cadavre dans le trou à fumier où il doit être encore. "

Les deux aubergistes furent pris d'un tremblement nerveux; il leur semblait, sans doute, qu'ils voyaient apparaître devant eux le spectre de l'homme qu'ils avaient assassiné; ils se jetèrent à genoux, éperdus, et avouèrent leur crime. On retrouva le cadavre dans le trou à fumier.

Des communications surnaturelles?

Les communications divines et prophétiques pendant le sommeil sont fréquentes dans les saints Livres, elles remplissent le Nouveau Testament, on les retrouve aussi dans la vie des saints.

On peut méditer avec Lesueur sur les songes prophétiques de saint Bruno. C'est dans l'église de Molesmes, couché sur la dalle, exténué de fatigue et plongé dans un profond sommeil, qu'il voit trois anges lui annoncer le secours de Dieu et sa continuelle protection dans la fondation de l'ordre des Chartreux. C'est aussi dans un songe mystérieux que saint Hugues voit sept étoiles tomber à ses pieds, se relever, et le conduire à travers les défilés de la montagne, jusqu'au plateau sauvage appelé Chartreuse.

Le lendemain, sept voyageurs, sous la direction de saint Bruno, se présentent chez lui, se dirigent vers la montagne, cherchent le lieu désert où ils veulent vivre et mourir dans les rigueurs de la pénitence, et ils réalisent le songe prophétique du saint évêque de Grenoble.

Je citerai encore des pressentiments extraordinaires qu'il est actuellement impossible d'expliquer.

« Un des cas les plus remarquables de pressentiment que je connaisse est ce qui arriva, il n'y a pas longtemps, à bord d'un des navires de Sa Majesté, en rade de Portsmouth. Les officiers étant un jour à table, un jeune lieutenant, M. P..., posa subitement couteau et fourchette, repoussa son assiette et devint très pâle. Se couvrant le visage de ses deux mains, il se leva de table et se retira.

Le président du mess, le croyant malade, envoya un des jeunes officiers savoir ce qu'il en était. M. P... ne voulut d'abord rien dire, mais finit par avouer qu'il avait été saisi par l'impression subite et irrésistible qu'un frère qu'il avait alors aux Indes était mort.

" Il est mort, dit-il, le 12 août, à 6 heures, j'en suis parfaitement sûr. " Rien ne put affaiblir cette conviction, et, en temps voulu, la chose se vérifia à la lettre. Le jeune homme était mort à Carrupore, au moment précis qui avait été mentionné. »

J'ai entendu citer plusieurs exemples de gens rentrant précipitamment parce qu'ils pressentaient le feu.

M. de Caldenrrod, s'étant absenté, fut saisi d'une telle anxiété au sujet des siens qu'il se sentit poussé à venir les rejoindre et leur faire quitter la maison qu'ils habitaient; une aile s'écroula immédiatement après leur sortie. Il n'avait jamais eu l'idée d'un tel accident, et il n'y avait aucune raison de s'y attendre, un défaut dans les fondations en était la cause.

Un fait identique est raconté par Stilling. Le professeur Bœhm, qui enseignait les mathématiques à Marburg, était un soir avec des amis et fut pénétré tout à coup de la conviction qu'il devait rentrer. Mais, comme il prenait tranquillement son thé et n'avait rien à faire chez lui, il résista à ce sentiment qui revint, cependant, avec une telle force qu'il fut obligé de céder.

Arrivé chez lui, il trouva tout comme il l'avait laissé, mais se sentit poussé à changer son lit de place : il résista encore à cette impulsion. Cependant toute résistance était vaine. Si absurde que cela parût, il sentit qu'il devait le faire. Il appela donc la bonne, et tira avec son aide le lit de l'autre côté de la chambre. Cela fait, il se sentit à son aise et retourna finir la soirée avec ses amis. On se sépara à dix heures. Il rentra, se coucha et s'endormit.

Il fut éveillé au milieu de la nuit par un grand fracas et s'aperçut qu'une grosse poutre était tombée, entraînant une partie du plafond.

Lisons cette remarque de Franz Hettinger, théologien de l'université de Wurtzburg :

« Quand on s'est pénétré de la pensée que nous sommes liés et formons un même tout avec l'univers entier, avec notre système solaire, avec notre terre, et surtout avec la nature qui nous environne; que notre essence est continuellement traversée et influencée, quoique à notre insu, par les irradiations vitales de toutes ces sphères, on s'étonne beaucoup moins de certaines perceptions mystérieuses de nos nerfs, de certains pressentiments extraordinaires. »

Nous admettons, comme un fait constant, l'instinct des bêtes parce qu'il n'est pas possible de le contester; mais le pressentiment chez l'homme est-il plus incompréhensible que l'instinct? Ils vont tous les deux de pair, et parallèlement l'un à l'autre. L'instinct des animaux est la perception immédiate de ce qui regarde leur conservation, et le pressentiment est le sentiment immédiat de changements qui se préparent.

« Il est très certain, dit Gœthe, que, dans certains cas, les fibres sensibles de notre âme peuvent atteindre au-delà de nos limites corporelles, qu'elles jouissent quelquefois du pressentiment ou de la vue réelle de notre prochain avenir. Nous sommes dans un milieu dont nous ignorons les mouvements et les influences sur nous, ainsi que les relations avec notre âme (...). Il m'est arrivé souvent, lorsque j'étais en compagnie d'un ami et que j'avais l'esprit vivement occupé d'une pensée, de voir cet ami me parler, le premier, de ce que j'avais dans l'esprit. Une âme peut aussi agir sur une autre par sa présence muette. »

Le Dr Macario raconte le fait suivant :

« Le jeudi 7 novembre 1850, au moment où les mineurs de la charbonnerie de Belfast se rendaient à leur travail, la femme de l'un d'eux lui recommanda d'examiner avec soin la corde de la benne ou cuffard, qui sert à descendre au fond du puits.

" J'ai rêvé, dit-elle, qu'on la coupait pendant la nuit. " Le mineur n'attacha pas d'abord grande importance à cet avis; cependant, il le communiqua à ses camarades.

On déroula le câble de la descente, et, à la grande surprise de tous, on le trouva haché en plusieurs endroits.

Quelques minutes plus tard, les travailleurs allaient monter dans la benne, d'où ils auraient été infailliblement tous précipités. »

Le sommeil, cette seconde vie de l'homme, nous met ainsi en communication plus intime avec le monde invisible, et par le recueillement profond qui l'accompagne, il nous permet de mieux entendre les voix d'en haut. Apparitions, avertissements mystérieux, pressentiments qui se prolongent jusqu'à l'état de veille, songes prophétiques, tous ces phénomènes nous rappellent un nouvel état de notre vie et des relations qu'il est difficile d'approfondir.

E. MERIC

Chapitre XV

Voir les couleurs
avec les doigts

Jules Romains, de l'Académie française, auteur des Hommes de
bonne volonté, *a fait une recherche minutieuse concernant la possibilité qu'auraient certains individus de percevoir des couleurs ou des
caractères imprimés avec les doigts. Il s'agit de ce que l'on a appelé
la « vision paroptique ». Bien avant les chercheurs russes ou américains
qui ont étudié la question, il a défini le phénomène et a tiré des conclusions saisissantes par leur précision et leur justesse. « Nous vivons à
une époque bien étrange », écrivait-il dans un article de* la Presse médicale [1] *consacré à ce type de vision. « Dans certains secteurs l'information est d'une rapidité insurpassable (...) En revanche d'autres événements mettent des dizaines d'années à joindre ceux même de nos
contemporains à qui leur compétence spéciale fait un devoir d'être les
premiers informés. »*

*L'ensemble des travaux sur la perception des couleurs et la lecture
par les doigts ne conduit cependant pas à la conclusion définitive
qu'une faculté réellement paranormale, comme la télépathie, soit impliquée. Il pourrait entrer en jeu une perception de radiations émises par
les couleurs; le tégument humain aurait des possibilités plus larges que
celles admises jusqu'à présent.*

La vision extrarétinienne est redevenue d'actualité après une période
d'occultation aussi prolongée que peu justifiable.

Lorsque je publiai mes travaux [2] et sollicitai l'attention d'hommes
qualifiés, j'eus à me louer dans l'ensemble de l'attitude des médecins.

---

1. 15 février 1964, pages 479-480.
2. *La vision extra-rétinienne et le sens paroptique* (1re édition) parut en 1920 chez Gallimard.

◄ *Certaines personnes, aveugles ou non, parviennent à distinguer sous contrôle
expérimental des couleurs ou des lettres avec les doigts. (L'aveugle et l'arc-en-ciel,
peinture anglaise du XIXe siècle.)*

Autant certains pontifes de la Sorbonne firent grise mine, autant je fus appuyé et encouragé par divers médecins, dont plusieurs n'hésitèrent pas à se déclarer publiquement. Je garde une gratitude toute spéciale pour le Dr André Cantonnet, chef du service d'ophtalmologie à l'hôpital Cochin, qui eut l'élégance d'organiser dans son service, pour des confrères spécialistes, le 10 janvier 1923, une séance de contrôle entourée de toutes les précautions nécessaires, et dont les résultats furent pleinement satisfaisants. Je note enfin que, dès le 8 décembre 1920, *la Presse médicale* avait publié un article du même Dr André Cantonnet plus que favorable à ma thèse.

Je suis persuadé qu'un médecin, au cours de sa carrière, recueille des observations qui, sans répondre à une indication clinique et encore moins à un désir exprimé par le patient, l'amènent, lui médecin, à pressentir plus ou moins confusément l'existence de phénomènes analogues à ceux que j'ai décrits.

Je devais exposer le détail des méthodes qui m'ont dirigé, décrire les petits appareils dont je me suis servi, et rendre compte au moins de quelques-unes des centaines d'expériences auxquelles je me suis livré pour déterminer avec rigueur les conditions physiques, physiologiques et psychologiques du phénomène. Il n'y faut pas songer, sous peine de dépasser de beaucoup les limites ordinaires d'un article.

Pour le moment, ce que je crois le mieux de faire, en tout cas pour montrer à quel point les résultats invoqués ces temps-ci par des chercheurs américains et soviétiques ne sont que des rudiments et de simples travaux d'approche en comparaison de ceux que j'obtenais il y a plus de quarante ans, c'est de rappeler les résultats principaux auxquels j'étais arrivé, *en insistant encore une fois sur le fait qu'aucun de ces résultats n'a été formulé sans un patient travail d'expérience; et sans parfois que j'eusse soumis telle de mes hypothèses à la compétence d'un physicien de mes amis, dont un avis négatif aurait eu pour moi une grande valeur.*

1. Le tégument humain renferme divers dispositifs et structures, d'ordre microscopique, où le tissu nerveux est intéressé et qui sont morphologiquement bien connus, mais qui ont été pourvus par les histologistes d'attributions fonctionnelles, en particulier d'attributions *sensorielles,* dont certaines sont très faiblement fondées.

2. Ces attributions doivent être révisées de près. Mais la méthode histologique ne saurait remplir cette tâche à elle seule. Tout problème d'attribution sensorielle réclame le concours de l'expérimentation psycho-physiologique.

3. Il serait imprudent d'affirmer *a priori* qu'il ne faut tenir compte dans ces attributions que des fonctions sensorielles actuellement connues et classées. La méthode de *détection* employée par la psychologie expérimentale contemporaine nous montre précisément qu'il peut

244

exister chez l'homme des fonctions mentales, supérieures ou inférieures, dont l'expérience commune ne fournit pas la notion et qui restent à *découvrir.*

4. Or, nos expériences mettent hors de doute l'existence chez l'homme d'une *fonction paroptique,* c'est-à-dire d'une fonction de perception visuelle des objets extérieurs (couleurs et formes), sans qu'intervienne le mécanisme ordinaire de la vision par les yeux.

5. La lumière, au sens usuel du mot, est l'agent excitant de la perception ou vision paroptique.

6. L'opacité, la transparence, la translucidité des objets, la réflexion des images par les miroirs, etc., sont perçues et interprétées par la vision paroptique de la même façon que par la vision oculaire.

7. Les variations d'*intensité* de la lumière ont sensiblement le même effet sur la vision paroptique que sur la vision oculaire.

8. Néanmoins la vision paroptique accuse une certaine nyctalopie [1] qui est plus marquée pour la vision des couleurs que pour celle des formes.

9. La vision paroptique comporte une *perception des couleurs* du spectre qualitativement identique à la perception ordinaire par les yeux.

10. Néanmoins, elle semble reconnaître des limites spectrales plus étendues du côté de l'ultra-violet.

11. La vision paroptique est bien *extra-rétinienne,* c'est-à-dire qu'elle a lieu sans qu'une image soit formée sur la rétine, sans que la rétine reçoive aucune excitation.

12. Le toucher n'a aucune part dans la perception paroptique.

13. La *muqueuse nasale* joue un rôle dans la perception paroptique des couleurs; elle semble n'en point jouer dans celle des formes.

14. Néanmoins la perception des couleurs a lieu, même quand la muqueuse nasale n'intervient pas.

15. La perception des couleurs par la muqueuse nasale n'est point d'ordre olfactif; c'est-à-dire qu'elle ne consiste point en une reconnaissance des odeurs propres aux substances tinctoriales. C'est une perception spécifiquement *optique.*

16. Toute région de la périphérie du corps, à condition qu'elle ait une certaine étendue, est capable d'assurer à elle seule un certain degré de vision extra-rétinienne (perception des formes et des couleurs).

17. Le minimum d'étendue nécessaire paraît situé entre quelques centimètres carrés et un décimètre carré de surface tégumentaire. Il varie selon la région considérée.

18. La vision paroptique s'améliore d'autant plus que de plus nombreuses ou plus vastes régions de la périphérie entrent en jeu.

19. L'importance fonctionnelle des diverses régions est inégale.

---

1. Nyctalopie : aptitude à voir davantage avec le déclin de la lumière.

20. Les caractères généraux de l'espace paroptique sont les mêmes que ceux de l'espace visuel (oculaire).

21. L'échelle des grandeurs est la même pour la vision paroptique que pour la vision ordinaire.

22. Les localisations paroptiques dans l'espace présentent un écart angulaire avec les localisations visuelles ordinaires. Cet écart tend à disparaître avec l'éducation paroptique. Je veux dire par là que le sujet, invité à désigner du doigt la position dans l'espace de l'objet qu'il voit paroptiquement, indique régulièrement un point dont la direction fait un angle avec la situation de l'objet pour la vue ordinaire. Il n'apprend à localiser correctement que par la suite.

23. La perception paroptique du contenu de l'espace est *successive* avant d'être *simultanée*.

24. Le *pouvoir séparateur* de la vision extra-rétinienne est compris, dans nos expériences, entre 1/100 et 1/300, en exercice normal.

25. La fonction paroptique reste latente chez l'homme ordinaire. Elle se réveille grâce à une technique spéciale.

26. Le sens paroptique a pour organe les *ocelles* [1], organites microscopiques situés dans l'épiderme.

27. L'ocelle est un organe visuel rudimentaire mais complet. Il possède un corps réfringent, une rétine ocellaire et une fibre optique.

28. Chaque ocelle est apte à former une image grossière correspondant à un pouvoir séparateur individuel égal ou inférieur à 1/10.

29. Les ocelles sont groupés en ombelles. Chaque ombelle peut être assimilée à une sorte d'œil composé.

30. Les images ocellaires sont recueillies systématiquement, grâce à la disposition convergente des fibres. Elles tendent à former par fusionnement une image centrale beaucoup plus riche, correspondant à un pouvoir séparateur théorique beaucoup plus élevé que le pouvoir séparateur individuel des ocelles.

31. L'ordre de grandeur des ocelles explique : a) qu'un appareil d'accommodation soit inutile; b) qu'il se produise certains phénomènes aberrants comme la pseudo-vision à travers les corps opaques (vision à travers les tissus).

32. Sans qu'il soit possible de déterminer l'emplacement du ou des centres paroptiques, il y a lieu d'envisager : a) une liaison entre le centre optique cérébral et le centre paroptique : b) la situation extra-cérébrale du centre paroptique principal ou au moins d'un centre paroptique secondaire.

33. La perception paroptique est compatible avec l'état ordinaire de la conscience.

1. Il s'agit ici, et dans les six paragraphes suivants, non plus de résultats dictés par des expériences incontestables, mais d'une hypothèse explicative, qui m'est apparue comme la plus vraisemblable, et que je continue à croire telle, tant qu'il n'en sera pas proposé une meilleure. Historiquement, l'ocelle a été découvert et décrit par Ranvier qui lui attribue une fonction tactile (ménisque de Ranvier).

34. Elle exige pour arriver à la conscience une culture méthodique et nouvelle de l'attention.

35. Elle ne peut avoir lieu qu'en l'absence de toute perception visuelle ordinaire.

36. Il convient de distinguer dans la vision extra-rétinienne une vision *homocentrique* et une vision *hétérocentrique*.

37. La théorie indique et l'expérience montre que les aveugles (réserve faite pour les cas de lésion centrale) sont des sujets de choix pour l'éducation du sens paroptique.

38. Une technique appropriée permet d'obtenir, après quelques séances d'exercice, les premiers signes de la fonction chez l'aveugle.

39. La fonction paroptique chez l'aveugle semble présenter exactement les mêmes caractères que chez le clairvoyant.

Jules Romains, écrivain, qui a expérimenté sur la vision paroptique.

Aucune de ces propositions de 1920 n'était avancée à la légère. J'espérais non qu'on me croirait sur parole, mais qu'on referait mes expériences (dont j'indiquais en détail le procédé), en les complétant ou les corrigeant s'il y avait lieu. Ce qui me semble le sort et le cheminement normal de toute découverte.

Mais c'était sans doute trop présumer de notre époque et de son conditionnement intellectuel.

Je ne puis que me réjouir du renouveau d'intérêt dont est l'objet la vision extra-rétinienne, mais il est amer de constater qu'en quarante années la question a fait si peu de progrès. La preuve en est que je n'éprouve pas le besoin de modifier, même par des notes, le texte de l'édition originale parue en 1920. Ce qui ne serait pas concevable si, comme je le souhaitais alors, les travaux de divers chercheurs avaient suivi les miens, et les avaient complétés ou corrigés.

Une amertume supplémentaire, teintée il est vrai d'ironie, est de voir que ce renouveau d'intérêt est dû non à quelque adjonction considérable qu'un chercheur isolé viendrait de faire à mes résultats rendus publics en 1920, mais au fait que des savants étrangers annoncent à son de trompe, et en s'excusant presque de leur audace, des résultats qui représentent au plus le vingtième des miens. Ils se bornent en effet à signaler, sous une forme rudimentaire, à peine dégrossie, un phénomène dont j'avais étudié dans le détail les conditions, le mécanisme, et taché de formuler les lois. Et cela, bien entendu, en m'ignorant tout à fait. Je dis : bien entendu. Car s'ils avaient jeté fût-ce un coup d'œil sur mon traité, ils ne se seraient pas donné le ridicule de « découvrir » ce que je considérais comme un B-A BA il y a près d'un demi-siècle. C'est un peu comme si des physiciens déclaraient aujourd'hui avec fracas qu'ils soupçonnent l'existence de radiations mystérieuses, différentes de la lumière, et capables de traverser les corps opaques.

Nous vivons certes à une époque bien étrange. Dans certains secteurs l'information est d'une rapidité insurpassable. L'arrivée d'une chanteuse de music-hall sur un aérodrome américain nous est connue dans l'instant même où elle se produit; et le récit de cet événement s'illustre souvent d'une image à la télévision. En revanche d'autres événements, moins considérables, il est vrai, mettent des dizaines d'années à joindre ceux même de nos contemporains à qui leur compétence spéciale fait un devoir d'être les premiers informés.

J'espère que, cette lois, le souhait que je formulais en 1920 va être enfin exaucé et qu'une équipe de jeunes savants se trouvera quelque part pour inscrire la vision extra-rétinienne à son programme de travail; et non pas pour balbutier le B-A BA de la question, mais pour continuer, développer, et s'il y a lieu corriger les méthodes, le travail expérimental et les conclusions exposées clairement ici.

Peut-on développer la faculté de vision extra-rétinienne?

Au point où nous en sommes parvenus, une idée se présente spontanément à l'esprit : la vision extra-rétinienne a les caractères d'une fonction commune à tous les individus de notre espèce, au moins en tant que fonction latente. Tout homme possède les organites périphériques nécessaires. Il est probable que ces organites   fonctionnent à tout moment et chez n'importe qui : des images élémentaires doivent se former dans les *ocelles* : les *fibres* transmettent des excitations qui se composent et se systématisent de proche en proche. Mais la conscience ordinaire de l'homme ne les accueille pas. Ou bien elles vont se perdre dans quelque centre nerveux sans donner lieu à aucun fait psychique; ou bien elles vont enrichir quelque conscience secondaire, hors des frontières traditionnelles de notre moi.

De toute façon, nous sommes fondés à admettre que chacun de nous est actuellement le siège de phénomènes paroptiques, dont sa conscience n'est point informée; et à nous demander s'il n'est pas possible de les tirer à la lumière de la conscience ordinaire.

Car la mutation de régime, provoquée expérimentalement, n'a point de vertus miraculeuses. Elle est un procédé brutal, massif, elle change brusquement l'horizon de la conscience. Mais ce qu'elle obtient par une sorte de violente discontinuité, ne pourrait-on l'obtenir par une opération plus progressive, par une extension ou un approfondissement de la conscience ordinaire, sans rupture?

J'ai donc formé le dessein de « réveiller » en moi-même la fonction paroptique en prenant toutes les précautions pour demeurer par ailleurs dans les conditions de la conscience ordinaire.

Mes expériences ont été très longues, très pénibles; je n'ai pu les poursuivre qu'au prix d'une dépense considérable de volonté, et que soutenu par les prévisions de la théorie. En revanche, elles m'ont donné des résultats inappréciables, et m'ont révélé des aspects nouveaux du problème.

Qu'on me permette d'observer qu'il serait vain d'entreprendre une telle série d'expériences, sans posséder quelques garanties sur la lucidité, je dirai même « l'objectivité » de sa propre introspection. L'expérimentateur doit connaître avec précision son degré de suggestibilité. S'il est le moins du monde enclin à confondre le perçu et l'imaginaire, s'il ne possède pas avec intégrité le « sentiment du réel », mieux vaut qu'il s'abstienne. Au contraire, une suracuité de conscience peut être fort avantageuse.

Par quels procédés faire apparaître, dans sa propre conscience, la fonction extra-rétinienne supposée latente, et cela en s'écartant le moins possible des conditions normales, c'est-à-dire, en particulier, sans que la continuité de la mémoire et la netteté de la réflexion critique soient atténuées en rien?

Faute de précédents, faute d'expérience acquise, on ne peut, au début, procéder que par tâtonnement.

La pratique des expériences objectives – effectuées sur autrui – donne bien quelques indications, mais plutôt encore sur les résultats à atteindre que sur les moyens à employer.

Il est probable, a priori, que l'attention volontaire et la concentration de la conscience seront indispensables. Mais il n'est pas commode de faire attention à quelque chose qui n'est pas encore « actuel », de concentrer sa pensée sur un point non défini. On en est donc réduit à rechercher une sorte de « silence » de la conscience, et à épier dans ce silence le plus léger indice.

D'où, pour celui qui part à la découverte, une première période d'attente, fort peu encourageante, et qui peut se prolonger assez de temps.

Le dispositif de l'expérience est aisé à concevoir : se bander soigneusement les yeux, se recueillir, placer en face de soi, à petite distance, un objet bien visible – couverture de livre ou de revue, feuille portant des signes quelconques, nombre sous châssis – avoir la volonté intense de voir l'objet; essayer au besoin les gestes qui sont familiers aux personnes douées de clairvoyance paroptique; par-dessus tout prendre une attitude d'extrême attention perceptive. Résumé ainsi en quelques mots, le programme paraît simple. L'application en est singulièrement complexe et ardue.

D'abord on est amené à constater que l'homme actuel, tel que l'ont formé notre civilisation et nos méthodes mentales, n'a aucune habitude ni même aucune idée de ce que c'est que l'attention. Nous nous attribuons une faculté éminente d'attention, parce que nous sommes capables de lire, sans distractions notables, un mémoire de physique de cent pages. Nous ne nous apercevons pas que ces cent pages sont en réalité une succession rapide de faits, d'images, de perspectives sans cesse renouvelées, d'excitations sans cesse rajeunies et imprévues. Nous sommes tenus en haleine par un défilé fantasmagorique – ou cinématographique. De même, nous sommes très fiers de pouvoir méditer un problème pendant de longues heures : nous ne nous apercevons pas que l'idée centrale du problème est la souche de ramifications innombrables, et que notre esprit s'amuse à suivre tantôt l'une, tantôt l'autre de ces directions divergentes et capricieuses. Mais l'attention vraiment fixé qui se cramponne à un objet immuable, et qui le pressure en quelque sorte pour en extraire tout le contenu, nous n'en avons pas le moindre soupçon. Tel grand mathématicien, tel philosophe « profond » n'est qu'un nouveau-né à cet égard. Et les ascètes de toutes sortes, depuis les fakirs de l'Inde jusqu'à certains empiriques modernes, en passant par les extatiques chrétiens, auraient beaucoup à enseigner sur ce point à nos penseurs les plus pénétrants.

Certes, notre attention est discursive, au sens où « discursif » signifie « coureur ». Nous sommes habiles à suivre des fuites d'idées. Mais que la proie s'immobilise, et elle nous échappe, emportés que nous sommes par notre élan.

Il faut donc apprendre d'abord à être attentif. Les progrès sont d'ailleurs assez rapides. Ils ne m'ont pas donné de résultats immédiats pour deux raisons.

1. Je me figurais, je ne sais trop pourquoi, que les premières sensa-

tions paroptiques devaient m'apparaître comme des états à localisation interne comme des visions en quelque sorte intracérébrales, et pour les déceler je prenais l'attitude mentale de l'homme qui cherche à préciser un souvenir ou une représentation imaginaire. Je m'efforçais de voir « en dedans ».

La suite m'a montré que cette attitude est vicieuse. Il faut tout au contraire s'efforcer de voir « hors de soi », d'atteindre l'objet à la place, à la distance où il se trouve; il faut oublier qu'on a un bandeau, ne point penser à ses yeux, ni à aucun processus particulier de perception; faire comme si on avait naturellement le pouvoir d'entrer en contact direct avec des choses extérieures présentes; comme si le milieu et les objets qui le composent s'offraient à nous, s'affirmaient à nous sans intermédiaire. En un mot, tout se passe comme si nous étions doués de perception immédiate.

2. Par une mauvaise interprétation de ce que j'avais constaté chez les sujets, je croyais devoir diriger mes premiers efforts de vision sur des signes, mots imprimés, nombres. Or, comme je m'en suis convaincu plus tard, de tels exercices supposent une fonction déjà développée. Il est très légitime de les exiger des sujets, parce qu'ils permettent un contrôle rigoureux, et aussi parce que la mutation de régime abrège prodigieusement les étapes. Mais si l'on cherche à découvrir par introspection les toutes premières lueurs du phénomène paroptique, il faut s'exercer à voir des objets plus volumineux et brillants, par exemple un meuble, le montant d'un cadre doré, une boule de cristal, etc. La première chose à faire serait même d'essayer de percevoir non point un objet particulier, mais l'« alentour », la lumière extérieure, l'espace, si vague et confuse que soit au début cette perception.

Le développement de la fonction

Une dizaine de séances, réparties sur un mois environ, et dont aucune n'atteignit une heure de durée, se passèrent sans que le plus faible signe de vision se manifestât. Ces séances furent fatigantes, et décevantes, mais point infructueuses. D'abord j'y appris les rudiments de l'attention. Ensuite je constatai à quel point il est impossible à un homme de mon organisation – c'est-à-dire normal – de se suggestionner si peu que ce soit. Il m'arrivait d'avoir en main un objet bien connu, une couverture de livre dont j'aurais reproduit par cœur les moindres détails. J'imaginais l'objet sans difficulté, mais pas une seconde je n'eus l'impression de le voir.

J'admirais même avec quelle tranquille lucidité une conscience normale fait le départ entre l'imaginaire et le perçu, avec quelle assurance spontanée et irrécusable elle refuse de prendre ses désirs pour des réalités. Je conseille cette petite expérience aux théoriciens d'un certain idéalisme.

La séance suivante dura plusieurs heures avec de courts repos et m'imposa une grande dépense d'énergie qu'il aurait été facile d'apprécier du dehors (accélération respiratoire, accélération cardiaque, tension musculaire, etc.). J'obtins un résultat. J'entrevis, non point avec netteté, mais avec une objectivité, une « extériorité » saisissantes dont on ne peut se faire une idée sans les avoir éprouvées, les objets ci-dessous :

La couverture jaunâtre d'une brochure, sous la forme d'une tache brun-jaunâtre, sans contours précis, et sans nul détail, que je voyais fort bien se déplacer ou changer de dimensions lorsqu'il y avait déplacement de l'objet;

Un sac de voyage jaune à fermoirs nickelés, le sac lui-même comme une masse très confuse, vaguement colorée de jaune-roux, les fermoirs comme des raies un peu plus brillantes;

D'une manière encore plus vague et fuyante le parquet de la pièce et le mur le mieux éclairé.

J'eus surtout l'impression d'ensemble que la nuit opaque où j'étais enfermé dans les séances précédentes cédait la place à une lueur faible et trouble, comparable à celle qui subsiste vers le milieu d'un assez long tunnel, lueur qui dévoile à peine les formes les plus saillantes de quelques objets.

J'ajoute que cette entrevision était vacillante et discontinue. Elle durait deux ou trois minutes, puis le noir absolu revenait pendant un gros quart d'heure.

Je tiens à souligner qu'au cours de cette séance, je ne quittai point l'attitude critique la plus vigilante – comme si j'eusse examiné une coupe au microscope. Et bien que fort intéressé par cette apparence de résultat, je m'interdis de conclure.

Après un intervalle de deux jours, je recommençai des expériences, réparties chaque jour sur quatre, cinq et même six heures. Je me hâte de dire qu'elles étaient beaucoup trop longues, et que des séances d'une heure auraient donné les mêmes résultats avec moins de fatigue, mais je n'ai pas su résister à la passion de la recherche.

Neuf séances ne firent que confirmer les résultats précédents. Je m'exerçai dans d'autres lieux, sur d'autres objets; mais la fonction ne sembla se développer qu'imperceptiblement.

Une dixième séance marqua un progrès brusque (et cela dès le début de la séance). 1. J'eus l'impression d'un éclairement général plus intense. 2. Je parvins à discerner des objets plus nombreux et plus divers, avec une forme et une coloration mieux définies. En particulier, je distinguai pour la première fois des objets de petite taille, ou plus exactement ceux des objets qui se présentent, en section plane, comme des traits de faible épaisseur (une clef, des ciseaux, etc.) 3. Les périodes de noir se montrèrent moins fréquentes, plus courtes, et dans une certaine mesure je me trouvai capable d'y mettre fin volontairement.

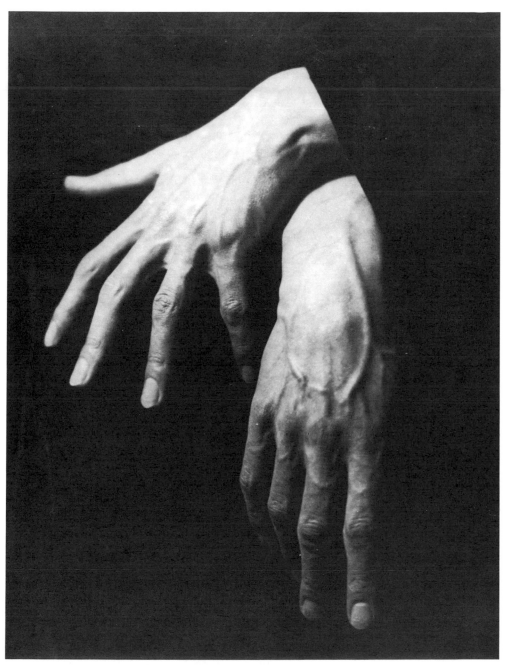

La vision extra-rétinienne montre que le tégument humain, les cellules des mains ou d'autres régions du corps, ont des facultés sensorielles plus larges que celles admises communément.

Deux séances ultérieures confirmèrent pleinement ces progrès, et me permirent de multiplier les observations, que je notais au fur et à mesure, entre deux exercices.

A la séance d'après, nouvel accroissement brusque de la fonction, mais dans un sens entièrement imprévu, et que je n'avais point cherché. Je me découvris capable de vision hétérocentrique, et spécialement de vision sternale. Nous examinerons plus loin ces résultats, d'une extrême importance.

Huit séances, de longue durée, suivirent, au cours desquelles je me livrai à loisir aux vérifications, expériences, mesures, etc., les plus variées.

Puis, je suspendis la série des expériences subjectives d'abord pour m'accorder une détente nécessaire, et aussi pour consacrer tous mes efforts à la préparation et à la réalisation de mes expériences sur les aveugles.

La série subjective s'est donc composée de trente et une séances, représentant un total d'au moins cent cinquante heures d'observations et d'expériences effectives. Chacun des résultats que j'exposerai plus loin est donc appuyé non sur quelque impression fugace, sur quelque constatation non renouvelée, mais sur des épreuves, des expériences recommencées à satiété, aux ordres d'une raison qui tenait à se montrer aussi exigeante, aussi vétilleuse, aussi importune même que possible.

Ces trente et une séances se distribuent, quant aux résultats, en quatre périodes :

Une période préparatoire de dix séances, sans résultat apparent.

Une période de neuf séances, où se manifeste une fonction déjà plus perfectionnée.

Une période de huit séances, que caractérise un élargissement remarquable de la fonction.

Le lecteur, sans doute, se défend mal d'une sorte de gêne. Il se demande s'il n'est pas entré dans un monde de fantasmagorie où l'on rêve tout éveillé, et où plus rien n'offre d'appui solide. Je supplie qu'on résiste à ce sentiment, qui ne doit rien à une saine raison critique, et qui procède au fond de notre vieille terreur du surnaturel. Les savants qui voudront bien recommencer pour leur compte ces expériences subjectives – je dis les savants, car je conseille vivement à toute personne qui n'a pas la pratique des méthodes expérimentales, à qui l'esprit critique n'est pas passé « dans le sang », de s'en abstenir, car Dieu sait quelle absurdité cornue elle ne découvrirait point! – les savants qui prendront cette peine constateront que ces expériences se développent dans le terre à terre le plus rassurant. Ils seront peut-être excédés par la monotonie des efforts et la lenteur des résultats, mais ils ne se sentiront pas plus troublés, pas plus dépaysés, que s'ils se livraient à des expériences sur leur propre acuité visuelle ou sur leur aptitude à apprécier les intervalles musicaux.

Je ne m'attarderai donc pas à prouver que je n'ai point été victime d'auto-suggestion, d'illusion, etc. Il ne s'agit pas ici d'une connaissance fondée sur le témoignage. Lorsqu'un physicien a fait au microscope le tirage et le dénombrement des ions d'un gaz soumis à un champ électrique, il ne s'évertue pas à prouver qu'il ne rêvait point. Il indique ses procédés et ses résultats. A ceux qui en doutent de vérifier.

Je m'élève expressément contre cette tendance à traiter certains faits psychologiques comme des « prodiges » dont il convient de dresser un constat et d'instruire le procès. Le témoignage individuel a un sens lorsqu'il est question de savoir ce que Napoléon avait décidé la veille d'Eylau. Il n'en a aucun lorsqu'il est question de connaître les propriétés du radium, la fonction des capsules surrénales, ou le mécanisme de la vision binoculaire.

Cela posé, je vais classer et formuler brièvement les résultats des expériences subjectives, sans omettre de les comparer aux résultats des expériences objectives [1]. Les concordances comme les divergences ne pourront manquer de nous instruire.

1. A quelles conditions la fonction paroptique se révèle-t-elle? – Il faut d'abord atteindre une certaine intensité de fixité de l'attention, et apprendre par tâtonnement à la diriger, au cours d'une période préparatoire. Il faut prendre, ensuite, une attitude mentale de perception extérieure, ne point chercher en soi, mais hors de soi l'objet à voir; et pour cela utiliser nos habitudes visuelles antérieures. Par exemple, si nous voulons essayer de voir paroptiquement un mur situé à deux mètres environ, nous devons nous comporter exactement comme s'il s'agissait de voir ce mur avec nos yeux; du même coup, il est certain que nos mécanismes d'accommodation et de convergence oculaires entreront en jeu, sous le bandeau. Leur rôle ne sera pas nul : ils mettront la conscience centrale dans un état approprié à la perception d'objets dans l'espace. Nos yeux, bien que physiquement au repos, c'est-à-dire n'étant le siège d'aucun phénomène optique, interviennent psychologiquement en indiquant à la conscience des « postures » commodes.

C'est ce que j'appelle l'« attitude cérébro-visuelle d'accommodation »; bien qu'il n'y ait pas lieu, à mon sens, d'envisager l'existence d'un mécanisme physiologique réel d'accommodation dans les ocelles. Et en tout cas, ce mécanisme ne jouerait point pour des distances de plusieurs mètres (les dimensions de l'ocelle le rendent superflu).

C'est donc un effet tout psychologique, ou une pseudo-accommodation.

Quant aux gestes familiers aux sujets, leur raison d'être subjective n'apparaîtra que par la suite.

---

1. Que nous appellerons plus brièvement *série O.*, les expériences subjectives étant désignées par *série S.*

Comparaison avec la série O. – la période préparatoire existe dans les deux séries. Elle correspond dans la série O aux quatre ou cinq premières mutations.

Elle semble incomparablement plus courte dans la série O. C'est que nous tentons dans la série S de reproduire par degrés insensibles ce que la mutation obtient massivement. Il y a continuité d'une part et discontinuité de l'autre.

Le rôle de l'attention est probablement le même. Mais le sujet dans la série O bénéficie d'une brusque concentration d'énergie mentale, à laquelle le sujet dans la série S est loin d'atteindre, malgré ses efforts.

Quant à l'attitude cérébro-visuelle d'accommodation, le sujet dans la série O la prend tout naïvement, sans détours. On lui ordonne de « voir ». Il ne s'occupe pas de son bandeau, il ne se pose pas de questions : il regarde.

2. Comment s'effectuent l'apprentissage et le développement de la vision extra-rétinienne? – Il y a d'abord vision confuse d'objets volumineux, à arêtes, bosses ou méplats brillants.

L'essai de vision d'objets plus petits donne lieu à un phénomène bien remarquable : la pluralité d'images. C'est-à-dire que si je m'efforce de voir une clef, par exemple, je constate pendant plusieurs secondes un papillotement, une danse d'images très fugaces, incertaines, incomplètes, qui n'ont ni la même localisation dans l'espace, ni exactement la même grandeur, et qui finissent par se résoudre en une image unique, assez instable elle aussi.

La portée de la vision semble croître avec l'exercice. Au début, tout se passe comme s'il régnait à deux ou trois mètres du corps une zone d'ombre impénétrable. Puis cette zone recule, cette ombre se dissipe peu à peu.

Comparaison avec la série O. – Il est probable qu'un sujet, qui commence à peine à distinguer de gros chiffres, a déjà une vision extra-rétinienne capable de saisir aisément les contours d'un objet volumineux. Mais il est logique – sinon psychologique – d'orienter le sujet vers des exercices de lecture qui se prêtent à toutes les formes du contrôle et de la mesure. S'il s'agissait, non plus d'étudier spéculativement la fonction, mais d'en provoquer l'apparition pour des fins pratiques, et d'en conduire l'éducation au mieux, il faudrait tenir compte de cette remarque.

La pluralité des images n'est guère constatable chez les sujets. Mais elle n'a rien d'improbable. Elle correspondrait, dans ce cas, au temps d'élaboration. On ne peut s'empêcher d'observer combien le fait subjectif de la pluralité des images est en harmonie avec l'hypothèse des ocelles.

L'accroissement de la portée semble un phénomène identique dans les deux séries. Il se rattache au mécanisme psychologique de la pseudo-accommodation.

3. Un temps de mise en train ou d'élaboration est nécessaire pour que la perception se produise. Il est de l'ordre de la minute.

Ce temps paraît recouvrir des opérations très diverses : synthèse des images élémentaires, pseudo-accommodation, etc. Il est d'autant plus long que l'objet ou le détail à voir est plus petit.

Comparaison avec la série O. – Le phénomène est semblable dans les deux séries.

Le rapport entre la durée de l'élaboration et la taille des objets nous a échappé dans la série O. Il doit y être de même sens.

L'ordre de cette durée est le même dans les deux séries.

JULES ROMAINS
de l'Académie française

Le langage a des origines mystérieuses que la science cherche à cerner en partie dans les communications animales, mais l'on ignore dans quelle mesure la glossolalie peut éclairer le phénomène de la parole.
(La tour de Babel, aquarelle du XVIIIᵉ siècle.)

Chapitre XVI

Le don des langues

L'acquisition du langage chez l'enfant est encore aujourd'hui l'objet de recherches effectuées en psychologie et en biologie. Les communications animales sont également le thème de nombreux travaux. La linguistique est une discipline où les opinions s'affrontent, preuve de la vitalité des chercheurs mais aussi de l'étendue de notre ignorance sur le phénomène de la parole, de l'établissement d'un système de signes et symboles. Que dire dans ces conditions du « don des langues », de la « xénoglossie », de la « glossolalie »?

Pourtant, les observations ne manquent pas qui prouvent chez certains individus l'usage momentané de langues qu'ils n'ont jamais apprises, le grec ou le russe, par exemple. A défaut de pouvoir expliquer scientifiquement ce phénomène (la théorie spirite soutient que des esprits de défunts parlent par la bouche des médiums), quelques faits doivent être retenus.

Ernest Bozzano s'est livré à une enquête approfondie. Les exemples de don des langues qu'il cite sont comparables, au moins sur un plan, à des découvertes faites dans un tout autre domaine, la paléontologie. Cette science de la vie passée, fondée sur les fossiles, a suscité plusieurs théories se proposant d'expliquer les mécanismes de l'évolution des espèces. Tandis que l'évolution biologique, qui est une complexification des organismes depuis les plus simples jusqu'à l'homme, est une certitude scientifique, les théories essayant de rendre compte de l'évolution manquent encore de confirmations expérimentales. On ignore comment s'est accompli ce que l'on constate. Il en est de même des médiums parlant subitement des langues inconnues d'eux. Mais il est également légitime de vouloir proposer des explications. E. Bozzano insère ses recherches dans la théorie spirite : « Une entité spirituelle étrangère au médium, écrit-il, employait le larynx de celui-ci pour ses fins ». Il est d'autres explications possibles, aucune n'étant d'ailleurs parfaitement étayée.

Les Pouvoirs inconnus de l'homme

> *Le spiritisme, qui est une forme de foi religieuse et non une doctrine scientifique au sens strict, a cependant eu le mérite d'encourager de nombreux adeptes à faire des observations et des expériences qui, lorsque la fraude n'existait pas, sont en elles-mêmes dignes d'attention.*

Le terme « xénoglossie » a été proposé par le Pr Charles Richet dans le but de distinguer nettement la « médiumnité polyglotte » proprement dite, dans laquelle les médiums parlent ou écrivent en des langues qu'ils ignorent totalement, et qui sont parfois inconnues même aux assistants, des cas radicalement différents (malgré une ressemblance purement apparente) de « glossolalie », dans lesquels les sujets somnambuliques parlent ou écrivent en de pseudo-langues inexistantes élaborées dans les tréfonds de leur subconscient : pseudo-langues qui sont quelquefois « organiques », en ce sens qu'elles sont composées conformément à des règles grammaticales.

Inutile de nous occuper de cette dernière catégorie de phénomènes, qui n'a rien de commun avec la « médiumnité polyglotte », pas plus qu'avec les manifestations métapsychiques en général, quoique des incidents de « glossolalie » puissent parfois s'intercaler en des manifestations supranormales authentiques. Ce qui ne doit pas nous étonner, puisque les interpolations subconscientes ne sauraient être évitées dans aucune branche de la métapsychique.

S'il est vrai que les phénomènes de xénoglossie ont toujours été relativement fréquents en métapsychique, cependant, lorsqu'on se prend à les recueillir et à les analyser, on constate qu'ils sont, le plus souvent, rapportés dans une forme purement anecdotique, avec un tel défaut de détails complémentaires, qu'ils ne sauraient être utilisables dans un but scientifique. Cela est d'autant plus regrettable qu'il s'agit assez souvent d'épisodes très importants et manifestement authentiques. Il s'ensuit que la moisson de faits que je me dispose à présenter paraît bien peu de chose en face de l'imposante masse de matériel recueilli. Par bonheur, au milieu des cas qu'il m'a été donné de recueillir, on en rencontre un nombre assez élevé, qui sont relatés avec une précision suffisante.

Au point de vue de la classification des faits, les phénomènes de xénoglossie se produisent en des modalités diverses, à savoir : par l'« automatisme parlant » (possession médiumnique); par la médiumnité auditive (clairaudience), lorsque le médium répète phonétiquement les mots perçus subjectivement; par l'« automatisme moteur » (psychographie et typtologie); par la « voix directe »; par l'« écriture directe ».
Cela dit, j'entame sans plus tarder mon sujet.

Cas de xénoglossie obtenus par l'automatisme parlant et la médiumnité auditive

Ces deux modalités de réalisation des phénomènes xénoglossiques, quoiqu'elles soient sensiblement différentes l'une de l'autre, présentent entre elles une certaine analogie à ce point de vue qu'elles proviennent toutes les deux d'un phénomène, poussé plus ou moins loin, de « possession médiumnique », et se déroulent parfois entremêlées l'une à l'autre. On ne peut donc pas les diviser en les classifiant.

Je commence par rappeler un cas classique par excellence : celui de la fille du juge Edmonds.

Voici le résumé qu'en a donné le Pr Richet dans son *Traité de Métapsychique* :

« Le cas le plus frappant est celui de Laura Edmonds, la fille du juge Edmonds, qui fut Président du Sénat et membre de la Cour Suprême dc Justice de New York, personnage d'une haute intelligence et d'une loyauté irrécusable. Laura, sa fille, fervente catholique, très pieuse, ne parlait que l'anglais. Elle avait appris à l'école quelques mots de français, mais c'est tout ce qu'elle savait en fait de langues étrangères.

Or, un jour (en 1859), M. Edmonds reçut la visite de M. Evangélidès, de nationalité grecque, qui put s'entretenir en grec moderne avec Laura Edmonds. Au cours de cette conversation, à laquelle assistaient plusieurs personnes, M. Evangélidès pleura, car Laura Edmonds lui apprit la mort (en Grèce) de son fils. Elle incarnait, paraît-il, la personnalité d'un ami intime d'Evangélidès, mort en Grèce, M. Botzaris (frère du patriote bien connu). S'il faut en croire Edmonds, c'est par l'intermédiaire de Botzaris que Laura pouvait parler en grec moderne et savoir que le fils d'Evangélidès venait de mourir en Grèce (ce qui fut d'ailleurs reconnu exact).

Et M. Edmonds ajoute : « Nier le fait est impossible, il est trop flagrant; je pourrais tout aussi bien nier que le soleil nous éclaire. Le considérer comme une illusion, je ne le saurais davantage, car il ne se distingue en rien de toute autre réalité constatée en n'importe quel moment de notre existence. Cela s'est passé en présence de huit à dix personnes, toutes instruites et intelligentes. Nous n'avions jamais vu M. Evangélidès. Il nous fut présenté par un ami le soir même. Comment Laura a-t-elle pu lui faire part de la mort de son fils? Comment a-t-elle pu comprendre et parler le grec, langue qu'elle n'avait encore jamais entendu parler? »

Il faut convenir que tant d'années après le jour où se produisit cet événement, et malgré les grands progrès que l'on a réalisés dans le domaine des recherches métapsychiques, personne ne serait en mesure de répondre aux questions du juge Edmonds, en leur appliquant une explication différente de celle qu'il avait lui-même formulée, selon

261

laquelle le phénomène en question impliquait nécessairement l'intervention sur place de l'ami défunt d'Evangélidès.

On peut compléter le résumé du Pr Richet en ajoutant que, si le cas d'Evangélidès est le plus remarquable parmi ceux qui se sont réalisés avec le même médium, il faut cependant tenir compte de ceci : qu'en d'autres circonstances elle a conversé en huit ou dix langues diverses. Le juge Edmonds écrit :

« Ma fille ne connaît que l'anglais et un peu de français; et pourtant elle a causé en français, grec, latin, italien, portugais, polonais, hongrois, ainsi qu'en plusieurs dialectes indiens. Quelquefois elle ne comprend pas ce qu'elle dit, mais celui qui cause avec elle comprend toujours ses paroles. »

Tout le monde est à même de saisir la haute signification théorique qui découle de la circonstance suivant laquelle le médium, en état de veille, ne comprenait pas le sens des paroles qu'elle prononçait automatiquement. Cette circonstance, en effet, démontre manifestement qu'elle était dans un état partiel de « possession médiumnique », durant laquelle une entité spirituelle étrangère au médium employait le larynx de celui-ci pour ses fins. C'est là la seule solution rationnelle du problème, parce que l'hypothèse des « personnifications subconscientes » combinée avec celle de la « cryptesthésie », ne tient pas du moment que le médium ne comprenait pas la langue dans laquelle il conversait.

On pourra m'objecter que lorsque la « cryptomnésie » provoque l'émergence de phrases en langues ignorées, que le sensitif a entendues ou lues distraitement, celui-ci ne comprend pas les phrases qu'il prononce ou qu'il écrit. C'est entendu. Mais il ne s'agit que de fragments de phrases incohérentes, n'ayant aucun rapport avec des situations du moment; ce qui n'a rien de commun avec le fait de converser rationnellement dans une langue qu'on ne comprend pas.

En revenant à notre sujet, je remarquerai que si ce n'est que dans une partie seulement des épisodes de xénoglossie que le médium ne comprenait pas les paroles sortant de sa bouche, il faut en déduire que le médium se trouvait alors en état de veille. En revanche, lorsqu'il comprenait, il était en état de « transe »; en ces conditions, naturellement, ce n'est pas elle qui comprenait; c'est la personnalité médiumnique qui se communiquait.

Enfin, il ne sera pas inutile de comparer le cas de Laura Edmonds avec ceux analogues racontés par les anciens magnétiseurs, qui ne parvenaient pas à s'expliquer comment il pouvait se faire que leurs somnambules quand on les questionnait en latin, en grec, en hébreu, comprenaient quand même et répondaient correctement; mais en revanche, non seulement elles n'étaient pas en mesure de formuler leur réponse dans la langue utilisée, mais elles ne connaissaient pas la signification des mots constituant les questions auxquelles elles venaient de répondre. Cette apparente incohérence, qui embarrassait leur critérium de magnétologues, s'explique présentement par le fait que ces somnambules lisaient le contenu de la question dans le mental de celui qui les consultait, en captant sa pensée.

Dans le cas de Laura Edmonds, c'est le phénomène inverse qui se réalisait : elle était capable de parler automatiquement en dix langues diverses qu'elle ignorait totalement, mais en revanche elle ne comprenait pas le sens de ce qu'elle disait. Cela fait clairement ressortir la différence existant entre les états somnambuliques et les conditions de possession médiumnique : c'est-à-dire que, dans le premier cas, la faculté supranormale de la « lecture de la pensée » mettait les somnambules en mesure de comprendre des questions formulées en des langues ignorées; seulement, comme la subconscience ne possède pas des facultés capables de faire connaître ce qu'on n'a jamais appris, il s'ensuivait que les somnambules n'étaient pas en mesure de s'exprimer en des langues qu'elles ignoraient. Dans le cas de Laura Edmonds, au contraire, le supposé miracle s'accomplissait parce qu'elle était un médium en état de « possession médiumnique »; c'est-à-dire qu'en réalité l'entité qui parlait par son entremise n'était pas la personnalité de Laura Edmonds, mais une entité spirituelle qui empruntait momentanément l'usage de son larynx.

Un autre cas classique, qui mérite d'être résumé ici, quoiqu'il ne présente pas la valeur théorique du précédent, est celui de Ninfa Filiberto. Il a été minutieusement rapporté par le Dr Nicolas Cervello, de Palerme, dans une brochure intitulée : *Histoire d'un Cas d'Hystérie avec cérébration spontanée* (Palerme 1855). Une dame anglaise habitant Palerme, Mrs. Whitaker, en a donné une traduction qui a paru dans le *Journal of the Society for Psychical Research* (décembre 1900); une traduction française a été ensuite publiée dans les *Annales des Sciences Psychiques* (1901).

Il s'agissait d'une jeune fille de seize ans qui, au cours de l'année 1849, a été saisie de graves accès de crises hystériques avec des phases de somnambulisme. Le Dr Cervello écrit :

« Le 13 septembre, dans une de ces phases somnambuliques, Ninfa Filiberto nous parlait avec une telle volubilité un langage incompréhensible pour nous, qu'on aurait dit que c'était sa langue usuelle. Nous supposâmes que c'était du grec, car dans une nouvelle transe elle écrivit : « J'ai été à Athènes; j'ai vu cette aimable cité; les gens y parlent comme moi »...

Le 14, elle ne comprenait ni grec ni italien, mais parlait et comprenait exclusivement le français (langue qu'elle ne connaissait que très imparfaitement)... Quand on lui dit qu'elle avait parlé grec, elle se mit à rire, et dit qu'elle n'avait jamais appris le grec ni aucune autre langue que la sienne; qu'elle était une Parisienne vivant à Palerme. Elle se moquait de notre accent et de notre prononciation... »

Le 15, elle parla anglais, langue qu'elle ignorait totalement; elle causa ainsi longuement avec deux Anglais, MM. Wright et Frédéric Olway. Le Dr Cervello remarque à cet égard :

« Puis, parlant en excellent anglais, elle exprima sa surprise qu'on tardât à lui apporter son thé... (Mrs. Whitaker remarque que jamais on ne prend le thé le matin en Sicile). M. Olway se mit ensuite à lui parler et elle soutint aisément la conversation avec lui... Sa voix était, ce jour-là, presque éteinte et, par moments, expirait totalement. A ces instants, lorsqu'elle ne pouvait se faire entendre par signes, elle recourait à un ingénieux artifice. Elle demandait un livre anglais, le tenant dans sa main, indiquait du doigt différents mots et arrivait ainsi à composer la phrase qu'elle voulait dire.

Le 16, elle nous annonça qu'elle était native de Sienne, et nous décrivit minutieusement les œuvres d'art de cette cité. Je ne sais si d'autres jugeront comme moi, mais pour ce qui me concerne, ce langage en pur toscan me parut aussi merveilleux que l'anglais. Il est impossible d'acquérir les douces modulations de cette langue harmonieuse sans être né dans le pays... Elle resta dans cet état jusqu'au 18... Elle avait prédit que sa paralysie disparaîtrait entièrement ce jour-là; c'est ce qui arriva. Ce qu'il y eut de curieux, c'est qu'à mesure que la paralysie disparaissait, la malade qui, jusque-là, avait parlé en pur toscan, passait au milieu d'une phrase, au dialecte sicilien qui était sa langue maternelle; elle ne se rappela, par la suite, aucune des langues qu'elle avait parlées si miraculeusement... »

Le Dr F. Halm, qui rapporte intégralement le cas dans les *Annales des Sciences Psychiques,* le fait suivre de ces commentaires :

« Il est évident que les faits ci-dessus donneront lieu à des interprétations diverses, à cause de leur caractère insolite et de leur complexité, et selon qu'ils seront appréciés par un médecin ou par un occultiste. Le neurologiste, s'appuyant sur la multiplicité des accès convulsifs, des phénomènes moteurs et sensoriels, et sur leur allure protéiforme, y verra une forme anormale, aberrante d'hystérie, mais en convenant de la grande difficulté qu'il y a à faire rentrer ce cas dans le cadre classique de l'hystérie...

L'occultiste, médecin ou non, se trouvant dans l'impossibilité de faire admettre tous les faits observés dans la catégorie des phénomènes hystériques, recherchera leur explication ailleurs : mais ni l'automatisme psychologique, ni la conscience subliminale, ni l'extériorisation de la sensibilité ou d'un double ne pouvant suffire à déterminer cette aptitude remarquable qu'avait le sujet de parler et comprendre une langue qu'il n'avait jamais apprise ni entendu parler, il sera amené à tort ou à raison à invoquer l'influence des esprits s'incarnant chez le sujet. Toute question de fraude et de simulation de la part de la malade et des personnes qui l'entouraient étant écartée, reste, en effet, ce fait extraordinaire, merveilleux, de la substitution à la langue maternelle du sujet d'une langue étrangère à peine ou jamais entendue par lui, et qu'il se met à parler couramment, avec aisance, avec une correction presque absolue, sans aucune faute contre le génie de cette langue qu'il semble avoir vécue, sans accent étranger, et avec toutes les nuances d'intonation voulues... »

Je ne puis que m'associer au jugement du Dr Halm. Quant au critique anglais du *Journal of the S.P.R.,* il trouve, au contraire, que le fait de la somnambule qui parle couramment la langue anglaise n'est pas scientifiquement concluant, parce qu'on manque de détails à cet égard, le dialogue anglais n'ayant pas été transcrit. Aucun doute que si l'on avait songé à faire intervenir un sténographe connaissant la langue anglaise, le cas Filiberto aurait revêtu une tout autre valeur théorique. Cependant, il me semble que, tel qu'il est, il n'est pas moins important, si l'on tient compte des témoignages des deux messieurs anglais qui causèrent longuement avec Ninfa Filiberto, et de six messieurs palermitains qui ont été invités à assister à l'expérience parce qu'ils connaissaient et parlaient l'anglais. (N'oublions pas que la somnambule se moqua d'eux à cause de leur prononciation défectueuse de cette langue.) Il me semble donc qu'en présence de huit personnes qui sont unanimes à témoigner que la somnambule avait longuement conversé avec elles en s'exprimant en un excellent anglais, on doit reconnaître que cela ne peut laisser place à des doutes, et par conséquent, que le cas de Ninfa Filiberto est suffisamment démonstratif.

Cas de xénoglossie par la « voix directe »

Relativement à cette catégorie, il me faut faire une observation de nature générale, qui ne manque pas d'intérêt : c'est-à-dire que dans les expériences avec la « voix directe » les cas de xénoglossie constituent un phénomène plutôt fréquent, à tel point qu'il n'y a presque pas de bons médiums de cette sorte qui n'aient pas présenté, et ne présentent encore des exemples remarquables de xénoglossie. Il paraîtrait donc que les communications médiumniques par la « voix directe » se prêtent d'une façon toute spéciale à la production de conversations polyglottes. Cela devrait être attribué à la circonstance que cette forme de médiumnité permettrait à l'entité qui se communique de rester assez indépendante du psychisme du médium pour être à même de s'exprimer en une langue ignorée de ce dernier; tandis que, d'une manière générale, cela ne serait pas possible avec la « psychographie », parce qu'elle se réalise grâce à la transmission télépathique de la pensée de l'entité qui se communique au médium; celui-ci la traduit alors subconsciemment dans sa propre langue – sauf les cas où la personnalité qui se communique parvient à exercer une influence plus ou moins directe sur les centres cérébraux du langage, parlé ou écrit, du médium (possession médiumnique).

Au point de vue scientifique, les phénomènes de xénoglossie qui se réalisent par la « voix directe » présentent deux légers inconvénients en comparaison de ceux obtenus par la « psychographie ». Le premier est que la langue ignorée du médium, dans laquelle a lieu la conversation, est rarement inconnue de tous les assistants, étant donné que les personnalités qui se communiquent s'adressent à des parents, à des connaissances, qui parlent cette langue. L'autre inconvénient consiste en ceci : comme les conversations se déroulent en pleine obscurité, il est rare que les expérimentateurs en prennent note immédiatement; il s'ensuit qu'on n'a gardé généralement aucun document que l'on puisse consulter, à l'appui de l'authenticité des faits. En ces conditions, ces épisodes revêtent souvent une forme purement anecdotique, et non pas scientifique. Même lorsque, grâce à des témoignages irréfutables, on ne saurait mettre en doute la réalité des faits, on ne possède pas de données pour en calculer dûment l'importance.

En présence de cet état de choses, j'ai l'intention de ne présenter que peu de cas dans lesquels les dialogues n'ont pas été immédiatement enregistrés. Pour le moment, les cas dans lesquels cette règle indispensable a été observée ne sont qu'en petit nombre.

Il n'est pas moins vrai que cet inconvénient a rendu scientifiquement utilisables les admirables épisodes de xénoglossie obtenus avec les excellents médiums du passé, entre autres Mrs Everitt et Mrs Wriedt.

On a publié, au sujet de la médiumnité de Mrs Wriedt, un grand nombre de récits, que j'ai consultés en vain dans l'espoir d'en tirer des épisodes de xénoglossie assez détaillés pour pouvoir les admettre dans une classification scientifique. Ni les livres du vice-amiral Usborne Moore, ni les rapports de Mr. James Coates, ni ceux de Miss Edith Harper ne peuvent être utilisés dans ce but. Cette dernière a fait une série de quarante-quatre séances avec Mrs Wriedt, au sujet desquelles elle dit « qu'on a rédigé des comptes rendus précis de toutes les séances, en se fondant sur les notes des sténographes, qui y ont toujours assisté ». Cela est important et satisfaisant; mais Miss E. Harper se borne à publier un résumé général de ces comptes rendus, dans lesquels elle parle des phénomènes de xénoglossie dans les termes suivants :

« En analysant nos expériences, on constate en elles deux traits caractéristiques théoriquement importants : le premier c'est que l'on entendait souvent deux, trois et jusqu'à quatre « voix directes » qui causaient simultanément avec autant d'expérimentateurs; l'autre, que l'on a obtenu des messages en des langues et patois totalement inconnus du médium; entre autres le français, l'allemand, l'italien, l'espagnol, le norvégien. Dans cette dernière occasion, il y avait parmi les assistants une dame norvégienne, très connue dans les milieux politiques et littéraires, à laquelle s'est manifesté une « voix directe » robuste et virile qui, en parlant norvégien, a dit être son frère, dont elle donna le nom. Une conversation très active s'engagea alors entre les deux, dans leur

266

langue, avec une joie indescriptible de la dame en question. Elle déclara ensuite que son frère avait fourni d'excellentes preuves d'identification personnelle, et l'avait renseignée sur l'existence heureuse dont il jouissait dans le monde spirituel. Une autre fois, une « voix directe » s'adressa à une dame en parlant espagnol avec une volubilité extraordinaire. Personne ne savait que cette dame connût l'espagnol, mais à notre grande surprise nous l'entendîmes répondre avec promptitude en cette langue à l'esprit qui la questionnait et qui exprima sa vive satisfaction pour avoir pu parler dans son idiome maternel. »

Comme on a pu le voir, les « faits » cités par Miss E. Harper revêtent l'aspect d'exemples authentiques de xénoglossie. Malheureusement les rapports que l'on a publiés au sujet de ces faits manquent, je le répète, de l'empreinte scientifique.

Dans les récits du vice-amiral Usborne Moore, je rencontre une expérience qui mérite d'être signalée, parce qu'elle se prête éloquemment à démontrer une vérité, connue d'ailleurs depuis longtemps : que les expérimentateurs concourent d'une façon plus efficace qu'on ne l'admet à déterminer le succès des expériences. Voici ce qu'il dit :

« Mrs. Wriedt n'obtient rien lorsqu'elle tente l'épreuve étant toute seule. Il y a quelques années, à titre d'essai, elle a été priée de donner une séance avec sept sourds-muets provenant de l'asile de Flint (Michigan). Personne dans la chambre n'était en mesure de prononcer un seul mot, hormis le médium. Or, on n'a obtenu aucune manifestation, hormis quelques mouvements du porte-voix, qui toucha deux sourds-muets en leur causant une vive frayeur. Naturellement, personne ne s'attendait à ce que ces expérimentateurs exceptionnels pussent entendre les « voix »; mais ce qu'il faut retenir, parce que ça revêt un intérêt théorique, c'est que, malgré la présence de sept personnes, le médium ne parvint pas à entendre le moindre murmure. Qu'on remarque que si le médium a avec elle, en séance, rien qu'un bébé capable de bégayer quelques mots, les manifestations de la « voix directe » se réalisent sans faute. »

On ne saurait imaginer une preuve meilleure que celle-ci pour démontrer la grande contribution fournie par les assistants dans la production des phénomènes médiumniques; contribution tellement indispensable, que si les assistants ne possèdent pas en entier et sans aucune tare le système cérébro-spinal, avec les organes qui le servent, on ne peut obtenir des manifestations de « voix directes ».

La célèbre personnalité médiumnique d'« Imperator » avait expliqué à Stainton Moses que le médium est surtout un centre de condensation dans lequel se réunissent les fluides soustraits aux assistants et que, par conséquent, le succès des manifestations dépend en grande partie des personnes formant le groupe. Il suffit donc de la présence d'un seul individu fluidiquement ou psychiquement négatif pour neutraliser la production des phénomènes, ou, pire encore, pour provoquer de fausses

La Pentecôte décrite dans les Actes des Apôtres est la plus célèbre manifestation paranormale concernant le langage. Elle a été interprétée dans le cadre du christianisme comme une intervention surnaturelle, mais il n'est pas contradictoire de penser que des facultés psi comme celles observées en d'autres cas s'y mêlaient aussi. (Plaque de cuivre romane du XIIᵉ ou du XIIIᵉ siècle).

manifestations, la couche onirique subconsciente du médium prenant alors le dessus et changeant la séance médiumnique en une expérience somnambulique et hypnotique. « Imperator » avait donc défendu à Moses d'inviter des personnes étrangères au groupe qu'il avait constitué. Or, à ce point de vue, l'expérience réalisée avec les sept sourds-muets est précieuse, parce qu'elle démontre mieux que toute autre, que la personnalité d'« Imperator » savait ce qu'elle disait. Et ce qui surprend surtout dans cette expérience, c'est qu'elle démontre que les assistants fournissent des substances spécialisées, selon les manifestations qui se produisent. Dans notre cas, les « voix directes » ne se sont pas produites, paraît-il, parce que les sept expérimentateurs étaient dépourvus des fluides vitaux localisés dans la région du larynx, et peut-être aussi parce que, chez eux, les centres cérébraux du langage parlé étaient atrophiés.

Il faut tenir grand compte de tout cela, si l'on veut éviter des insuccès et des mystifications subconscientes, et en même temps, obtenir le rendement maximum des médiums.

Les deux épisodes suivants ont aussi été obtenus avec la médiumnité de Mrs Wriedt. Le rapporteur est le comte Chedo Mijatovitch, ministre plénipotentiaire de Serbie auprès du gouvernement britannique. Il s'est consacré avec une persévérance admirable à l'étude des manifestations par la « voix directe » et il est parvenu à réunir un matériel important au service des recherches psychiques.

J'extrais le cas suivant du livre du vice-amiral Usborne Moore : *The Voices*. Le comte Chedo Mijatovitch commence par dire :

« Je suis un diplomate de carrière, ayant représenté le Gouvernement Serbe en Roumanie, puis à la Sublime Porte, enfin à la Cour de la reine Victoria d'Angleterre et du roi Edouard VII. Je suis en outre membre de différentes Sociétés scientifiques anglaises et continentales. Je juge que ces notes personnelles ne seront pas inutiles pour faire connaître que je suis un homme habitué, depuis de longues années, à peser les faits et les paroles, avec pleine conscience de la responsabilité qu'elles comportent... »

Après ces prémisses, le comte Mijatovitch dit qu'ayant su que le médium Mrs Wriedt se trouvait à Wimbledon, localité non éloignée de sa résidence, il combina une séance avec elle pour le 16 mai 1912, et il se rendit à Wimbledon avec un de ses amis, un Croate d'Agram, le Dr Hinkovitch. Le comte continue en écrivant :

« Soudain, au grand étonnement de mon ami croate, on entendit une voix nette et robuste qui lui adressa la parole en langue croate. C'était la voix d'un de ses vieux amis, docteur en médecine, décédé depuis peu de paralysie cardiaque. Ils continuèrent pendant quelque temps à causer dans leur langue maternelle; j'en écoutais et comprenais chaque mot. Inutile d'ajouter que c'était la première fois que Mrs. Wriedt entendait le son et les inflexions de la langue croate.

Mon ami et moi, nous avons été profondément impressionnés de ce que nous avions respectivement obtenu; j'en ai parlé avec mes amis comme de l'expérience la plus merveilleuse à laquelle il m'est arrivé d'assister. J'en ai parlé aussi à Mme Marguerite Selenka, professeur, qui est une célèbre femme de science allemande et pour la satisfaire, j'ai combiné une autre séance avec Mrs. Wriedt pour le 24 mai.

Au *commencement* de la séance, la forme fluidique de William Stead apparut, mais ne resta visible que pendant une dizaine de secondes. Elle réapparut une seconde fois plus nettement. Après cela, William Stead causa longuement avec Mme Selenka, et brièvement avec moi...

Lorsque cette manifestation cessa, j'entendis avec joie la voix de ma mère, et je pus, avec elle, converser longuement en langue serbe. »

Tels sont les passages du récit du comte Mijatovitch. Aussi bien dans son cas que dans celui de l'ami croate, comme il s'agissait de conversations dans leur propre langue, on ne peut que conclure que, si les expérimentateurs affirment avoir entendu les personnalités médiumniques causer en parfait idiome serbe et croate, on ne saurait mettre en doute la compétence de leur jugement à cet égard.

Je me borne à extraire trois seuls épisodes de xénoglossie de la série obtenue par M. Denis Bradley avec le médium Valiantine.

Le premier épisode s'est réalisé au cours de la deuxième séance de M. Bradley chez M. de Wickoff. Un des expérimentateurs ayant dû s'absenter, M. de Wickoff imagina de le remplacer en faisant intervenir sa cuisinière et son sommelier, afin de voir si quelque chose de nouveau ne se produirait pas. La cuisinière était espagnole, se trouvait depuis quelques mois seulement aux États-Unis, elle ignorait la langue anglaise.

M. Bradley rapporte ainsi la manifestation qui s'est produite avec la cuisinière, Anita Ripoll.

« Ce qui suivit fut stupéfiant. Lorsque le porte-voix toucha Anita Ripoll, celle-ci jeta un cri. Aussitôt une voix sortit du porte-voix et, avec un accent de vive affection cria : « Anita! Anita! » Une conversation passionnée, volubile, intensément méridionale par l'expression s'engagea alors entre le mari décédé et sa femme. Je ne pouvais la suivre, ne connaissant pas la langue espagnole, mais tous nous pouvions nous rendre compte des sentiments qu'on exprimait. Les mots suivaient les mots, les phrases suivaient les phrases, avec une exubérance toute latine. Ni le mari ni la femme ne paraissaient s'étonner de la nature supranormale de leur entretien. Ces deux âmes simples, qui s'étaient aimées réciproquement sur terre, et qui n'avaient vraisemblablement jamais médité sérieusement sur la survivance, acceptaient la situation comme s'il s'était agi d'une chose normale.

M. de Wickoff suivait la conversation mot à mot, et à un moment donné il n'a pu résister à l'impulsion de prendre part à la conversation, en s'adressant en espagnol à « l'esprit », José.

Immédiatement José et Anita changèrent de langue et commencèrent à parler dans leur dialecte natif, qui était le basque mêlé à un espagnol corrompu, ainsi que nous l'apprîmes plus tard. Nous avons su aussi que les deux époux avaient, de leur vivant, toujours parlé leur idiome espagnol et ignoraient tous les deux la langue anglaise, étant entrés au service de M. de Wickoff aussitôt débarqués en Amérique.

Durant la séance, lorsqu'il causait avec M. de Wickoff, José parlait en bon espagnol; mais quand il s'adressait à Anita, il en revenait à son jargon natif. »

Il ne sera pas inutile de faire observer qu'au point de vue probatif, l'épisode que je viens de reproduire est invulnérable, puisque personne ne pourrait avancer le soupçon que le médium connût l'obscur patois parlé dans un village espagnol, et qu'il le connût assez bien pour le parler couramment comme un natif. Sans compter que l'intervention de la cuisinière à la séance a été décidée à l'improviste ce soir-là, de manière que le médium n'aurait pu se préparer à la grande mystification, en se renseignant minutieusement sur la vie passée de la cuisinière. Notons d'autre part l'incident de « José » qui, dès qu'il se rend compte que l'un des assistants, comprenant l'espagnol, écoute ses propos avec sa femme vivante, change brusquement de langage pour se soustraire aux oreilles indiscrètes.

ERNEST BOZZANO

Chapitre XVII

Conclusion sur l'esprit
et le cerveau

*Les seize chapitres précédents de ce volume, rédigés par des spécia-
listes, posent chacun des problèmes nouveaux et difficiles aux hommes
de science et aux philosophes. Ils apportent aussi quelques réponses,
clarifient des données qui se présentent au départ sous une forme extrêmement confuse.*

*Quel est l'enjeu de cette recherche à travers l'étrange? Cet enjeu n'est
pas, comme on pourrait le croire hâtivement, d'obtenir des informations marginales sur l'homme et l'univers. La parapsychologie est plutôt l'étude originale de faits qui sont depuis toujours, depuis que
l'homme pense, objets de réflexion. Au-delà des polémiques sur l'existence de la clairvoyance ou des rêves prémonitoires se rencontre en
effet le souci de mieux comprendre les systèmes vivants, la nature de
l'esprit et de la conscience. Cette recherche pourrait, écrit le Pr Price,
dont il est question plus loin, « transformer toutes les conceptions intellectuelles sur lesquelles se fonde notre civilisation ».*

*Dans ce chapitre, le Dr John R. Smythies, psychiatre, expose les
principales conceptions formulées depuis la Grèce antique sur les rapports du cerveau et de l'esprit. Comment dans ce cadre les découvertes
de la parapsychologie peuvent-elles s'insérer?*

*A la suite de cette étude, une discussion oppose l'auteur à divers
scientifiques et parapsychologues réunis lors d'un congrès à Amsterdam. On y saisira à quel point l'unanimité est loin d'être faite, et
combien les phénomènes psi les mieux assurés, les plus concrets,
entraînent des théories qui sont aussi abstraites qu'incertaines.*

◀ *En utilisant les travaux en parapsychologie pour donner une autre vision de l'homme,
certains philosophes remettent en question, à tort ou à raison, le concept de l'âme
et la signification des religions.*

La nature de l'esprit et sa relation avec le cerveau représentent peut-être le problème le plus ancien, le plus délicat et certainement le plus important de tous ceux que l'homme s'est posés à propos de sa propre nature. Il a déjà été formulé en termes vraiment modernes dans la Grèce classique, et les deux millénaires qui se sont écoulés depuis l'époque de Platon et d'Aristote ont vu naître d'extraordinaires travaux de philosophes, de psychologues et de neurologues. Pourtant, la controverse fait toujours rage. Tantôt certains penseurs, tantôt d'autres prédominent, mais chaque « solution » à ce mystère, accueillie avec enthousiasme, laisse rapidement apparaître des faiblesses et des fautes. Celles-ci la rendent vulnérable à la solution suivante, qui se révèle habituellement une reprise d'une hypothèse antérieure, si bien que la controverse se poursuit.

Or, dans toutes les controverses qui ont surgi à ce sujet, on peut constater qu'il existe deux grands courants. La plupart des philosophes et des théories se rangent de manière caractéristique sous la bannière « moniste » ou la bannière « dualiste ». Certains ont dit qu'un être humain n'est pas autre chose qu'un corps physique dont le comportement complexe et volontaire, l'organisation et les tendances, constituent l'esprit. D'autres ont affirmé que l'être humain possède un corps physique auquel se rattache ou correspond d'une manière ou d'une autre, *en plus,* un esprit humain. Parmi les arguments traditionnels concernant les rapports entre l'esprit et le cerveau, des arguments distincts ont eu tendance à se confondre, et il est arrivé qu'un philosophe soit moniste à certains égards, et dualiste à d'autres. Ce problème demeure pourtant, en quelque sorte, au centre de la pensée philosophique.

Il est possible de présenter autrement cette distinction entre les deux écoles en disant que le moniste soutient que, théoriquement, l'on peut rendre compte scientifiquement de toute expérience et de tout comportement humain en faisant appel à des notions courantes de physique. L'être humain passe alors pour une mécanique physique complexe, dans le fonctionnement et le comportement de laquelle nul principe, nulle entité ou nulle loi, autres que ceux que l'on peut représenter entièrement à l'aide des notions courantes de physique, ne joue le moindre rôle. En d'autres termes, on peut réduire toute psychologie, le cas échéant, à la neurologie, à la neurochimie et en fin de compte à la biophysique. C'est, pour l'instant, cette école qui domine dans le domaine des sciences neuro-biologiques.

A l'inverse, les dualistes affirment que, bien que l'on puisse réduire à de telles explications dans la hiérarchie positiviste un ensemble considérable d'expériences et de comportements humains, certains autres comportements ne s'expliquent pas ainsi.

Il reste selon eux un noyau irréductible d'événements mentaux ontologiquement éloignés des événements physiques et, par là-même, échappant à toute possibilité d'explication en termes habituels de physique.

Le concept ambigu et permanent de l'âme

On comprendra mieux cette controverse si on la considère dans sa perspective historique. Dans pratiquement toutes les cultures primitives existent des idées concernant la séparation de l'âme, ou bien relatives à l'existence d'autres mondes avec leur hiérarchie d'esprits, de dieux, de démons, et tous les éléments du surnaturel. Dans le cours du développement historique de la civilisation occidentale, les Babyloniens, les Égyptiens, etc., étaient obsédés par « l'autre monde » et les rapports que l'homme nourrissait avec lui. Les Grecs, les Romains, les Celtes, les Gaulois possédaient des explications compliquées à propos de l'âme humaine et des autres mondes : lieux divins ou à demi-divins, situés dans des îles enchantées, sur de hautes montagnes, sous terre, ou mêlés à notre monde de manière plus subtile. Ces idées étaient extrêmement développées dans de nombreux mystères qui fleurissaient à cette époque et qui reçurent leur expression philosophique suprême de Platon. On peut retrouver l'origine de ces croyances anciennes en partie dans les expériences hallucinatoires ou dans les rêves, que l'on prenait en quelque sorte pour argent comptant.

Il a dû sembler tout naturel de supposer qu'une partie du corps humain devait pouvoir quitter le corps pendant le sommeil, ou l'état de transe, afin de se rendre dans les contrées étranges du rêve. L'existence des hallucinations et des images éidétiques [1] a dû jouer un rôle plus important encore dans la naissance de la croyance selon laquelle il existait des contrées que l'on ne pouvait qu'entrevoir, ainsi que des individus semblables à des dieux qui pouvaient courir le monde et n'étaient pourtant pas des humains. La psycho-théologie chrétienne instaura le concept de l'âme, située dans la chair, séparable et distincte, comme un dogme fondamental que tout homme raisonnable devait accepter sans discussion. Les grands philosophes de la renaissance philosophique des XVIe et XVIIe siècles absorbèrent cette croyance, omnipotente et culturellement déterminée, dès leurs plus jeunes années, comme un fondement essentiel de toute opinion raisonnable, et l'on peut considérer qu'elle représente le tronc à partir duquel naquirent toutes les théories suivantes.

Le dogme ne satisfaisant pas les philosophes, ceux-ci entreprirent d'exprimer cette doctrine immémoriale sous une forme philosophique moderne afin de compléter, avec la physique nouvelle, le champ essentiel du savoir humain. Pour Descartes, l'esprit était une substance spiri-

---

1. Eidétique : qui se rapporte à l'essence des choses.

tuelle dont l'existence formait l'objet le plus certain de notre savoir. Il se trouva, en effet, lui-même capable de douter de l'existence de toutes les sensations et de tous les objets, mais, ce faisant, il ne pouvait pas mettre en doute qu'il doutât lui-même et, le doute étant une manifestation de la pensée, il put énoncer sa maxime : « *Cogito ergo sum* ».

Pendant ce temps, les médecins avaient découvert les causes physiques de nos perceptions. Il devint clair que notre perception du monde extérieur dépendait d'une succession de phénomènes physiques complexe et fortuite, le passage des rayons lumineux, leur effet sur la rétine et leurs conséquences sur le système nerveux. Néanmoins, on se demanda si cette mécanique physique compliquée pouvait être en rapport avec la substance spirituelle non étendue de l'esprit, « ce qui, en nous, perçoit et pense ». Descartes fit un choix malencontreux en situant le lieu de cette interaction dans la glande pinéale mais, comme on connaissait alors peu de chose sur le cerveau, ses spéculations physiologiques échappèrent provisoirement à la critique savante.

Au cours des trois cents années qui suivirent, les philosophes s'employèrent à combler le fossé que leur avait laissé Descartes. Considérons ce fossé. D'un côté, il y avait le monde matériel dont l'attribut essentiel était l'étendue. C'était la grande machine mathématique de Galilée, formée d'atomes qui se mouvaient selon des lois naturelles; le corps humain faisait partie intégrante du mécanisme. Associé à chaque corps humain vivant, on trouvait un esprit, une substance pensante sans étendue. Or on pensait que l'esprit ne contenait pas seulement le moi, ce qui perçoit et pense, mais aussi bien les qualités secondaires des objets. Ce qui constituait la *res extensa* était uniquement les qualités des objets, telles que leur étendue, leur taille, lesquelles étaient justiciables d'un traitement mathématique.

Toutes les propriétés non géométriques, telles que la couleur, le son, l'odeur, étaient situées dans l'esprit. Cette interaction passait pour exercer ses fonctions complexes sur l'organisme physique par le canal de la minuscule et insignifiante glande pinéale. Mais cette solution ne servit qu'à multiplier les problèmes. Si les deux substances sont indépendantes, comment peut-il y avoir une interaction? Comment l'esprit, privé d'étendue, peut-il connaître quoi que ce soit du monde physique? Et, l'esprit ainsi logé à l'étroit dans une petite portion du cerveau, la question demeura irrésolue.

La naissance de la biologie

Sous l'influence vigoureuse de Hobbes et de ses successeurs à notre époque, les matérialistes scientifiques, nombreux furent ceux qui en vinrent simplement à considérer tout cela comme un fatras d'absurdités, engendré par une survie condamnable de l'animisme dans le

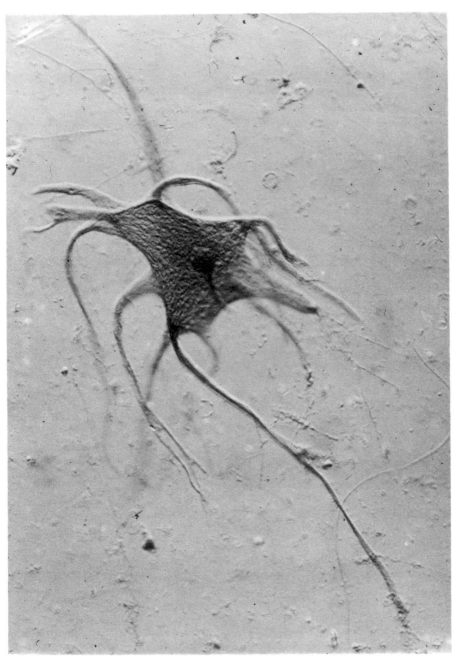

Le système nerveux est l'objet d'études extraordinaires qui, cependant, s'avèrent finalement toutes inaptes à répondre aux questions fondamentales sur la vie et la conscience (neurone; moelle épinière de bœuf).

domaine de la science. Hobbes nous enseigna que l'âme n'est qu'un nom donné aux activités pensantes du corps, et que ces dernières ne sont autre chose que le mouvement des atomes dans l'organisme physique.

Les siècles qui suivirent Descartes et Hobbes virent la poussée de la biologie et de l'étude du système nerveux. On peut exprimer l'anatomie et une grande partie de la fonction du système nerveux en termes anatomiques et physiologiques simples, tels que neurone, fibre, impulsion et synapse, tout cela appartenant de manière caractéristique à la *res extensa*. Ce ne fut que lorsqu'il devint nécessaire d'aborder le problème des fonctions supérieures du cerveau que les vieilles énigmes métaphysiques réapparurent.

Le cerveau n'est-il qu'un mécanisme physique qui fournit à l'organisme des réponses motrices apprises et appropriées à des données sensorielles diverses? ou le cerveau est-il, parmi les machines physiques, le seul à posséder, en plus de ses fonctions servo-motrices automatiques de l'organisme, une fonction de liaison avec l'esprit? La pensée, l'imagination, la perception et les émotions ne sont-elles pas autre chose que le mouvement des impulsions nerveuses dans certaines parties du cerveau, ou ces phénomènes cérébraux ne sont-ils que le substratum de quelques autres phénomènes mentaux corrélatifs, qui sont les pensées, les images, les objets perçus et les émotions? Les deux tendances ont émis un grand nombre d'arguments. Voyons-en quelques-uns brièvement. En faveur de l'école moniste, on a dit que :

1. Nul n'a jamais pu démontrer objectivement l'existence de l'âme. Si vous ouvrez le crâne de quelqu'un, vous y découvrirez uniquement une masse grise gélatineuse; pas la moindre âme, pas le moindre fantôme éternellement invisible qui tirerait des ficelles en coulisses.

2. Les lésions cérébrales peuvent interférer avec toutes les fonctions mentales sans exception, voire les supprimer totalement, pour entraîner la cécité, l'idiotie, l'agnosie, les modifications de personnalité et une foule de troubles neuropsychiatriques.

3. On n'a jamais trouvé d'autres exemples de l'âme ailleurs que dans le comportement complexe des organismes, et les philosophes du langage ont essayé de montrer que le terme d'âme ne représente qu'un terme générique qui recouvre certaines activités de l'organisme aussi bien que des tendances et des propensions à réagir selon certains modes.

Le dualiste peut répondre à cela :

1. Que la preuve de l'esprit est celle que tout homme peut avancer de l'existence et de la nature de son propre esprit. « Vous ne pouvez certainement pas affirmer », dira-t-on, « que vous-même ne pensez pas, que vous ne doutez pas, n'aimez ni ne haïssez, ne percevez pas des images ou ne sentez pas la douleur. Ces activités et ces pensées, ces douleurs, ces images et ces émotions elles-mêmes sont des phénomènes

de l'esprit, et c'est leur réunion qui constitue votre esprit conscient. Il est bien évident qu'une sensation de douleur ou qu'une pensée ne sont pas une vague partie de votre cerveau, pas plus que la douleur ou la pensée ne ressemblent à un groupe d'impulsions qui progresserait dans votre cerveau de neurone en neurone ». De plus, on soutiendra dans cette voie que les phénomènes de l'esprit ne peuvent pas, logiquement, être identiques à un quelconque phénomène cérébral, pour deux raisons : le moi et les pensées ne sont pas des entités spatiales et ne peuvent donc pas être identiques à une partie ou à un aspect quelconques d'une entité spatiale telle que le cerveau. Ensuite, les images sont des entités spatiales mais il est impossible de les associer géométriquement à quelque forme d'impulsion nerveuse cérébrale; par conséquent, elles ne peuvent leur être identiques.

2. Les lésions du cerveau et ses maladies montrent seulement que les phénomènes cérébraux ont une relation avec les phénomènes de l'esprit. Les données médicales n'indiquent certes pas que ces derniers sont *identiques* aux phénomènes cérébraux.

3. Le fait que nous ne rencontrions jamais d'esprit indépendant d'un corps montre uniquement que l'idée d'un esprit indépendant d'un corps dépasse nos faibles capacités d'exploration. Nous pouvons expliquer de manière plausible pourquoi cette idée d'un esprit désincarné dépasse notre entendement. L'analyse linguistique montrera comment nos ancêtres, qui élaborèrent notre langage, voyaient la nature et la place qu'ils y tenaient. Elle montrera ensuite, comme Whorf, que des ancêtres ayant des conceptions de la nature différentes créaient des langages radicalement différents (comparez l'anglais au hopi...) dont l'analyse linguistique conduirait à des théories métaphysiques totalement différentes quant à la nature et à la place qu'y occupe l'esprit.

L'organisme humain reçoit des informations extra-sensorielles

De plus, pour tous les exemples que l'on pourrait tirer d'une conversation ordinaire et qui tendraient à venir à l'appui d'une théorie métaphysique, on en trouverait sans nul doute d'autres qui viendraient à l'appui d'un système métaphysique opposé. La technique de quelques-uns des philosophes contemporains (Gilbert Ryle par exemple) consiste à ne choisir dans le langage commun que les affirmations concernant l'esprit qui viennent appuyer leur propre position antidualiste, ignorant et éliminant les autres. Ainsi, des expressions telles que « une pensée m'est venue à l'esprit », « je n'avais pas l'esprit à cela à l'époque », ou « son esprit était envahi par de sombres pressentiments » proviennent toutes du langage commun et possèdent toutes une logique bien différente d'expressions telles que « c'est un esprit brillant », qui sont subordonnées à une structure en fonction d'une analyse catégorielle. De telles expressions mettent l'accent sur l'esprit en tant qu'entité, et encore en tant qu'entité spatiale.

Le dualiste est en mesure d'évoquer les découvertes de la parapsychologie qui ont maintenant apporté la preuve raisonnable que l'organisme humain est capable de recevoir des informations sur des événements passés mais également à venir, sans emprunter le canal d'aucun des intermédiaires sensoriels reconnus.

Ainsi, il est tout simplement faux de dire que toutes les activités de l'esprit sont des activités physiques (au sens où l'on entend habituellement la physique) de l'organisme, car la précognition résisterait certainement à toute explication physique possible en l'état actuel de nos connaissances, tout comme la télépathie et la clairvoyance le feraient probablement. Le dualiste pourra aussi dire que le cerveau est capable sans doute d'inhiber certaines activités autonomes de l'esprit.

Et cette inhibition peut être contrecarrée par divers procédés tels qu'un milieu sensoriel réduit à sa plus simple expression, ou par l'action de la mescaline afin de déclencher l'action autonome de l'esprit sous forme de phénomènes hypnagogiques ou hallucinatoires.

Le moniste répliquera alors au dualiste que la connaissance que nous avons de notre propre esprit ne peut jamais être que subjective et qu'on ne peut donc jamais l'utiliser pour des travaux scientifiques importants qui exigeront toujours uniquement des faits objectifs et flagrants. Une position plus extrême consisterait à nier toute expérience et tout phénomène de l'esprit, au profit d'une théorie radicale du comportement qui considérerait que les sensations alléguées, les images, etc., participent du comportement verbal du sujet.

A ces arguments, le dualiste pourra répondre que l'histoire naturelle représente l'étape première de toute science. C'est-à-dire qu'il nous faut regarder autour de nous pour découvrir ce qu'il y a dans le monde avant de pouvoir même aborder la suite du travail scientifique, les expériences, la formulation des hypothèses, et ainsi de suite. Et si, comme l'ont affirmé un grand nombre d'observateurs perspicaces, il est de fait qu'il existe des sensations et des images qui nous sont propres, c'est alors à la science de classer ces phénomènes et de ne pas considérer qu'il vaudrait mieux ignorer ou nier a priori leur existence.

Une certitude plus forte que les théories philosophiques

Naturellement, dans notre enquête sur le monde matériel apparent, nous ne tiendrons compte que des faits patents que nous pourrons observer. Une planète qu'un seul individu aurait vue ne saurait être considérée comme une « planète astronomique ». Mais cela ne prouve nullement qu'il n'existe pas de mondes de l'esprit à caractère privé, si l'on peut dire, que chacun peut observer. Cela ne signifie pas non plus qu'un

La réflexion sur l'esprit et ses manifestations, y compris celles parapsychologiques, aboutit toujours en dernier lieu à une interrogation sur la mort et le problème de l'au-delà. (Squelette en Sardaigne.)

observateur ne sache pas comparer les entités qu'il découvrira dans son monde privé, par le truchement d'une communication avec les autres observateurs. Que mes images existent et qu'elles soient des entités spatiales, j'en suis au moins aussi certain que je le suis de l'existence d'objets matériels, et cette certitude est plus forte que ma croyance en la vérité de toute théorie philosophique. Lorsque le Pr Price dit que ses propres images possèdent une certaine dimension spatiale, je puis étudier les miennes et je remarque qu'elles ont les mêmes caractéristiques. Et lorsque le Pr Broad énonce certains faits à propos de ses données sensorielles personnelles, je puis constater que les miennes correspondent à ce que le Pr Broad dit des siennes. C'est de cette manière, sur laquelle tous s'accordent et qui est donc objective, que l'on peut arriver à connaître une certaine catégorie de faits dont un observateur unique pourra étudier certains cas particuliers, mais dont plusieurs observateurs pourront étudier différents éléments. Si bien que nous pouvons dire que toute théorie qui nie l'existence de ce que chacun d'entre nous peut découvrir dans son propre esprit, est une théorie métaphysique bien étrange et que l'on doit considérer avec la plus grande méfiance.

Dans l'héritage que nous a laissé Descartes, on distinguera un faux problème et un certain nombre de problèmes véritables. Le faux problème, très souvent confondu avec un vrai problème, consiste à se demander comment une substance non étendue peut avoir une interaction (ou des relations causatives) avec un cerveau doté d'étendue, et vice versa. Cependant, Ducasse a montré qu'il n'y a aucune raison a priori pour que des relations causatives ne relient pas entre elles des entités étendues et d'autres non étendues.

Berkeley fut le premier à aborder le vrai problème. Il souligna qu'en situant dans l'esprit les propriétés secondaires, les propriétés premières devaient également s'y trouver car tous les arguments que l'on avançait pour démontrer la présence des unes s'appliquaient aussi aux autres. De toute manière, ajoutait-il, parler d'une couleur non étendue était absurde. Mais ce n'est que récemment que l'on a tiré toutes les conclusions de ces remarques. A présent que nous pouvons défendre avec succès l'existence de phénomènes mentaux connus par l'expérience, pouvons-nous mieux rendre compte de la nature de ces phénomènes et de leur relation avec les phénomènes cérébraux? Je pense que c'est possible et que l'on a découvert l'erreur fondamentale de Descartes.

On se souvient que Descartes distinguait entre le spirituel et le matériel sur la base de l'étendue spatiale : les faits matériels étaient des faits spatiaux, mais non les faits spirituels. Certes, cela semble juste pour le moi, mais qu'en est-il pour les images? Et des données hallucinatoires et sensorielles? Une image n'a-t-elle pas une étendue spatiale, et les images ne se trouvent-elles pas dans l'esprit? Comment un esprit non spatial peut-il contenir des images spatiales? Des parties d'une image ont certainement une relation spatiale avec d'autres parties de l'image, et l'image, dans son ensemble, a des relations spatiales avec d'autres images. Une image consécutive d'une lumière circulaire est elle-même un *cercle*. Aussi, nous en arrivons à cette théorie nouvelle concernant l'esprit, énoncée avec le plus de clarté par le Pr Price, selon laquelle l'esprit est lui-même *spatial,* son espace étant autre que l'espace matériel. On peut ainsi donner une définition précise de ce qu'est un esprit : c'est une collection d'images (et peut-être un pur ego, et aussi bien des données sensorielles, mais les images suffisent à notre propos présent) qui, pour un individu, possèdent une certaine étendue dans un espace qui leur est propre.

Par conséquent, l'univers cosmologique n'est pas constitué par un monde matériel seulement, mais par un espace-temps et de nombreux mondes d'images (intimes, mentales). Les images peuvent n'avoir que des relations causatives, sans la moindre relation spatiale, avec des faits matériels, c'est-à-dire certains phénomènes cérébraux. Dans ce cas, nous avons affaire à un univers espace-temps multiple. D'un autre côté, les images peuvent avoir des relations à la fois causatives et spatiales supérieures avec les objets matériels. Auquel cas, nous vivons dans un univers à *n* dimensions, ainsi que l'a suggéré le Pr Broad.

Les avantages de cette nouvelle théorie sur la théorie cartésienne traditionnelle sont les suivants :

1. Elle conserve l'unité de l'organisme humain qui est importante pour les sciences neurobiologiques. L'esprit n'est qu'une partie supplémentaire de l'organisme.

2. La relation entre l'esprit et le cerveau est une relation entre deux entités étendues, et nous pouvons ainsi faire appel à des méthodes mathématiques pour nous attaquer au problème. Le développement suggéré consiste à créer à partir de la géométrie à *n* dimensions que nous connaissons, une physique à *n* dimensions. On pourra ensuite soumettre cette théorie à l'épreuve de l'expérience.

3. Cette théorie nous informe avec précision du lieu où se situe l'esprit et de la raison pour laquelle nous ne pouvons observer l'esprit d'autrui comme nous le faisons du nôtre ou d'objets matériels. Elle explique aussi comment les observations que nous faisons à propos de nos propres états mentaux, y compris de nos propres données sensorielles, sont liées à nos observations des objets matériels; cette théorie clarifie ainsi l'un des problèmes les plus difficiles que rencontrent les philosophes contemporains : la controverse sur les données sensorielles. Nous pouvons dire que Descartes s'est trompé en confondant le pur moi avec l'esprit, et en confondant la division entre les propriétés des objets avec une distinction ontologique entre les objets et l'esprit.

Les constructions du système nerveux

Cette nouvelle théorie dissipe également l'un des paradoxes les plus étonnants de la philosophie : le célèbre intervalle temporel qui apparaît dans la perception. La plupart des savants acceptent inconsciemment dans leur vie quotidienne la théorie philosophique de la perception connue sous le nom de « réalisme naïf ». Celle-ci affirme que les données sensorielles visuelles, au sens où l'entendent Broad et Price, c'est-à-dire l'ensemble des surfaces colorées qui se présentent à notre expérience immédiate, sont les objets matériels eux-mêmes. De même, les données sensorielles somatiques passent pour constituer une expérience directe du corps physique.

Cette théorie s'oppose à l'évidence neurologique qui affirme que nos expériences dépendent essentiellement d'états cérébraux et les preuves neurologiques sont assez nombreuses pour montrer que nos données sensorielles, y compris somatiques, ne peuvent être identiques à des objets extérieurs mais uniquement à des états cérébraux précis. Si nous ôtions le cerveau d'un enfant pour le relier à un ordinateur géant qui enverrait des stimuli appropriés aux nerfs sensoriels, l'individu en question mènerait une sorte de vie moyenne parfaite; en fait, il vivrait toute vie que nous lui programmerions.

Les champs sensoriels de la conscience sont des constructions du système nerveux, et non l'appréhension directe d'objets matériels extérieurs. En d'autres termes, les mécanismes physiologiques de la perception fonctionnent comme la télévision et non pas comme un téléscope. La deuxième difficulté que présente la théorie du réalisme naïf est cet intervalle de temps dans la perception, dû à la rapidité finie de la lumière. Si je regarde le ciel la nuit, je vois un point minuscule qui scintille, une étoile. L'expression : « Je vois une étoile » décrira correctement ce phénomène. Mais il est non moins certain que ce minuscule point scintillant participe de l'étoile à des millions d'années-lumière de distance, selon son éloignement. L'étoile actuelle matérielle, « aujourd'hui », ne sera vue sur la Terre que par mes descendants dans des millions d'années. Si, en revanche, nous abandonnons le réalisme naïf pour comprendre que ce petit point lumineux est une construction de mon système nerveux, nous ne tombons pas dans ce piège.

Nous pouvons ainsi conclure en suggérant que la physique et la cosmologie modernes reposent sur une présomption énorme et probablement erronée qui ne possède pas la moindre preuve. Il s'agit de l'idée selon laquelle l'espace de la conscience et celui du monde matériel sont un seul et même espace, alors qu'il peut très bien s'agir d'espaces différents.

JOHN R. SMYTHIES

Cet exposé fait à Amsterdam au cours d'un congrès récent, consacré aux rapports de la parapsychologie avec les autres sciences et l'évolution des idées, suscita des critiques et des approbations. A cette controverse participèrent notamment John C. Poynton, biologiste à l'Université de Natal, Afrique du Sud; John E. Orme, professeur de psychologie à l'Université Sheffield en Angleterre; Joost A. M. Meerloo, parapsychologue hollandais; Antony G. Flew, professeur de philosophie à l'Université de Reading, en Angleterre; Bob Brier, professeur de philosophie des sciences à l'Université de Long Island, dans l'État de New York; et James E. Beal, de l'Alabama.

POYNTON. Je souscris entièrement aux conclusions du Dr Smythies quand il affirme que nous devrions penser en termes d'information plutôt qu'en terme de physique ou de son contraire. Je pense que nous devrions nous pencher davantage sur la notion de l'action d'information que sur l'action matérielle. Nous risquons peut-être de nous trouver emportés dans des discussions et des luttes physico-métaphysiques à propos de ce que l'on entend par « physique » et « non physique ». Ce qui est vraiment important pour nous, à mon sens, c'est le problème de l'information. Et si nous pensons en termes d'information, nous pouvons nous occuper de manière raisonnable de l'interaction causative. A l'inverse, si nous nous limitons à l'étude de l'interaction physique/non physique, nous posons alors le problème de la causalité et de ce qui est a-causatif. Les choses se compliquent dans ce cas de manière fantastique. Aussi, c'est très énergiquement que je souscris aux conclusions du Dr Smythies quand il soutient que nous pensons en termes d'action d'information plutôt que d'actions physiques.

SMYTHIES. Il semble bien évident que l'on pourrait monter des expériences destinées à mettre à l'épreuve la capacité d'information en utilisant la perception extra-sensorielle ou la perception sensorielle. L'a-t-on déjà fait?

BEAL. Oui, il existe une épreuve de théorie de l'information qui fait intervenir les ordinateurs, portant sur les possibilités d'existence de la télépathie. En U.R.S.S. comme aux U.S.A., on s'est livré à des expériences qui faisaient appel à l'inversion du message dans la théorie de l'information, un son aigu pour indiquer la proportion et la naissance de l'information. L'ennui était que cela exigeait beaucoup de temps, d'argent et de patience. En principe, la réalité de l'existence de la télépathie était confirmée à 97 %. Mais on a abandonné à cause de ces difficultés.

ORME. Je peux comprendre les difficultés qu'éprouve le Dr Smythies à adopter une position moniste qui fait, pour ainsi dire, de l'esprit une extension du cerveau. Ce qui me paraît en revanche plus difficile à comprendre, c'est qu'il suggère quelque chose qui serait multi-dimensionnel. En un sens, c'est avancer une hypothèse. Pourtant, le problème est le suivant : où cela se situe-t-il? S'il s'agit d'un espace multi-dimensionnel, je suis conscient de l'espace qui m'entoure. Maintenant, s'il existe un autre espace dimensionnel, cela ne signifie pas grand-chose. La seule autre dimension (quel que soit le nom que vous lui donnerez) est temporelle et il s'agit, évidemment, dans la théorie de la relativité, de quelque chose qui équivaut plus ou moins à la dimension spatiale. Mais je me sens peu enclin à postuler des dimensions dont je n'ai aucune expérience.

SMYTHIES. Vous comprenez ce qu'est l'espace parce que l'espace vous entoure. Ce que je dis, c'est que vous vous livrez à une supposition dont vous ne vous rendez peut-être pas compte mais qui pourrait être illégitime. L'espace qui vous entoure est, en ce sens, celui de la conscience. Vous supposez que cet espace autour de vous est le même que celui du monde matériel, comme la plupart des gens et des physiciens. Mais ce que je dis, c'est que des philosophes comme Price et Broad se sont demandé si tel était bien le cas. Vous le voyez, c'est un problème d'arithmétique. Nul ne doute qu'il y ait trois dimensions spatiales dans le monde physique. Nul ne doute que la conscience spatiale possède trois dimensions. Vos perceptions visuelles sont organisées selon un système tri-dimensionnel. Price dit que c'est peut-être faux. Trois plus trois peuvent être égaux à six ou à autre chose. Aussi, je pense que votre question masque le véritable problème.

MEERLOO. Je voudrais revenir à votre question sur les rapports entre l'esprit et le cerveau aujourd'hui. Je ne pense pas qu'aucun des grands neurologues s'accroche à la vieille théorie moniste ou dualiste. L'interaction est continuelle. Cette interaction continue présuppose une communication entre l'entité et l'extérieur. Le milieu joue un rôle, la communication entre les organes internes joue un rôle. Cela implique un système. Pour des systèmes de niveaux différents, les qualités de la communication changent et c'est tout ce que nous pouvons dire. Descartes s'est heurté à cette même difficulté, tout comme Spinoza. Ils savaient que ces deux dimensions étaient là, mais ils aboutirent intuitivement à d'autres types d'explication. Et bien sûr nous ne travaillons que sur une portion des choses. Pour cela, le cerveau n'est pas important; il n'est qu'un outil. Nous savons aujourd'hui que de nombreuses parties du cerveau peuvent disparaître; pourtant, dans quelques cas, la fonction peut être restaurée. Nous essayons de parler des localisations, mais nous commettons sans cesse des erreurs à ce sujet. Lorsque je parle de cette interaction continue, ce n'est pas à propos d'un seul être humain, c'est à travers toute l'évolution. Aussi, cette théorie de l'interaction est-elle acceptée pour le moment par les plus grands neurologues.

Depuis la Grèce antique, avec Platon et Aristote, les théories des philosophes et psychologues à propos de l'esprit et du cerveau n'ont cessé de s'opposer.
(Temple à Égine.)

SMYTHIES. Les neurologues ne l'acceptent pas. Si cela était, Eccles n'aurait pas été l'objet d'attaques aussi méchantes.

MEERLOO. Le problème ne se pose pas en un sens neurologique. Il s'agit d'un problème d'étymologie. Il vous faut donc interroger ceux qui regardent par-dessus l'épaule des neurologues. Si vous travaillez sur le cerveau, vous ne voyez que lui. Lorsque vous ne travaillez que sur une boîte rouge, vous ne voyez que des boîtes rouges. La vieille notion de monisme et de dualisme a disparu.

FLEW. Il me semble que si vous faites que trois plus trois donnent six et que vous obtenez six dimensions spatiales, le problème tournera autour de la relation spatiale entre les apparences rêvées et les objets visibles. Or il me semble que tout ce que l'on montre, c'est qu'il existe des relations spatiales à l'intérieur de l'imagination de chacun; mais je ne vois pas l'intérêt qu'il y a à demander, à ce propos, où se situe mon expérience imaginaire. Il est intéressant de demander si Flew a une vision, et l'on peut répondre que ses visions se situent partout où il est. Où se situe une partie de l'expérience imaginaire de Flew par rapport, non à d'autres parties de son expérience imaginaire, mais au monde apparent? Je pense que si vous allez obtenir six à partir de ces additions, il vous faut avoir une réponse concernant les relations spatiales des choses dans l'imaginaire avec les choses qui sont dans le monde.

SMYTHIES. J'ignore si vous avez lu le compte rendu qu'en a fait Broad. Il est l'un des rares philosophes à avoir pris la théorie de Dunne sur le temps au sérieux. Il a écrit, dans les années 1930, un long résumé de cette théorie. Vous avez un monde visible d'objets dans lequel les entités sont en relations spatiales les unes avec les autres. Vous avez un autre monde d'images dans lequel les entités sont en relations spatiales les unes avec les autres. Mais, pour ce qui est de la communication entre ces deux mondes, il n'existe aucune relation spatiale entre le premier espace et le second. Il s'agit tout simplement d'espaces différents. Mais Broad dit que l'espace tri-dimensionnel de la physique ou du monde matériel ordinaire, et l'espace tri-dimensionnel que vous faites fonctionner dans les rêves, dans l'imaginaire et dans l'inconscient, sont des subdivisions artificielles.

FLEW. Je l'ai étudié et j'ai pensé qu'il n'avait tout simplement pas apporté de réponse à cette question cruciale. Parce qu'il ne l'avait pas fait, il essayait en fait d'ajouter deux choses qui n'étaient pas valides. C'est comme chercher à additionner les apparences au réel pour voir combien vous obtenez de réalités.

SMYTHIES. Tout dépend de la vérité de l'affirmation originelle. Une image consécutive possède des propriétés géométriques qui lui sont propres et non des propriétés que votre observation lui attribue. Lorsque vous regardez une image et que vous voyez cet objet passer du rouge au bleu, s'agit-il d'une entité? S'agit-il là d'un objet qui possède des propriétés qui lui sont propres? S'il a des qualités géométriques, s'il s'agit d'une entité, il possède des qualités géométriques. A ce moment-là, vous pouvez rattacher ses propriétés à celles d'objets matériels, géométriquement. Mais vous pourriez dire que cette image ne possède pas vraiment de propriétés. Un processus cérébral très complexe se poursuit.

FLEW. Il ne peut pas s'agir d'une entité dont on puisse dire de manière significative qu'elle existe par elle-même si le fait d'être une entité est une condition nécessaire, ce qui est au sens traditionnel une substance. On ne pourrait même pas dire de manière significative que mon rêve existe sans que je l'aie. C'est comme la douleur que je ressens, mais pas du tout comme mon rasoir.

SMYTHIES. Dans le champ de votre expérience actuelle, toutes ces choses vont ensemble. Elles font toujours partie de votre conscience. Ce n'est pas un argument contre la proposition qui dit que l'on peut affirmer que ces choses sont en relations avec d'autres entités. Le point crucial est là.

MEERLOO. Vous parlez de systèmes antithétiques; mais il y a des interactions. Ainsi, lorsque je fais un rêve, le système est différent par rapport au moment où je vois un verre et où je le jette par terre. Ces systèmes se rencontrent parfois et possèdent une interaction.

SMYTHIES. Le problème est le suivant : Descartes disait que les faits de l'esprit n'ont aucune étendue, qu'ils ne sont pas spatiaux. L'image qu'il se faisait d'un phénomène de l'esprit, c'était une pensée. Mais Price a dit que c'était faux; les images visuelles font tout autant partie de l'esprit, de la conscience, que n'importe quelle pensée.

MEERLOO. C'est une image spatiale différente.

SMYTHIES. Alors, comment rattachez-vous l'espace dans lequel les images sont étendues à celui du monde matériel ordinaire qui a son origine dans votre cerveau?

MEERLOO. Vous n'avez pas besoin de les rattacher.

SMYTHIES. Vous n'en n'avez pas besoin mais vous le pouvez. Nul n'a besoin de faire quoi que ce soit. Vous ne faites que ce que vos hypothèses vous poussent à faire. Il me semble que ce que proposent Broad et Price ici, c'est une façon nouvelle d'envisager le dualisme, différente du dualisme cartésien.

BRIER. Je me suis inquiété lorsque, sur la fin de son exposé, le Dr Smythies a brusquement déclaré qu'il lui importait peu que les phénomènes parapsychologiques contredisent ou non les lois de la physique. Cela m'a inquiété parce que le fondement de ma définition a toujours été qu'un phénomène n'est pas paranormal s'il ne vient pas, ostensiblement, en contradiction avec les lois de la physique. C'est là votre point de départ. Vous écartez simplement les lois de la physique en faveur de quelque chose comme la théorie de l'information qui n'est, après tout, qu'une sorte de formalisme qui décrit certains faits de communication et qui n'a donc pas de lois qui pourraient, en tant que telles, écarter certaines possibilités et certaines contingences. Cela me paraît très discutable et j'aimerais savoir comme le Dr Smythies défendra ce point de vue.

SMYTHIES. Cela ne me gêne pas. On a abouti aux lois de la physique par l'examen d'un grand nombre de molécules et de leur interaction. Si Eccles a raison (disons pour le moment « si »), alors les lois actuelles de la physique, quel que soit leur mérite, sont incomplètes. Elles ne tiennent pas compte de ce genre de transgression. Quand je semble ne pas y attacher d'importance, j'entends que je ne suis pas prêt à m'incliner devant la loi. Quant au problème de l'existence de ces influences de l'esprit et de leurs propriétés, les lois de la physique ne sont pas pertinentes parce qu'elles n'ont pas été faites pour rendre compte de tels phénomènes.

BRIER. Je ne comprends pas cette discussion sur les différents espaces. Je peux comprendre qu'il existe un espace à *n* dimensions. Mais lorsque vous parlez d'espaces différents, cela ressemble à une erreur de classement. Permettez-moi de vous donner un exemple. Je ne sais pas si vous connaissez les travaux de Patrick Sheelan sur la perception spatiale. Il a publié récemment un article dans lequel il essaye de voir comment les gens perçoivent des points lumineux dans une pièce obscure. Ces gens-là n'ont aucune indication de perspective; c'est l'obscurité complète, et la pièce est très vaste. Sheelan explique : « Allumez trois points dans la pièce et demandez aux gens de décrire les relations spatiales qui existent entre ces trois points. » Il s'agit là d'un cas où vous ne pouvez pas utiliser la moindre indication. Lorsque les gens décrivent ces choses-là, ils décrivent des choses sur la surface d'une sphère. Il pourrait y avoir un triangle équilatéral, mais les gens diront qu'il y a deux côtés en bas et un en haut. Or, dans ce cas précis, nous pouvons comprendre qu'ils décrivent les choses en fonction d'une géométrie différente, par rapport à la manière dont nous décrivons les choses lorsque nous avons d'autres indications visuelles. Mais cela ne veut pas dire qu'il y ait des espaces différents. Pourtant, lorsque vous parlez d'espaces différents, il semble que ce soit ainsi. Est-ce que vous ne voulez pas vraiment dire qu'on pourrait faire appel à des géométries différentes pour décrire l'expérience? Êtes-vous d'accord avec cela?

SMYTHIES. Ce que je veux dire, c'est que l'on présume, pour l'instant, que l'espace du monde matériel visible lorsqu'on parle intuitivement est le même que celui de votre conscience. Le problème est que les gens ne comprennent pas ce que signifie « l'espace de la conscience ». Je dis, quant à moi, qu'il s'agit d'un espace dans lequel votre image onirique et votre état sensoriel et visuel existent, et que l'on suppose que ces deux espaces sont un seul et même espace. Ils sont géométriquement différents.

BRIER. Ils sont géométriquement différents! Ce n'est pas la même chose que dire qu'il s'agit de deux espaces différents. Disons plutôt : il n'y a qu'un seul espace, l'espace du monde.

SMYTHIES. Pourquoi dites-vous cela? Comment le savez-vous?

BRIER. Disons alors : si vous pouvez dire que les géométries sont différentes...

SMYTHIES. Je dirais que la totalité est une image finale qui provient d'une multitude d'images, dont une coupe est une image à quatre dimensions et une autre également, mais qui sont différentes. Elles sont différentes géométriquement.

Bibliographie

Bibliographie

AMADOU (Robert), *La Parapsychologie*, Denoël, 1954.

ANGOFF (Allan) et SHAPIN (Betty), *Proceedings of an international conference. A century of psychical research : the continuing doubts and affirmations*, Parapsychology Foundation, New York, 1971.

BENDIT (Laurence J.), *Paranormal cognition : its place in human psychology*, Faber, London, 1944.

BESTERMAN (T.), *Collected papers on the paranormal*, Garrett/Hélix, New-York, 1968.

BROAD (C.), *Religion, Philosophy and Psychical Research*, Routledge and Kegan Paul, Londres, 1953.

DAMIEN (Michel) et LOUIS (René), *Les Pensées Communicantes* (anthologie), Tchou/Laffont, Paris, 1976.

DINGWALL (Eric J.) et LANGDON-DAVIES (J.), *The unknow-Is it nearer?* New American Library, New-York, 1956.

DRIESCH (H.), *Psychical research : The science of the supernormal*, préface de Sir Oliver Lodge; G. Bell, London, 1933.

DUNNE (John W.), *Le temps et le rêve*, Seuil, Paris, 1948.

DUVAL (P.), *Nos Pouvoirs Inconnus*, Encyclopédie Planète, 1966.

EBEN (Martin), *Prophecy in our time*, New American Library, New York, 1969.

EDMUNDS (S.), *Miracles of the mind : An introduction to parapsychology*, Thomas, Springfield, U.S.A., 1965.

EHRENWALD (J.), *Telepathy in dreams*, British Journal of Medical Psychology, XIX, 1942.

EHRENWALD (J.), *Precognition in Dreams?* The psychoanalytic Review, XXVIII, 1951.

ELLWOOD (G.F.), *Psychic visits to the past : an exploration of retrocognition*, New American Library, New York, 1971.

FOLLIN (S.), *Les États oniroïdes*. Congrès de Psychiatrie et de neurologie de langue française, Masson, Paris, 1963.

FUKURAI (T.), *Clairvoyance and Thoughtography*, London, Rider and Co, 1931.

GARRIC (Max), *L'Intuition dirigée*, Dangles, Paris, 1957.

GELEY (G.), *De l'inconscient au conscient*, Felix Alcan, 1919.

GELEY (G.), « Un cas remarquable d'auto-prémonition de mort », *Annales de Sciences psychiques*, 125-130, Paris, 1916.

GELEY (G.), *L'ectoplasmie et la clairvoyance*, Alcan, Paris, 1924.

GERARDIN (F.), « Hallucinations hypnagogiques », revue *Évolution psychiatrique*, Paris, 1938, n° 4.

HANSEL (C.E.M.), *ESP : A scientific Evaluation*, New York, Charles Scribner's Sons, 1966.

HEYN (L.H.) et MAUBLANC (R.), *Une éducation paroptique. La découverte du monde visuel par une aveugle,* Gallimard, Paris, 1926. (Bibliographie analytique des publications françaises, – 57 références –, sur la vision paroptique de 1920 à 1925).

HEYWOOD (Rosalind), *The sixth sense : an inquiry into extrasensory perception,* Pan Books, London, 1971.

HOLMS (A. Campbell), *The facts of psychic science and philosophy collated and discussed,* University Books, New Hyde Park, New York, 1969.

HUMPHREY (Betty M.), *Handbook of tests in parapsychology* (préface de J.-B. Rhine), Parapsychology Laboratory, Durham, U.S.A., 1948.

JAFFE (A.), *Apparitions and Precognition,* New York, University Books, 1963.

JOHNSON (R.C.), *Psychical research : exploring the supernatural,* English Universities Press, 1955. Réédité par Funk and Wagnalls, New York.

JUNG (Carl G.) et PAULI (Wolgang), *The Interpretation of nature and the psyche.* (Synchronicity : an acausal connecting principle; the influence of achetypal ideas on the scientific theories of Kepler). Princeton University Press, 1955, Edition originale en allemand : *Naturerklärung und Psyche,* 1952.

KOESTLER (Arthur), *Les Racines du hasard,* Calmann-Lévy, Paris, 1972.

LARCHER (H.) et RAVIGNANT (P.), *Les Domaines de la parapsychologie,* C.E.P.L. Paris, 1972.

LEROY (E.), *Les Visions du demi-sommeil* (hallucinations hypnagogiques), Éd. Alcan, Paris, 1933.

LHERMITTE (J.), *Les Hallucinations, clinique et physiopathologie,* Douin et Cie, Paris, 1951.

LYTTELTON (E.), *Some cases of prediction,* G. Bell, London, 1937.

MASSON (Roger), [ouvrage collectif sous la direction de] *Le Livre des Pouvoirs de l'esprit,* éd. C.A.L., Paris, 1976.

MAXWELL (Joseph), *Les phénomènes psychiques,* préface du Pr Charles Richet, Alcan, Paris, 1914.

MICHEL (Aimé), MOUFANG (W.) et STEVENS (W.O.), *Le Mystère des rêves,* Éd. Planète, Paris. 1965.

MURPHY (Gardner) et DALE (Laura A.), *Challenge of psychical research : a primer of parapsychology,* Harper and Row, New York, 1961.

MOBERLY (C.A.E.) et JOURDAIN (E.F.), *Les fantômes de Trianon* (préface de Jean Cocteau, de l'Académie française, et introduction de Robert Amadou), Éditions du Rocher, 1959.

OSIS (K.) et BOKERT (E.), « ESP and Changed States of Consciousness Induced by Meditation », in *J. Amer. Soc. Psych. Res.,* 65, pp 17-65, 1971.

OSTRANDER (S.) et SCHROEDER (L.), *Recherches parapsychiques en URSS,* Laffont, 1973.

PETRE-QUADENS (O.), *Ontogenèse de l'activité onirique chez l'homme.* Activité onirique et conscience, Symposium de Lyon, 1965.

POLLACK (Jack H.), *Les Yeux du miracle, Croiset le clairvoyant,* Planète, Paris, 1965.

PRATT (J. Gaither), *ESP Research Today : a study of developments in Parapsychology since 1960,* the scarecrow Press, Metuchen, 1973.

PRIESTLEY (J.B.) *Man and Time,* Dell, New York, 1968.

RICHET (Charles), *L'avenir et la Prémonition,* Aubier, Paris, 1931.

RHINE (Louisa E.), *Manual for introductory experiments in parapsychology,* Parapsychology Press, Durham, U.S.A., 1966.

RHINE (Louisa E.), *Les Voies secrètes de l'esprit,* Fayard, Paris, 1970.

ROLL (W.G.), MORRIS (R.L.) et MORRIS (J.D.) *Research in Parapsychology* (Abstracts and Papers from the sixteenth annual convention of the parapsychological association, 1973), the Scarecrow Press, Metuchen, N.J., 1974.

SALTMARSH (H.F.), *Foreknowledge,* G. Bell, London, 1938.

SMITH (Alson J.), *The psychic source book* (anthologie). Introduction de P.A. Sorokin. Creative Age, New York, 1951.

SMYTHIES (J.R.), *Science and ESP.*

SUDRE (René), *Traité de parapsychologie,* Payot, 1956, (première édition en 1926 sous le titre *Introduction à la Métapsychique).*

TOURNAY (Aug.), « Sur mes propres visions du demi-sommeil ». *Rev. neurol.* n° 73, 1941.

TOCQUET (R.), *Les Hommes-phénomènes,* Les Productions de Paris, 1961.

TYRREL (G.N.), *The personality of man : New facts and their signifiance,* Penguin, Harmondsworth, Angleterre, 1947.

294

WARCOLLIER (René), « Expérience récente de psychométrie » *Revue Métapsychique,* n° 24, p. 27-30, Paris, 1953.

WEST (Donald J.), *Tests for extrasensory perception : an introduction guide,* Society for psychical Research, Londres, 1954.

Origine des textes

Les Éditions Tchou remercient les Éditeurs qui leur ont permis la reproduction de textes de leur fonds :

AUBIER MONTAIGNE : Charles Richet, *Notre Sixième sens,* 1928. BALLANTINE BOOKS : Lawrence Leshan, *The Medium, the Mystic and the Physicist,* 1974. BIJLEVELD (Utrecht) : W. H. Tenhaeff, *Parapsychologie,* 1974. ÉDITIONS DANGLES : Albert Leprince, *Les ondes de la pensée,* 1939. FAYARD : Louisa E. Rhine, *Les Voies secrètes de l'esprit,* 1970. GALLIMARD : Sigmund Freud, *Nouvelles conférences sur la psychanalyse,* 1971; Jules Romains, *La vision extra-rétinienne et le sens paroptique,* 1964. MASSON : Jules Romains, « La vision extra-rétinienne et le sens paroptique » in *La Presse médicale* (15 février 1964). Jean MEYER : Ernest Bozzano, *La médiumnité polyglotte,* 1934. PARAPSYCHO-LOGY FOUNDATION, INC (New York) : John E. Orme, « Precognition and Time », et John R. Smythies, « The Mind – Brain Problem Today : a viewpoint from the neurosciences », in *Parapsychology and the sciences,* 1974. PAYOT : J. B. Rhine, *La double puissance de l'esprit,* 1952; R. Tischner, *Introduction à la parapsychologie,* 1973. REVUE MÉTAPSYCHIQUE : Eugène Osty, « La préconnaissance de l'avenir » (sept.-oct. 1925); O. Osty, « Un homme doué de connaissance paranormale » (mars-avril 1925). ROUTLEDGE AND KEGAN PAUL : Robert Thouless, *From anecdote to experiment in psychical Research,* 1972.

Michel Pascal a traduit les chapitres « Pourquoi la parapsychologie est importante », « Expériences de précognition », « A travers le temps » et « Conclusion sur l'esprit et le cerveau » Louis Fessard « Les enquêtes de police avec un clairvoyant ».
Le chapitre de D. Scott Rogo est extrait de *La parapsychologie dévoilée,* Tchou, 1976.

Origine des illustrations

L'impression de ce livre
a été réalisée sur les presses
de l'Imprimerie Maury S.A.
45330 Malesherbes
le 18 janvier 1977

Dépôt légal, 1er trimestre 1977 – No Imprimeur K76/3733
Imprimé en France.